Legis, (

Die Runen und ihre ___

Legis, Gustav Thormod

Die Runen und ihre Denlemaeler

Inktank publishing, 2018

www.inktank-publishing.com

ISBN/EAN: 9783750107441

DIE

RUNEN

UND

IHRE DENKMÄLER.

Nebst

Beiträgen zur Kunde

des

SKALDENTHUMES.

Von

Dr. *Gustav Thormod Legis,*

Ehrenmitglied der deutschen Gesellschaft für Erforschung
vaterländischer Sprache und Alterthümer zu Leipzig.

Mit fünf Steindrücken.

LEIPZIG, 1829.
Verlag von Johann Ambrosius Barth.

DER

KÖNIGLICHEN GESELLSCHAFT

FÜR NORDISCHE

ALTERTHUMSKUNDE

ZU

KOPENHAGEN

Vorrede
und
Einleitung.

Ein Werk von grösserem Umfange, das unter dem Titel
„Fundgruben des alten Nordens" in die Welt
tritt, kann wohl kaum etwas anderes, als Erörterungen
über Gegenstände der nordischen Alterthumswissenschaft,
über Denkmäler nordischer Sprache, Geschichte und Kunst
verheissen wollen. Allerdings ist das auch die nächste
Absicht des gegenwärtigen Werkes, dessen erster Band
allen Freunden germanischer Vorzeit und volksthümlicher
Uiberlieferungen hiemit dargeboten wird.

Für jetzt und für immer erhaben über alle Zweifel
bleibt ja die Einheit des teutschen und skandinavischen
Volksstammes; und hiedurch eben bestimmt sich der Werth
aller umfassenderen Forschungen in dem Bereiche der
nordisch-vorzeitlichen Denkmälerkunde zumeist für die
Aufhellung teutscher Urzeit, wie auch für die Geschichte
der Menschheit überhaupt.

Gewöhnlich theilt man den germanischen Völkerstamm,
der einst ganz Mitteleuropa vom Eismeer bis an die Alpen
hin bewohnt hatte, nach Sprache und Geschichte in
Sachsen, Franken und Gothen. Vor jener Absonderung
sind die teutschen Völkerschaften ebenso durch eine gemeinschaftliche Religion, wie durch eine, aus entfernten
Ursitzen mitgebrachte, Stammsprache vereint gewesen.
Der Ursprung und die Ursitze des Germanenstammes jedoch
können erst auf dem Wege gründlicher Sprachforschungen

ausgemittelt werden; denn keine historischen Nachrichten
reichen in das Dunkel jener unbestimmbaren Vorzeit hinauf
Vielleicht hat sich ureinst auf und zwischen den indischen
und kaukasischen Gebirgen ein grosses Sprachgestämm
gebildet, von welchem zu verschiedenen Zeiten und auf
verschiedenen Wegen mehre Zweige nach Europa gelang-
ten. Ein aus diesem südöstlichen Asien entsprossenes
Volk, das etwa den Urnamen der Mannen (ein in den
Sprachen jener Weltgegend unter verschiedenen Formen
wiederkehrender Name für Mensch und Mann) oder
einen den Teutschen ähnlichen Namen führte: kam in
das alte Thracien, verbreitete sich bis in die Mitte und
endlich auch bis in den Norden Europa's, und setzte, als
eigentliches Stammvolk der Germanen, zugleich seine
Sprache zur Mutter jenes grossen Sprachensystemes ein,
welches die Grundlage der Gothischen, Fränkischen,
Sächsischen und Altnordischen (Skandinavischen)
Sprache geworden ist. Hieraus fliesst denn auch die vollkommene Identität des germanischen und skandinavischen
Geistes, wie in religiöser so in politischer Beziehung.

Die Denkmäler germanischer Altsprachen bleiben gemeinschaftliche Schätze für alle Stammverwandten; denn
während sie uns die früheste Form des geistigen Daseins,
das innere und gemüthliche Leben unserer germanischen
Vorväter zur Anschauung bringen: lassen sie hier und
dort, zumal in späteren Zeitläufen, Begebenheiten und
äussere Vergleichungspunkte durchschimmern, nach denen
das bürgerliche und sittliche Verhältniss jener Brüder-
nationen untereinander tiefer und sicherer angegeben werden kann, als dies aus allen gleichzeitigen Annalen und
Geschichtsbüchern theils selbst mit berührter, theils ander-
weitig unterrichteter Nachbarvölker möglich ist.

In solcher Beziehung dürften wohl die mannigfachen
Uiberreste aus der Vorzeit des skandinavischen Nordens

unter allen übrigen Denkmälern des alten Germaniens bei
weitem die grösste Beachtung verdienen: nicht als ob sie
hohen Alters wegen in besonderem Werthe stünden, oder
sonst ihrer Ausbildung und inneren Vollendung nach An-
sprüche auf Vorzüglichkeit machen könnten: sondern desshalb vielmehr, weil sie sich eben hier in so reicher Mannigfaltigkeit vorfinden, dass man kühn behaupten kann,
kein europäisches Volk weiter besitze dergleichen vorzeit-
liche Denkmäler in dieser Menge und Reichhaltigkeit.
Wie gering sind nicht die Gothischen Sprachüberreste,
wie gering an Werth und Anzahl die Schriftdenkmale der
Angelsachsen, wie unbedeutend jene der Franken? Hätten
wir die urteutschen Heldenlieder und Stammgesänge noch,
welche Kaiser Karl der Grosse gesammelt, dessen edle
Bemühung aber sein frommer Sohn vielleicht wieder vernichtet hat; welch ein unvergleichlicher Schatz an Volks-
dichtungen und Sagen, etwa von Wodan her, durch Teut
und Man bis auf Hermann und Claudius Civilis und Fridigern
u. s. w. wäre uns aufbehalten? So aber müssen wir Teutsche
ausser dem einzigen Besitz des Hildebrandsliedes, des viel
jüngeren Heldenbuches und des nationalen Liedes der Nibelungen, uns vom achten bis zum eilften Jahrhunderts hin
grösstentheils nur mit blossen Uibersetzungen aus der Bibel
und einzelen Hymnen, Gebeten und Glossen zufrieden stellen. Keineswegs jedoch ist dies auch im skandinavischen
Norden der Fall. Dort hinterblieb eine schöne Anzahl von
zum Theil uralten einheimischen Denkmälern; und wahr
bleibt es, dass die Teutschen, wenn sie den Geist ihrer
ältesten Dichtung, Sage und Geschichte anschauen und
würdigen wollen, dahin kommen und Früchte geniessen
müssen, die unter dem nordischen Himmel gereift sind.

Denn zu einer Zeit, wo Aufregungen von mancherlei
Art und zumal die überwältigende Ausbreitung römischer
Literatur und Mönchsgelehrsamkeit die cultivirteren Völker

Europa's bestimmte, zur Geschichtschreibung die fremde lateinische Sprache der eigenen Muttersprache vorzuziehen:
konnte der skandinavische Norden, längere Zeit noch frei
von diesen Einflüssen, seine Altsprache und Sitte bewahren;
es konnten denn die Geschichtschreiber derselben Zeitperiode
zur Aufzeichnung der Landesgeschichte auch die Sprache
des Landes anwenden, ohne dadurch im mindesten den
Werth und Nutzen ihrer historischen Leistungen zu gefähr-
den. Vielmehr hat diese Liebe zur Landessprache der altnordischen Historiographie vor so manchen anderen unver-
kennbare Vorzüge verliehen. Nie kann die fremde Sprache
den Geist und Zustand eines Volkes genug anschaulich
machen, manche Angabe, manche Schilderung wird hier
unvollständig oder schief ausfallen, die Eigennamen werden
entstellt, Nebenumstände und was in der Begebenheit gerade
recht nationale Färbung hat, muss übergangen werden:
während im gegenseitigen Falle eine vollendetere Wohlge-
troffenheit in dem ganzen geschichtlichen Bilde nothwendig
erzielt werden muss. Hätten Jornandes, Gregor von Tours,
Eginhard, Saxo, Goifried von Monmouth und andere Histo-
riker des Mittelalters stets in der Sprache des Landes geschrieben, dessen Geschichte sie bearbeiteten: ihre Werke
hätten ohne Zweifel an Treue und Verlässlichkeit gewonnen. Uiberhaupt that in diesem Stücke die lateinische
Sprache und Schreibgewohnheit, so wie sie mit dem
Christenthume zugleich überhand nahm, der europäischen
Geschichte einen grossen Abbruch.

In unserem Norden aber stehen gleich dem trefflichen
Nestor, die Isländer Are Frode und Snorre Sturleson als einzig da. Sie haben die nordische Vaterlands-
geschichte in ihrer Muttersprache abgefasst, und der letztere
besonders behauptet unter den Geschichtschreibern der ersten
christlichen Jahrhunderte einen so ausgezeichneten Rang, dass

man ihn in mancher Hinsicht selbst dem Herodot an die Seite stellen kann.

Are, mit dem Beinamen Frode (der Weise) geb. 1067, gestorben 1148, schrieb unter dem Titel *Islendinga-bók* (Isländerbuch, sonst auch *Schedae* genannt) ein kleines Geschichtswerk über Island, welches vom J. 870 oder dem Anbaue Islands beginnend, einen Zeitraum von 264 Jahren umfasst. Die Isländer hatten sich nemlich seit ihrer Ansiedelung von den Stammsagen und Geschichtsüberlieferungen ihres Mutterlandes Norwegen dergestalt abgeschieden, dass sie, als ihnen mit dem anbrechenden Christenthume die Schriftkunde zukam, unter überall neuen Landesverhältnissen die Geschichte ihres Freistaates von einem bestimmten Anfange her leicht aufzeichnen konnten. Diese Arbeit unternahm der Priester Are und führte sie, wenn auch schlicht, doch verständig und gründlich aus. Er hatte, so versichert er selbst, sein Werk dem Urtheile vieler erfahrenen Männer unterworfen, deren Bemerkungen er nachmals sorgfältig sammelte und zur Vervollständigung seiner Nachrichten treulich benutzte; sein Werk steht, wie sich DAHLMANN ausdrückt, als der schmucklose Ertrag mühsamer vielfältiger Vergleichung da, und als die wahrhaftigste Urgeschichte, die leicht irgend ein Staat der Vergangenheit aufzuweisen hat.

Are bot aber auch, hauptsächlich durch seine ausführliche norwegische Chronik, die für uns leider, so wie auch des älteren isländischen Historikers Sämund Sigfusson (geb. 1056, gestorben 1121) Annalen verloren ist, seinem Nachfolger Snorre (geb. 1178, ermordet 1241) manche gute Anleitungen dar. Snorre, aus dem adeligen Geschlechte der Sturlunger, war mehrmals isländischer Lagmann und überhaupt der geistreichste, gelehrteste, reichste und mächtigste Isländer seiner Zeit. Sein historisches Werk bildet eine Sammlung nordischer Königs-

sagen und führt (von dem ersten Worte der Vorrede) den
Namen *Heimskringla*. Auf Snorre's Verdienste um die
einheimische Dichtkunst und die Aufbewahrung alterthüm-
licher Uiberlieferungen werde ich unten noch zu sprechen
kommen; hier nimmt sein meisterhaftes nordisches Geschichtswerk unsere ganze Aufmerksamkeit in Anspruch.
Snorre's Quellen bestanden, nach seiner eigenen Aussage,
ausser mehren chronologischen Arbeiten des Are auch noch
in einzelen Stammtafeln skandinavischer Könige und Grossen,
von ihm *Langfedgatal (majorum series)* genannt. Besondere Rücksicht nahm jedoch Snorre auf die Zeugnisse
älterer norwegischer Dichter; er prüfte nicht zu ängstlich,
sondern nahm die Thatsachen, deren Schilderung er in den
Gesängen vorfand, mit einer Sorgfalt auf, die ihn oft sogar
zur buchstäblichen Wiedergabe der Lieder verleitet hat.
Von solchen wörtlich angeführten, zuweilen sehr langen
Liedern und poetischen Bruchstücken ist Snorre's Königs-
geschichte voll. Da Snorre selbst Dichter, historischer
Dichter war, und ihm an einer gewissen Fülle und Frische
der historischen Behandlung sehr viel lag, so beschwichtigte
er seinen kritischen Sinn durch die Uiberzeugung, dass jene
Lobgesänge der Skalden, deren er sich zur Grundlage
seiner Königschronik bediente, als jedesmal gleichzeitige
und grösstentheils von Augenzeugen selbst herrührende
Zeugnisse, am meisten Glaubwürdigkeit hätten. Denn
diese Loblieder könnten desshalb keine Unwahrheiten enthalten, weil sie in Gegenwart der angesehensten Männer,
ja „von den Häuptlingen selbst und ihren Söhnen gesungen
worden sind; nie wäre geduldet worden, dass der Skalde
zu den geschilderten Kriegszügen und Heldenthaten auch
nur das mindeste hinzudichtete, denn dies wäre Schmähung
und nicht Lob.“ Seine ältesten Nachrichten, denen allerdings sehr viel Fabelhaftes anklebt, da sie sehr weit hinauf
und bis auf die Einwanderung der Asen und Odin zurück-

gehen, bezog Snorre zum Theil aus mündlich vererbten Stammsagen, welche die Erinnerung des Volkes so gern bewahrte, theils aus dem Vorrathe seiner eigenen, nicht unbeträchtlichen Geschichtserfahrungen; wobei ihn noch sein gesundes Urtheil und seine nähere Bekanntschaft mit der Erdkunde vielfältig unterstützen und leiten konnte. Snorre hatte überdies Gelegenheit, auf seinen mehrmaligen Reisen durch Norwegen und Schweden zahlreiche Nachrichten über die vaterländische Vorzeit und besonders alte Geschlechtsregister und Chronologieen zu sammeln; ausserdem war Snorre bemüht, sich die sämmtlichen historischen Lieder Thiodolfs von Hvin, eines Skalden an K. Harald Harfagers Hofe, zu verschaffen, auf welche er denn auch den grössten Theil seiner Ynglingasaga (so genannt von den Ynglingern oder Nachkommen Yngvi-Frey's, eines der Begleiter Odins) gegründet hat. Sonst aber hat Snorre noch andere geschichtliche Urkunden aus älterer Zeit benützt; und zwar geht aus mehren Stellen der Heimskringla hervor, dass manche Sagen und Gesänge, zumal die eben erwähnten historischen Lieder Thiodolfs, (Ynglingatal), und mehre Geschlechtstafeln bereits auch früher schon aufgeschrieben waren. Von runischen Quellen jedoch weiss Snorre gar nichts; ohne Zweifel verdankt ihnen auch Saxo nichts weiter, als ein paar zierliche Phrasen über sie. Snorre nennt die Runen, welche Odin lehrte, blos als Zaubermittel; er bekümmerte sich überhaupt so wenig um die Runenkunde, dass er einst wegen Unkenntniss gewisser Runencharaktere, vermittelst welcher ihn ein Freund vor den Nachstellungen einiger Bösewichter hatte warnen wollen, sogar sein Leben durch Gewalt verlieren musste. Snorre's Quellenschriften sind zum Theil auch noch vorhanden und vornehmlich durch P. E. Müller nachgewiesen worden. Sie bestehen aus sogenannten Sagen (Sögur) und Snorre erscheint darnach meist nur als Ordner

und Sammler des Ganzen; als sein durchaus selbständiges
Eigenthum dürften mit Sicherheit nur die ersten 13 Kapitel
der Ynglingasaga angegeben werden können.

Die nordischen Sagen verdanken ihre Entstehung dem
lebendigen Sinne der alten Skandinavier für Poesie, Geschichte und Wohlredenheit. So wie der Skalde sich Ruhm
und Belohnungen sicherte, wenn er seiner Zeitgenossen
preiswürdige Thaten und das Heldenleben der Vorfahren
in angemessenem kräftigen Tone besang: ebenso auszeich-
nend war es auch, wenn der Erzähler sich durch einen
wohlgefälligen bündigen Vortrag und das Interesse, das
er jedesmal in den Stoff zu legen wusste, die Aufmerksamkeit und das Vertrauen seiner Zuhörer erwarb. Diese lebhafte Wissbegierde und die Lust an Erzählungen aus der
Mit- und Vorzeit, dem In- und Auslande konnte durch
nichts geschwächt werden; vielmehr ist die mündliche
prosaische Erzählung auf eine gewisse Weise nach und
nach zur förmlichen Kunst gesteigert worden, was auch
um so leichter stattfinden konnte, als die an sich kräftige
und wohltönende Landessprache durch mannigfaltige Skal-
dengesänge und Rechtsverhandlungen vortheilhaft ausgebildet war. Die mündliche Erzählung gehörte zu den allgemeinsten Vergnügungen der alten Nordvölker. Uiberall,
in der einsamen Hütte und am Königshofe wurde diese
Erzählungslust genährt. Bei öffentlichen Zusammenkünften
mögen besonders die Sagen von den vornehmsten Geschlechtern des Reiches vorgenommen worden sein, wozu
die Gesänge der Skalden die sichersten Anhaltspunkte
boten. Denn sehr oft hatte sich der Erzähler auf ältere
Lieder und Gesänge zu berufen, und kaum giebt es eine
bedeutende altnordische Sage, deren Grundlage nicht dergleichen volkskundige Lieder und Traditionen ausmachten.
Es erforderte also die mündliche Erzählung eine eigene
Geschicklichkeit; und diese letztere wurde so hoch geach-

tet, dass das Ansehen, welches grosse Thaten, Reisen
und Erfahrungen aller Art erwerben mochten, weniger
galt, wenn nicht das Talent hinzukam, sie wieder zu
erzählen. Die Lieder der Edda sprechen von dem ausgezeichneten Platze, welchen ein solcher öffentlicher Erzähler (Þulr) bei den allgemeinen Versammlungen einnahm; und es ist gewiss, dass die Skandinavier die Gabe
der Erzählung in eben dem Maasse geehrt und gewürdigt
haben, als ihnen anfänglich die Schreibekunst ganz fremd
und auch lange nachher nur ein untergeordnetes Mittel
zu fernerer Aufbehaltung ihrer zahlreichen Geschichts-
sagen gewesen ist.

Alle altnordischen Sagen, welche wir jetzt noch
besitzen (ihre Anzahl kann auf mehre Hundert angesetzt
werden) sind auf I s l a n d bearbeitet und aufgezeichnet
worden; die Hss. davon befinden sich mit wenigen und
unbedeutenden Ausnahmen auf der öffentlichen Bibliothek
zu Kopenhagen. Nach dem Zeugnisse der Olafs-Saga
waren etwa 240 Jahre seit dem Anbaue Islands verflossen,
als man anfing, die Sagen aufzuschreiben. Durch die
mündliche Uiberlieferung hatten diese aber schon eine so
bestimmte Ausbildung gewonnen, dass sie nachher weniger
schriftlich verfasst wurden, als vielmehr schon vollkommen
fertig in die Schrift übergingen; Geijer vergleicht ihr Uiber-
fliessen in Schrift sehr treffend mit dem Abpflücken einer
bereits reif gewordenen Frucht. Aber so wie der Quell
lebendiger Volksüberlieferung versiegte, geschah es auch,
dass fortan ungeschichtliche und mit Absicht g e d i c h t e t e
Sagen aufgezeichnet wurden; die Grundlinien dieser Mähr-
chensagen waren dann meist aus dem Auslande hergenommen, da ältere und einheimische Muster zum Theil auch
schon erschöpft sein mussten. Das Historische der Sagen
und Gesänge verschwand auf diese Weise immer mehr und
die Geschichte gewann sofort immer mehr Selbständigkeit;

wobei es aber an zweckmäsiger Darstellung so sehr fehlte, dass an die Stelle lebendiger Geschichtschreibung eine geistlose Registerarbeit trat, der wir jene dürren chronologischen Annalen verdanken, welche uns aus der letzten historischen Periode des alten Islands oder dem 13. und 14. Jahrhunderte in beträchtlicher Menge noch übrig sind.

Im Ganzen können die altnordischen Sagen (mit Ausnahme der Annalen und Legenden) auf drei Hauptklassen zurückgeführt werden. MÜLLER hat sie nemlich in seiner kritischen Sagabibliothek so am zweckmäsigsten geordnet:

1) Sagen, welche Island selbt angehen und die mit Island am nächsten in Verbindung stehenden Inseln, als die Faröer-, die Orkneyinseln und Grönland. Alle diese bilden eine zusammenhängende Reihe, in der das frühere nach festen Gründen von dem späteren unterschieden und die einzele Erzählung mit mehren übereinstimmenden Beweisthümern aus anderen Sagen bekräftigt werden kann. Die Sagen dieser ersten Klasse können wieder auf verschiedene Weise eingetheilt werden. Entweder kann man auf ihre Glaubwürdigkeit Rücksicht nehmen und sie eintheilen in sichere, weniger sichere und erdichtete. Oder man kann ihren Umfang betrachten und diejenigen unterscheiden, die das ganze Land angehen, von denen, die uns die Geschichte eines Gutes oder eines Geschlechtes beschreiben, und diese wieder von der Lebensbeschreibung eines einzelen Mannes. Man könnte auch eine geographische Eintheilung befolgen und nicht nur die einzelen Geschichten der oben angeführten Inseln oder richtiger Inselbewohner für sich betrachten; sondern auch die Sagen unter sich absondern, so wie sie die einzelen Viertheile betreffen, wornach Island seit den ältesten Zeiten eingetheilt war. Endlich kann man auch Rücksicht nehmen auf die Zeit, und die Sagen entweder

nach der Zeitfolge der Begebenheiten ordnen, von denen
sie erzählen, oder nach dem Zeitalter, in dem sie selbst
niedergeschrieben worden sind. Der zuletzt genannte Ein-
theilungsgrund leitet am leichtesten dazu hin, die Gründe
für die Glaubwürdigkeit einer jeden Sage in ihr rechtes
Licht zu setzen. Derselbe schliesst sich auch selbst an die
zuerst genannte Eintheilung an. Denn die zuerst niedergeschriebenen Sagen sind, wie schon erwähnt wurde, die
glaubwürdigsten, und die zuletzt niedergeschriebenen blosse
Abenteuer.

Zur ersten Klasse der Sagen gehört auch die in
gegenwärtiger Schrift (p. 175 — 189) auszugsweise, wiewohl auch nur bruchstücklich, mitgetheilte Egils-Saga
(Eigla). Vielleicht ist es am Orte, hier einige Vorbemerk-
ungen darüber beizubringen. Die Lebensbeschreibung Egils
des Skalden greift mehr als jede andere in die Geschichte
der benachbarten Länder ein. Besonders interessant sind
darin die Erzählungen von Egils Thaten bei König Adelstein in England, weil sie, vorsichtig angewendet, manche
Erläuterungen zu altenglischen Schriftstellern dieser Zeitperiode darbieten können. Die Begebenheiten der Egils-Saga
fallen in die Mitte des IX. Jahrhunderts und schreiten bis
zu dem Ausgange des X. Jahrhunderts fort. Die Sage kann
nach Müllers Angabe nicht jünger als aus dem zwölften
Jahrhunderte sein; sie enthält manche, von den Berichten
der Heimskringla abweichenden Erzählungen, wie (c. 78)
Hakon Adelsteins Zug nach Värmeland, und überhaupt sehr
viel Charakteristisches über das Leben im zehnten Jahrhunderte. Die wenigen unglaublichen Züge von Skalagrim
und Egil, wie auch die vorkommenden Wunderbarkeiten
und Runenkünste (c. 44. 75. 78) sind theils Uibertreibungen,
wie sie die Zeitgenossen sich zu erlauben pflegen, theils
zeugen diese Eigenschaften von der Art, wie das Zeitalter
sich die Gründe der Begebenheiten erklärte. Egil Skalla-

grimson war einer der Hauptskalden seines Vaterlandes;
ausgezeichnet haben ihn zumal die beiden Dichtungen
Höfud-lausn und *Sonar-torrek*, welche als Muster der
Skaldenpoesie schon in Snorre's Edda empfohlen, vornehmlich durch ihren begeisterten kräftigen Ton uns einen
richtigen Begriff von der Dichterweise des alten Nordens
zu liefern vermögen. Ich habe aus dem letztangeführten
Grunde diese Gedichte gewählt und hier in möglichstgetreuer
Uibersetzung mitgetheilt; obgleich die Schwierigkeiten, welche die theilweise grosse Dunkelheit des einen
Liedes (*Sonar-torrek*) verursachte, zuweilen eine etwas
freiere Behandlung verstatten mussten. Zum näheren Ver-
ständnisse der Lieder war es nothwendig, eine Uibersicht
einzeler Theile der Sage beizufügen; was denn auch hier,
nach einem in der Sagabibliothek vorfindlichen Muster,
geschehen ist.

2) Mythische Sagen oder solche, welche
Erzählungen von dem enthalten, was im Norden vor Islands Bebauung geschehen ist. Hieher gehören also nicht nur alle die romantischen Sagen,
die im Norden selbst gedichtet, ihren Ursprung aus dem
heidnischen Zeitalter genommen haben, wie die Hervarar-
Saga, die Volsunga-, Blomsturvalla-, Norna-
Gests Saga u. a. sondern auch sämtliche, nach alten
ausländischen Ritterdichtungen fabelhaft umgebildeten Sagen
und Mährchen, namentlich der grösste Theil des nordischen
prosaischen Heldenbuches, z. B. die Wilkina Saga (welche
vom 319. Kap. an Niflunga Saga heisst) oder die Sage
von Dietrich von Bern u. v. a.

3) Sagen, welche die Begebenheiten schildern, die nach Islands Bebauung in Skandinavien und den nördlichen Ländern sich zu-
getragen haben.

In diese Klasse muss auch die Saga von Ragnar Lodbrok und seinen Söhnen versetzt werden; wenn gleich der Anfang derselben etwas über die Zeit der Bebauung Islands hinausgeht. Die Ragnar Lodbroks Sage betrifft zunächst Dänemark und England; sie verdient auch, ungeachtet viel Fabelhaftes sie schmückt und zusammenhält, einigen historischen Glauben. Einen grossen Werth verleihen dieser Saga die, in beträchtlicher Anzahl hinein verwebten Lieder; insbesondere der grosse Todesgesang Ragnar Lodbroks, unter dem Titel *Krákumál* durch Uibersetzungen in's Lateinische, Englische, Französische, Holländische, Italienische, Dänische und Schwedische hinlänglich bekannt und berühmt. Dieser Gesang erscheint auch hier wieder (p. 147 — 174) in einer teutschen Uibertragung, mit Anmerkungen und einem kritischen Nachworte versehen. Vor ungefähr vierzig Jahren wurde uns die erste, durch eine spätere (1801) von Bonstetten keineswegs übertroffene, Verteutschung dieses Gedichtes in GRAETERS Nordischen Blumen dargeboten. Niemand hat es gewagt, seit dieser Zeit in Teutschland mit einer neuen Uibertragung hervorzutreten, während dasselbe Gedicht unterdessen in beinahe alle gebildeten Sprachen übersetzt worden ist. Jetzt aber, wo durch Prof. RAFNS Bemühungen für eine so treffliche kritische Ausgabe dieses Schriftdenkmales gesorgt ist, jetzt ist es möglich, den Text nach einer älteren, ungleich besseren Hs. aufzufassen, ohne wie zuvor zwischen verschiedenen, oft widersprechenden Lesearten zu schwanken. Zwar verhiess uns GRAETER schon vor mehren Jahren eine neue Ausgabe des Ragnarsanges nach JOHNSTONES Muster; nemlich eine kritische Einleitung, den verbesserten isländischen Text und eine rhytmische Uibersetzung zur Seite, nebst fortlaufenden historischen, kritischen und philologischen Anmerkungen und einem vollständigen isländisch-teutschen Glossar:

* 2

Auch die langersehnte, seit 1812 schon vorbereitete, neue
Ausgabe der Nordischen Blumen, worin gleichfalls der
Ragnarsang in durchweg verbesserter Gestalt wieder erscheint, behält der vortreffliche Verfasser noch immer zurück. Vor Kurzem aber kam als fünftes Bändchen der
nordischen Heldenromane die Uibersetzung der Ragnar
Lodbroks Saga (nebst der Norna-Gests Saga) vom Prof.
v. d. HAGEN heraus, wo S. 81 unter einer Stelle folgende
Anmerkung steht: „BJÖRNERS Ausgabe hat hier, anstatt
der beiden folgenden Strophen (S. 82), den bekannten
grossen Todesgesang Ragnars, welchen wir in seiner ursprünglichen Selbständigkeit abgesondert wiedergeben."
Mein Vergnügen über diese erfreuliche Zusage hätte mich
zur Unterdrückung der unten gelieferten Arbeit bewegen
können, wenn nicht der Druck derselben bereits vollendet
gewesen wäre. Denn wie weit in diesem Stücke meine
eigene Leistung hinter den Meisterarbeiten dieser beiden
Männer zurückstehen müsse, dies war und ist mir noch
immer gar wohl bewusst; dessenungeachtet, glaubte ich,
dürfte meine Bearbeitung allenfalls so lange genügen, bis
eine andere von geübterer Hand in Teutschland unternommen und bekannt gemacht würde. Ich übergebe sohin die
gegenwärtige Verteutschung und Erklärung des Ragnarsanges, wobei RAFNs Ausgabe allenthalben zu Grunde liegt,
zunächst jenen Alterthumsfreunden, die der kühnen, stark
aufgetragenen Poesie der Skalden bereits so viel Interesse
abgewonnen haben, dass sie auch jenen Blutdurst vertra-
gen, den die meisten Strophen des Ragnarsanges athmen,
und unter den Entsetzen weckenden Schilderungen, unter
dem beständigen „Wandeln der Phantasie auf Leichen und
ihrem Waten im Blute der Erschlagenen" die Züge wahrhaft grossartiger Poesie nicht verkennen.

Der Werth und Nutzen der altnordischen Sagen gibt
sich auf verschiedenfache Weise kund. Das freie, schran-

kenlos sich bewegende Leben, woran die Völker Nordens
bis zum achten Jahrhunderte hin gewöhnt waren, hatten
die Norwegischen Flüchtlinge nachmals auf Island, einem
zwar kleineren, doch der abentenerlichen, fehdereichen
Lebensweise nicht minder angemessenen, Raume hinüber-
gepflanzt. Die Götterlehre der Vorfahren, Geschichte,
Sitten und Sprache erhielten sich hier in glücklicher Un-
abhängigkeit; die neue Heimat konnte nur nach jenen Begriffen geordnet werden, welche man aus der vorigen
mit hinüber brachte; altes Gesetz und Recht blühte hier
fort; ja Alles musste sich vereinigen, um von dem alten nordischen Leben in entfernter Freistatt gleichsam ein Nachspiel
zu schaffen, das sein Bild lebendiger und vollkommener der
Nachwelt überliefern sollte. Dieses Bild entfaltet sich auch
wirklich in dem herrlichen Sagenthume der Isländer, das
für uns glücklicher Weise beinahe seinem ganzen Umfange
nach gerettet worden ist. Nicht allein eine getreue Schilderung des 400 Jahre hindurch blühenden aristokratischen
Freistaates also, nicht allein den vollständigen Begriff von
der Geschichte Islands seit seiner ersten Bebauung: sondern
auch reiche und unmittelbare Aufklärung im Bereiche der
ganzen altnordischen Geschichte gewinnen wir daraus; und
den grössten Theil der isländischen Sagen, jene nemlich,
die sich auf die Geschichte der Insel bis zur Einführung des
Christenthumes beziehn, können wir wohl für die einzigen
rein historischen Denkmäler eines Heidenalters ansehen,
die die Weltgeschichte uns aufbewahrt hat. Auch die Beiträge zur Geschichte der teutschen Dichtkunst und der
romantischen Poesie, welche uns diese Sagen darbieten,
sind von einiger Wichtigkeit; und der Aufmerksamkeit
des Philosophen möchten die isländischen Sagen darum
im hohen Maasse würdig erscheinen, weil sie viele Züge
von der Asenverehrung und ihrem Einflusse auf das Ge-

müth liefern, und so die einzige nicht von feindlicher
Hand entworfene Schilderung des alten Glaubens der
Nordvölker enthalten.

Die eigentlichen Quellen zur Kenntniss des nordischen
Heidenthumes aber sind die weniger zahlreichen dichterischen Denkmäler, welche die Unrecht übende Zeit
uns aus den Volksüberlieferungen der alten Skandinavier
noch übrig liess. Die Gabe der Poesie brachten diese Völker wohl aus ihren morgenländischen Ursitzen mit; die
reichen, mannigfaltig verknüpften Erinnerungen aber, die
ihnen geblieben sind, nährten den Sinn für die erstere in
eben dem Maase, als sich diese angesiedelten Stämme von
ihren ursprünglichen religiösen Ideen und Uiberzeugungen
noch keineswegs losgerissen hatten. Allmälig bemächtigte
sich die nordische Natur von selbst jener fremdartigen
Glaubens- und Weltanschauungen, sie krystallisirte gewissermassen den ganzen Vorrath ausheimischer Volksdichtung und Sage, und wenn etwa auch alle erfestigte
Grundlage haften blieb, so ging doch unter den gebie-
terischen Einflüssen des Klima's und der nach und nach
erfolgten förmlichen Umwandlung des Volksgeistes die
frühere Bedeutsamkeit sämmtlicher Uiberlieferungen theils
völlig verloren, theils trat jetzt ein verschiedenes, so zu
sagen ortsgemässeres Verständniss derselben ein. Es
konnte sich nunmehr eine so ziemlich eigenthümliche nordische Dichtungsweise gestalten, welche sich wahrscheinlich
in Zaubergesängen priesterlichen Ursprungs (Galldrar) und
in weltlichen, mythischen und geschichtlichen Liedern
(Liću) geäussert hat. Die damaligen nordischen Priester,
deren Dasein sich für gewiss annehmen lässt, erhielten in
Liedern und mysteriösen Formeln das ganze, auf uralten
mündlichen Traditionen beruhende, Göttersystem der Skandinavier. Sie haben den Ursprung solcher Mythengesänge,
wie auch jenen der Dichtkunst überhaupt, den Göttern zuge-

schrieben, und behaupteten sich, indem sie selbst für göttlicher Natur theilhaftige oder doch von den Göttern begeisterte
Männer galten, als fortwährende Lehrer, wohl auch gewissermassen als Machthaber des Volkes. Die Einwanderung Odins und seiner Genossen, der Asen, hatte vornehmlich die Vermischung zweier verschiedenen Glaubens-
lehren zur Folge. Der frühere, ursprünglich aus Mittel-
Asien stammende Götterdienst musste mit dem neuen, von
Odin durch Gewalt und listmalsche Täuschung eingeführten
und zumal den kaukasischen Völkerschaften eigenen, Göt-
terdienste verschmolzen und in Uibereinstimmung gebracht
werden. Natürlicherweise hat hiebei auch die gesammte
Volksdichtung eine mehrfach veränderte Gestalt angenommen; die dem Kreise der nationalen Geschichte angehörigen
Lieder sind nach und nach entweder gänzlich verschollen,
oder wurden sonst nicht mehr historisch, sondern rein
mythisch aufgefasst. Uiberhaupt aber ist es nicht mehr
möglich, dass wir zu einem deutlichen Begriff von dem
Geiste und der Form der Lieder aus der sogenannten vorodinischen Periode gelangen; weil die vorhandenen ältesten
Denkmäler skandinavischer Poesie — die mythischen
Lieder nemlich — sollten ja einzele bis in Odins Zeitalter
hinaufreichen, doch auch schon der neuen Lehre gemäss
umgebildet und in ihren Elementen theilweise umgeschaffen
sind. Odin selbst ist Zaubersänger und Dichter gewesen,
er soll der Sage nach immer in Versen geredet haben;
durch ihn und seine Begleiter gewann die nordische Dichtkunst eine höhere Ausbildung, um welche die Asen sich
den Beinamen Liedermacher (Liédasmidir) erworben haben,
der ihnen nachher auch für immer blieb. Wenn wir annehmen, dass eine geraume Zeit nach Odins Erscheinung
im Norden nur eine geheimnissvolle, bildliche Priester-
dichtung bestand, so müssen wir die allmälige Absonderung
der weltlichen Sänger oder die Entstehung des Skalden-

thumes billig wohl in dass dritte oder vierte Jahrhundert
der christlichen Zeitrechnung zurücksetzen. Die Vorspiele
der Völkerwanderung und die sich immer vermehrende
Masse der Bewohner des skandinavischen Nordens hatten
einen Reichthum an Begebenheiten erzeugt, der das poetische Gemüth jedes Einzelen nothwendig anregen und
neben den fortgeerbten religiösen und mystischen Liedern
auch noch eigentliche Volks-. und Stammgesänge hervor-
rufen musste. Es bedurfte nur einer etwas vollkommneren
Regierungsform, um die Skalden in das Amt förmlicher
Hofdichter einzusetzen, die nach glaubwürdigen Erinnerungen den Thatenglanz der nationalen Vorzeit singen und
so die Ahnenreihen der Häuptlinge und Dynasten in geschichtlichen Liedern verewigen sollten. Auch dazu hatten
die nordischen Völker sich allmälig erhoben und die welt-
liche oder Skalden-Dichtkunst erhielt hiemit zugleich eine
mehr vollendete innere Bestimmtheit. Sie war auch beinahe die einzige Kunst des Volkes; in manchen Stücken
aber doch nicht Jedermann zugänglich. Dies letztere hatte
seinen Grund zunächst in der Priesterverfassung, nach
welcher nur Wenige aus der Mitte des Volkes in die Geheimlehre und Religionsweisheit, die sich eben in Liedern
fortpflanzte, eingeweiht werden durften. Schon der gewöhnliche Zusammenhang des Heidenthumes mit dem, bald mehr
bald minder ideenvollen, Zauberwesen bringt gewisse, der
eigentlichen Dichtkunst vorangehende, fantastische Formeln
mit sich; er hat auch im Norden eine besondere Dichtungsweise erzeugt, und mittelbar manche Züge des Volks-
aberglaubens erhalten, zu deren Kenntniss wir sonst nicht
leicht hätten gelangen können.

Die Lieder von den Göttern mussten wohl ein Gemein-
gut des Volkes gewesen sein; viele derselben sind wahrscheinlich als Dank- und Loblieder an bestimmten Festen
und bei öffentlichen Opfermalen gesungen wurden. Aus

diesen und den übrigen uns aufbehaltenen Liedern jedoch, insoweit dieselben unter sich eine verschiedenartige Tendenz offenbaren, ersehen wir, dass die nordischen Völker selbst im Heidenthume keineswegs rohe Barbaren gewesen, für die man sie noch in unseren Tagen nicht selten zu erklären geneigt ist; schon bei der Betrachtung ihrer Sprache, ihrer Gesetze, ihres Ackerbaues, Handels und ihrer so ausgebildeten Schiffsbaukunst wird man diese Völker von jeglicher Barbarei lossagen müssen.

Am deutlichsten aber prägt sich der Charakter und Kulturzustand der alten Skandinavier in ihren Dichtungen aus; denn bei ihnen hatte sich, wie auch STUHR richtig bemerkt, der Glaube noch nicht geschieden vom Wissen und dieses sich nicht von jenem getrennt, noch endlich die Dichtung sich beiden entgegengesetzt. Mit allem Rechte kann man daher nach dem Geiste der altnordischen Dichtungen auf die Gemüths- und Verstandesform und das ganze intellektuelle Eigenthum des Volkes überhaupt schliessen, und in solcher Hinsicht werden wir den Skandinaviern sogar den Besitz unmittelbarer wissenschaftlicher Anschauungen zuerkennen müssen. Die Lieder der ältern Edda liefern hier die vollkommenste Richtschnur.

Es gab nemlich, wie STUHR (Glauben und Wissen der Skandinavier p. 30) nachgewiesen, theoretische und praktische Wissenschaften im Norden. Diejenigen, deren Ideen sich unmittelbar auf's Handeln bezogen, zerfielen in Sittenlehre, (religiöse) Klugheitslehre und Rechtslehre, worüber den Beweis liefern die Edda-lieder: *Hávamál, Rúnatáls-þattr Odins, Brynhildar-kvida* und *Rigsmál.* Was diejenigen Gesänge anlangt, deren Gegenstand die Darstellung der Ideen des reinen Wissens an sich waren, so zerfallen dieselben in ethische, physische und kosmische, d. i. in solche, die die Ideen der Geschichte besingen, wie *Hrafnagalldr*

Odins, *Vegtams-kvida* und *Loka-senna*; und in solche, die das Naturleben zur Anschauung bringen, wie *Harbarz-liód*, *Pryms-kvida*, *Hymis-kvida* und etwa die Fragmente von *Thorsdrapa* und *Hüstlaunga*; oder endlich in solche, die die gesammten Ideen des Lebens in die Eine Idee des Alls aufnehmen. Zu dieser letzteren Art gehört vor Allem die *Völuspá* und daran schliessen sich die Gesänge *Vaf-þrudnis-mál*, *Grimnis-mál* und das allerdings etwas verderbte und modernisirte *Hyndlu-liód*. Von jenen Gesängen, die eigentlich den Uibergang darstellten von den rein wissenschaftlichen Anschauungen zu denen, die sich auf das handelnde Leben bezogen, sind uns nur wenige Bruchstücke hinterlassen. Spuren jedoch von Gedichten, deren Zweck die Darstellung der Ideen geschichtlicher Formen gewesen wäre, finden sich in reicherem Maasse, und wir sind vollkommen zu der Behauptung berechtigt, dass in dem ältesten rein heidnischen Leben keine einzige Form des menschlichen Handelns sich gefunden habe, deren religiöse Beziehung und göttlicher Sinn nicht verherrlicht worden sei in mythologischen Gesängen. Weil jedoch in dem Bewusstsein der alten Skandinavier noch keine Reflexion auf sich selbst erwacht war und auf den Gegensatz des Subjektiven und Objektiven, so fanden sich bei ihnen auch keine eigentlich dialektischen Wissenschaften; während es aber doch wahrscheinlich ist, dass die beiden Gesänge der Edda, *Alvismál* und *Fiölvins-mál*, anf gewisse Weise logische Ideen aussprechen. Sucht man nemlich diesen Gesängen gleichfalls eine angemessene wissenschaftliche Bedeutung zu geben, so dürfte durch *Alvismál* die Idee ausgesprochen sein, dass für die Wissenschaft Polyhistorie und Vielwissen von äusseren Dingen oder eine äusserliche Kenntniss von Namen und Worten keinen Werth hätten; während *Fiölvins-mál* wohl im Gegensatze zu *Alvismál* stehen möchte und die dialektische Wahrheit

zu enthalten scheint, dass das echte Wissen das Innere
der Dinge anschauen müsse und das Wesen eines Jeg-
lichen. Aber ausserdem gehören noch hieher, weil sie
sich auf die Form des alterthümlichen Geistes beziehen,
die merkwürdigen sophistischen Wettstreite in der Bered-
samkeit und die Räthselgespräche, wobei man durch
Wohlredenheit und Geschick in Fragen und Antworten
den Sieg davon zu tragen bestrebt war; ein treffliches
Beispiel hievon liefert uns unter andern das Gedicht *Gét-*
spehi Heidreks Kouángs in der Hervarar-Saga.

Überhaupt aber bezog sich die eigentliche Wissenschaft der reinen Asalehre nur auf Anschauung der Ideen
des Lebens an sich, und zwar nicht in der Form bewuss-
ter Reflexion des Menschenverstandes, sondern in der Form
unmittelbarer Gewissheit des Gefühls. Wesshalb man sich
aber ja nicht vorstellen muss, als ob bei den alten Nord-
völkern ein förmlich bewusstes logisches System sich gebildet hätte über die Organisation ihrer Wissenschaft;
sie besassen, wie gesagt, nur die blosse Anschauung der
reellen Ideen. Dies genauer nachzuweisen verursacht auch
um so weniger Schwierigkeit, als die Zeit uns wenigstens
Einen Gesang aus jeder einzelen Wissenschaft hinterlassen hat.

Diese bedeutungsvollen Gesänge gehören nun beinahe
sämmtlich zu jenem umfangreichen Cyclus, welcher unter
dem Namen Edda bekannt ist. Wiewohl erst der zweite
und dritte Band des gegenwärtigen Werkes einer Verteutschung und ausführlichen Erklärung der altrythmischen
Edda gewidmet ist und auch dort erst das eigentlich Antiquarische über dieses Schriftdenkmal abgehandelt werden
wird: so ist es doch der mannigfaltigen Hindeutungen
wegen nothwendig, einige allgemeine Notizen vorläufig
schon in diese Einleitung mit aufzunehmen.

Die Masse der gesammten altnordischen Schriftdenkmale ist uns von Island aus zugekommen. Diese Insel, im
wahren Sinne die Bibliothek der nordischen Nationen, erhält
eben darum eine welthistorische Bedeutung, welche ihr in
anderer Hinsicht wohl niemals geworden wäre. Auch die
Edda, dieses in seiner Art einzige Denkmal der vorchristlichen Zeit, ist uns auf Island erhalten, obgleich erst seit
der Mitte des siebenzehnten Jahrhunderts (den ersten
Codex der Edda entdeckte man im J. 1628) wirklich überliefert worden. Es sind aber zwei Werke desselben Ti-
tels wohl zu unterscheiden.

Die ältere (altrythmische) Edda — eine Sammlung
von 38 stabgereimten Liedern mythologischen und fabel-
geschichtlichen Inhalts — rührt ihrer Abfassung nach zum
Theil noch aus dem früheren Heidenalter Skandinaviens
her und ist muthmasslich von Sämund Sigfusson,
dem Weisen, im eilften Jahrhunderte zuerst aufgezeichnet
und für die Nachwelt gerettet worden. Darum führt dieses
Werk auch den Namen der Sämundischen Edda
(Edda Saemundar hinns fróda). Die Eddalieder athmen
durchgehends noch die echte rein heidnische Naturbegei-
sterung; sie sind in einem einfachen, oft räthselhaften und
mysteriösen Tone gehalten; ein bestimmter äusserer Zusammenhang aber zeigt sich, wenigstens bei dem mythologischen Theile derselben, nur in wenigen Fällen, da
diese Gesänge unter sich von verschiedenem Alter und zu
ursprünglich religiösen Zwecken gedichtet sind, mithin eine
gewisse Abgeschlossenheit jedes einzelen Liedes schon dadurch bedingt worden ist.

Die jüngere (prossische) Edda, nach ihrem Gründer, dem berühmten Snorre Sturleson (a. d. dreizehnten Jahrhunderte), auch die Snorrische Edda *(Snorra-
Edda)* genannt, besteht eigentlich aus drei Theilen, wovon
der eine (erste) die, in prosaische Erzählungen *(Daemisö-*

gur) aufgelös'ten Lieder der älteren Edda enthält; von welchen letzteren aber auch zuweilen einzele Bruchstücke wörtlich angeführt werden. Man kann annehmen, dass die altrythmische Edda zu der prosaischen in einem Verhältnisse stehe, wie gleichsam die abstrakten Formeln zu ihrer Berechnung.

In den beiden Edden entfaltet sich beinahe das ganze System der nordgermanischen Götterlehre; so dass wir nur einige der älteren Sagen zu berücksichtigen brauchen, um unserer Kenntniss in diesem Stücke alle nur irgend erreichbare Vollständigkeit und Klarheit zu erwerben. Sehr undeutlich und verzerrt sind die Spuren von dem Glauben und der Götterverehrung teutscher Stämme im Cäsar und Tacitus, im Prokokopios von Cäsarea, Jornandes, Alcuin, Paulus Diakonus, dem Sohne Warnefrieds, im Adam von Bremen, Saxo Grammatikus u. aa. Im Vergleich zu der Edda und den altnordischen Sagen, als eigentlichen Quellen für die Erforschung urteutscher Religions- und Mythenlehre, wird man den Nachrichten dieser Schriftsteller eine verhältnissmässig sehr geringe, wenn ja nur irgend eine, Beachtung schenken dürfen; wohingegen uns aber wieder die Edden für den Bedarf der Geschichte unmittelbar nicht die mindeste Aufklärung geben. Wohl aber gewährt uns, zumal die ältere Edda, ausser jenem allgemein psychologischen auch noch ein rein poetisches Interesse. Schon die halbmythischen Lieder von Helge's Liebe, von Sigurd dem Drachentödter und Brynhild, von Atli's Verrath und Tod, von Gudruns Rache und dem endlichen Untergange jenes alten, aus göttlichem Geblüt entsprossenen, Heldengeschlechtes bilden ein ohne Vergleich herrliches, grossartiges, wenn auch da uud dort etwas rhapsodisch zusammenhängendes Epos. Das romantische Mährchen von Völundur, dem Dädalus des

Nordens, und das Lied von der Zaubermühle Grotti,
welche dem Kreise kürzerer Volkspoesieen angehörend
von jenem Sagencyclus unabhängig dastehen: nehmen
einen ebenso ehrenvollen Platz unter den Eddaliedern ein,
und dürften der Idee und Anlage nach selbst die phan-
tasiereichen, altschottischen Balladen übertreffen. Der
bei weitem vorzüglichere Theil der Edda aber ist der
mythologische. Uralt und ebenso wie die Heldenlieder
von unbekannten Verfassern, sprechen die mythischen
Gesänge der Edda die eigenthümliche, dem ungetrübten
Heidenthum entquollene Weltanschauung der Nordvölker
aus; sie führen uns die in wunderbarer tragischer Einheit
abgeschlossene Götterlehre derselben vor, und geben uns
einen Stoff, der, um ihn in der Poesie und in zeichnender
und bildender Kunst zu verarbeiten, wohl Jahrhunderte
lang und für ganze Generationen von Dichtern und Künstlern ausreichen möchte. Denn eine Mythologie wie diese,
welche gleich wenigen Mythologieen des Alterthums bereits aus der Schale des rohen Symbolismus herausge-
treten, gibt eben von diesem Zeitpunkte an eine unmittelbare Empfänglichkeit für höhere Vollendung, für eine
bis zum Gipfel der Classicität zu steigernde Ausbildung
kund. Noch aber steht die teutsch-nordische Mythologie
in ihrer Behandlung einer classischen Periode viel zu
fern; weil einestheils die Volkspoesie, das verwandte
Element, mit welchem sie voreinst zusammenfloss, selbst
kein attisches Zeitalter erlebte, und es im alten Norden
ebenso wenig eine, zur gehörigen Reife gelangte, bildende
Kunst gegeben hat. Allein, sobald neuere Dichter, durch-
drungen von dem belebenden Geiste der Edda, auf der
ruhmwürdigen Bahn eines Oehlenschläger, Bagge-
sen, Grundtvig, Fouqué, Tegnér u. a. in der Anwendung und Bearbeitung der teutsch-nordischen Götterlehre so lange fortfahren, bis dieselbe zu einer gewissen

Stätigkeit und somit auch zur leichteren Festhaltung für Maler und Bildner gedieh: dann ist die classische Periode dieser Mythologie gekommen und es wird die teutsche Art und Kunst, die der abgeborgten griechischen und römischen Göttergestalten eben so leicht entrathen kann, als sie den, auch schon seit Jahrhunderten zugänglichen Mythenprunk der Perser und Hindus verschmähte, in gebührender Selbständigkeit und wie im Stolz ihrer Urkraft erblühen.

Neben jenen reichen Schätzen an Geschichte, Sage, Dichtkunst und Mythologie lässt sich aus den ergiebigen Fundgruben der nordischen Vorzeit noch manch anderes edles Erz zu Tage fördern. Welche Ausbeute für den Philosophen bietet nicht schon die Erforschung des alten heidnischen Rechtszustandes dar? Wie nothwendig sogar ist die Kenntniss des germanischen Heidenthumes für die Erörterungen der teutschen Rechtsgeschichte? Bei jedem alten Volke, sagt MONE, ist das Recht ein Ausfluss der Religion und steht mit ihr im engsten Zusammenhang; und wer kann läugnen, dass die Gottesurtheile, die Rechtssymbolik, die Fristen nach Nächten, die Ständeeintheilung, die Abstufung ihres Wergeldes und so vieles Andere nicht ursprünglich aus der alten Religion hervorgegangen? Auch hat MONE in seiner Darstellung des nordischen Heidendienstes (S. 259. 348. 400. 401. 409. 434) den Satz, dass das teutsche Recht seiner Grundlage nach dem Heidenthum angehöre, aus der Eddalehre selbst vielfältig unterstützt und zu erweisen gesucht. Besonders merkwürdig in Betreff der altnordischen Rechtslehre ist das, schon oben einmal erwähnte, Eddalied *Rigsmál*. Dasselbe stellt in der Geschichte der Gesetzgebung gewissermassen die erste Periode dar. Es bezieht sich mehr auf öffentliches Recht als auf Privatrecht; indem es das Wesen und die Bedeutung der drei alten Stände,

deren Unterschied von dem Willen der Götter herleitend
und an den natürlichen Ursprung anknüpfend, enthält, die
Ehen unter denjenigen verbietet, die verschiedenen Standes
sind, und zugleich einem Jeden die geziemende Beschäftig-
ung anweis't, ohne jedoch in dieser letzten Rücksicht
kasteuartige Ausschliessung anzuordnen. Spuren anderer
rechtlicher Anordnungen finden sich auch in den übrigen
Eddaliedern; ausführlichere Nachrichten jedoch über die
nordisch alterthümliche Gesetzgebung sind sowohl bei
SNORRE als bei SAXO (z. B. K. Frode's Kriegsordnung
u. s. w.) zerstreut. Als vollständige Quellen für die Kenntniss des altnordischen Rechtswesens können uns viele isländische Sagen gelten. So ist z. B. die *Niáls*-Saga, deren
Urheber Sämund sein soll, für die altnordische Familien-
verfassung und zumal den Prozessgang auf dem Allthing
sehr lehrreich; die Egils-Saga liefert uns ein vollkom-
menes Bild von der Gerichtsordnung und den allgemeinen
strafrechtlichen Verhandlungen; das Landnamabók ertheilt zerstreute Nachrichten über beinahe alle Rechtsver-
hältnisse der Isländer u. s. w. Endlich besitzen wir noch
altnordische Gesetzbücher (vom 11ten Jahrhunderte an) in
grosser Menge, wovon hauptsächlich anzuführen sind: das
altisländische Criminalrecht, *Grágás* genannt; das isländische Kirchenrecht, *Kristianréttr*, vom Bischof Arnas
im J. 1275 statuirt; das berühmte *Gullaþingslög* von K.
Magnus Lagabätir; der norwegische Königsspiegel, *Ko-
núngs-Skuggsiá*, aus dem XIII. Jahrhundert; das altschwedische oder Gothländische Recht, *Westgöþa-lag*;
ferner die altdänischen Rechtsbücher K. Waldemars I.
das Schonische und Seeländische Kirchenrecht und Land-
recht, das Smoländische Gesetz u. v. a. Uiber den gegenseitigen Werth dieser Rechtsdenkmäler zu sprechen, müssen
wir uns natürlicherweise für eine andere Gelegenheit auf-
sparen. Der Nutzen und die Wichtigkeit derselben zunächst

für die allgemeine Geschichte der philosophischen Rechtslehre und für jene des nordischen Natur- und Völkerrech-
tes insbesondere, ist sehr bedeutend; und leicht wird zugegeben werden, dass ähnliche angelsächsische, friesische,
fränkische u. a. Gesetzdenkmäler, was ihre selbständige
und eigenthümliche Ausbildung anlangt, den altnordischen
weit nachstehen müssen.

Es sind nunmehr die wissenschaftlichen Alterthümer
und schriftlichen Urkunden des Nordens im Allgemeinen
besprochen worden; noch ernöthigt hier also ein flüchtiger
Blick auf die übrigen vorhandenen Denkmäler und Uiberlieferungen, die zur eigentlichen Kenntniss von dem
häuslichen, gottesdienstlichen und artisti-
schen Zustande der alten Nordvölker führen.

Nordische Kunstalterthümer gibt es eigentlich
keine, weil die alten Skandinavier ausser der Poesie von
keiner anderen Kunst wussten. Zwar haben sie auch Musik getrieben, kaum aber ist diese jemals zur wirklichen
Kunst emporgelangt. Die musikalischen Instrumente der
alten Nordvölker konnten nicht sehr zahlreich und vollkommen gewesen sein; wir kennen davon aus den Eddaliedern
und Sagen nur die Trompete *(Lúþr,* von *at lyþa*
tönen) und die Harfe *(harpa).* Erstere, anfänglich
wohl ein Auerhorn, nachher von Metall, ist zumeist nur
im Kriege gebraucht worden. Einige erklären *lúþr* durch
Laute und Trommel, weil derselbe Ausdruck in
mehren Stellen (*Snorra - Edda Daems.* 8; *Edda Saemund.*
Vafþrudn. Str. 35) auch einen Kahn bedeutet, und sich
nemlich diese Gemeinschaft dadurch bestätigt, dass sowohl
Kahn als Laute die Grundidee der Muschelgestalt in sich
begreift. Die altnordische Harfe (Angels. *hearpan*) war
ein wirkliches Saiteninstrument; schon in den ältesten nordischen Dichtungen, namentlich in der *Völuspá* (Str. 38)
kömmt sie vor. Dieses Instrument scheint nach und nach

* *

anch ziemlich ausgebildet worden zu sein; die Saga von
Herraud und Bose gibt uns hierüber eine nähere Auskunft.
Sie rühmt Bose als den grössten Harfenspieler seiner Zeit
und schildert mit grosser Genauigkeit die Modulationen,
welche dieser Künstler auf seiner Harfe ausgeführt hat.
Das Ganze erweckt in uns die Idee von einem förmlichen
Concerte, worin folgende Stücke wechselten: der *Gyar-*
slagr d. i. der Schlag der Meergötter, die Meerfrauen-
musik, eine weiche und sanfte Ausführung erfordernd; der
Drambs-slagr (*dramb* stolz, hochgemuth) etwa unserem
heutigen G r a v e oder einem recht ausdrucksvollen A n -
d a n t e entsprechend; endlich das *Hjeranda-hliod*, der
Kriegsheerton, ungefähr unser M a r s c h. Auf der Quer-
saite wurde der grosse Springtanz *Ramma-slagr* (von *ramr*
s t a r k) ausgeführt, wahrscheinlich ein lärmendes A l l e g r o
u. s. w. In der Edda wird ferner auch erzählt, wie Gunnar, als er im Schlangenkerker sterben sollte, ungemein
künstlich und zwar mit den Z e h e n die Harfe schlug. Die
Behauptungen übrigens, dass es im heidnischen Norden
noch andere Saiteninstrumente, eine Art L e y e r (T e l y n),
eine Z i t h e r, M u n d h a r f e, ein H a c k b r e t t u. s. w.
gegeben habe, sind keineswegs zureichend gegründet;
auch scheinen die Geigen und Orgeln, deren Snorre in der
Ynglinga- und Olaf Helge's-Saga erwähnt, keinen ganz
unbedingten Glauben zu verdienen. Von dem Charakter
der altnordischen Sangweisen möge die, auf Island erhal-
tene und wahrscheinlich echt alterthümliche, M e l o d i e zu
R a g n a r s T o d e s g e s a n g, hier auf Taf. V. mitgetheilt,
einen allgemeinen Begriff geben.

Trümmer von alten heidnischen Bauwerken und Tempeln werden wir im Norden vergebens suchen; ausführliche
Beschreibungen von den Heiligthümern der alten Nordvölker jedoch finden sich so zahlreich in den Sagen und Chroniken, dass wir uns ein deutliches Bild von der früheren

Bauart dieser Völker zu entwerfen im Stande sind. Der
älteste nordische Tempel war von Odin selbst in Sigtuna
erbaut worden. Vor Odins Zeit kannte man bloss steinerne
Altäre, die am liebsten im Dickicht der Eichen- und Tan-
nenwälder errichtet waren. Noch finden sich auf den Fel-
dern in allen drei skandinavischen Reichen häufig solche
Altäre. Eine Felsenmasse, die auf drei bis fünf anderen
Steinen ruht, gibt sich als die geweihte Stätte zu erkennen,
worauf das heilige Feuer brannte und das Opferblut den .
Göttern des Nordens floss; dieselbe umgiebt gewöhnlich
noch ein mächtiger Kreis von grossen, aufrecht stehenden,
oft dicht an einander geschlossenen Steinen. An manchen
Stellen sieht man auch einen vor dem Altar schräg auf-
gerichteten Stein, nach Münters Vermuthung etwa den
Stein des Entsetzens, dessen so oft in den kale-
donischen Liedern Erwähnung geschieht und auf dem
das Opfer getödtet wurde. Keine Sage, keine Inschrift
bestimmt das Zeitalter, in welchem diese Steinmassen
errichtet wurden; ohne Zweifel aber gehören sie noch
dem vorodinischen Cultus an, und die grössten derselben, diejenigen, zu deren Errichtung fast eine ganze
Nation ihre physischen Kräfte hat anstrengen müssen,
wären dann für älter anzunehmen, als die kleineren Altäre, 'an deren Statt endlich auch wirkliche, von Stein
gebaute oder aus Holz gezimmerte, Tempel aufgerichtet
worden sind.

Odin hatte einen feierlicheren Gottesdienst und, wie
schon gesagt, auch den Tempelbau eingeführt. Indess
blieben, wie Münter (Kirchengesch. v. Dänem. u. Norw.
I. p. 123) erinnert, die Opfer auf den Hügeln und unter
offenem Himmel noch überall im vollen Gange und die
Anzahl der Tempel war verhältnissmässig gering; doch
scheinen sie in Norwegen und Schweden häufiger als in
Dänemark gewesen zu sein. Auch in Island, wo es

* * 2

doch an Baumaterialien fehlte, die aus Norwegen hinüber-
geschifft werden mussten, gab es Tempel von ansehn-
licher Grässe, meistens dem Thor und Freyr geweiht.
Die eigentlichen National-Heiligthümer aber waren in
Sigtuna und Upsala ganz von Steinen und mit dem grössten
Aufwande erbaut. Der im ganzen Norden hochberühmte
Thorstempel zu Upsala, welchen Freyr stiftete, soll ganz
von Gold d. i. mit Goldblech überzogen gewesen sein.
Auch das Dach war vergoldet und eine goldne Kette, die
das Gebäude umschlang, hing von demselben herab.
Diese Pracht war noch ganz asiatisch, und wahrscheinlich haben die Raubzüge das meiste zur Herbeischaffung
des erforderlichen Goldes beigetragen, indem gewisse
Zehnten oder andere Abgaben an diesen Tempel von der
Beute entrichtet werden mussten. Die heidnischen Tempel der Skandinavier hatten gewöhnlich zwei ungleiche
Abtheilungen: den viereckigen Vorsaal und die Celle oder
das Adytum, welches meistentheils eine im Halbcirkel
gerundete Gestalt hatte. Eine Scheidewand mit einer Thür
trennte beide Theile von einander. Der Tempelplatz
aussen, durch einen länglichen Kreis von zwölf Steinen
bezeichnet, den wieder ein weiterer Steinkreis umgab,
ist zur heiligen Thingstätte bestimmt gewesen. Das
Ganze wurde von hohen Planken *(virki)* umschlossen.
Im Heiligthume selbst stand der Thür gegenüber, also
im halbrunden Ausschnitte des Gebäudes, das vornehmste
Götterbild; vor ihm der Altar; um das Bild und den Altar
im Halbcirkel Bilder der übrigen Götter auf niedrigen
Schemmeln *(stallana)*.

Die Götterbilder waren natürlich eher von Holz, als
von Stein und Erz; der Hauptgötze eines jeden Tempels
gewöhnlich in Riesengrösse und manchmal, so wie der
Drache zu Babel, hohl. So wird das grosse Bild Thors
im Haupttempel des Guldbrandsthales beschrieben, welches

K. Olaf Trygggveson zerstörte. Die übrigen Bilder waren kleiner. Das grösste hölzerne Idol jedoch, 40 Ellen hoch (und wohl in Gestalt einer Herme) stand auf der Insel Samsöe unter freiem Himmel; es war von König Ragnar Ladbroks Söhnen zum Verderben ihrer Feinde aufgestellt und sollte so lange stehen, als das Meer es duldete. Zuweilen sah man in einem Tempel hundert Bilder; so in einem von den Norwegern im zehnten Jahrhunderte zerstörten Tempel in Westgothland, der *Gudheim* (Götter wohnung) hiess. Die Götterbilder waren zum Theil auch beweglich mit angebrachtem Mechanismus, z. B. das Bild Thors im Tempel zu Rödsöe in Norwegen, welches der Häuptling oder Priester mit sich auf der Insel herumführen konnte und welches K. Olaf Tryggveson in einem sonderbaren Kampfe überwand; oft mit natürlichen Farben bemalt, wie die von Hakon Jarl verehrte Göttin Thorgerd Hörgabrud; kostbar bekleidet und mit Gold und Silber behangen u. s. w.

Dies Alles spricht wohl für das wirkliche Dasein einer Art bildender Kunst im alten Norden; so weit sich dieselbe vervollkommnet haben mochte, können wir jedoch nicht mehr bestimmen, da von Denkmälern dieser Art kaum eine Spur noch vorhanden ist. Ein einziges von den Standbildern des Tempels zu Alt-Upsala hat sich erhalten und wird daselbst noch vorgezeigt. Es ist eine stehende, fast nackte Figur, die man für einen Thor ausgibt: sie hat einen dichten in zwei Theile abgesonderten Bart, der wie Eichenlaub vom Gesichte herabhängt; alles von der robesten Arbeit. Ein kleiner kupferner Thor in einer sitzenden, über dem Hammer, den er mit beiden Händen zwischen den Knieen hält, gebeugten Stellung ist vor mehren Jahren aus Island nach Kopenhagen in die Sammlungen der k. antiquarischen Comission gekommen. Von anderen kleinen Idolen, die einen Mann mit einer grossen Streitaxt vorstellen, und von den kleinen, in dünnes Goldblech eingeschlagenen oder wie mit einer Scheere ausgeschnittenen Figuren, welche man ziemlich häufig auf Bornholm findet, lässt sich nicht mit Gewissheit angeben, ob sie wirklich germanisch und nicht wendisch seien. Zu den kleineren Götzenbildern brauchte man überhaupt verschiedene Materien: so erhielt einst der Gothländische Jarl Ingemund ein kleines silbernes Thorsbild zur Belohnung seiner Tapferkeit; und der Skalde Halfred ward vor Olaf Tryggveson angeklagt, dass er ein knöchernes Bild des Gottes Thor stets in einem ledernen Beutel bei sich führe. Auch einen Begriff von der Malerei mussten die alten Skandinavier gehabt haben: Noch im vorigen Jahrhunderte sah man in der obenerwähnten Kirche zu Alt-Upsala drei Wandgemälde, welche Odin, Thor und Frigga vorstellen sollten; sie sind jetzt verschwunden. Von Basreliefs und anderen Bildereien, womit nicht bloss die Tempel, sondern auch Privatgebäude geziert wurden, haben sich verschiedene Nachrichten erhalten. In der Skalda (einem Theil der jüngeren Edda) sind Fragmente eines Gedichtes, *Husdrápa*, aufbewahrt, welches bloss Beschreibungen der bildlichen Vorstellungen aus der nordischen Mythologie enthielt, die Olaf Paa in Island zur Verzierung seines Hauses hatte aushauen lassen; der Verfasser war ein gleichzeitiger heidnischer Skalde. Ein paar uralte Tafeln, worauf verschiedene Thiere abgeformt sind, sind sogar noch in Island vorhanden. Selbst auf den Runensteinen finden wir mancherlei charakteristische Figuren, Gestalten und Zierrathen, meistens wie die Schriftzüge selbst eingegraben, mitunter aber auch von reliefartiger Arbeit. Die Kunst Münzen zu prägen scheint den nordischen Völkern ebenfalls schon im Heidenthume bekannt gewesen zu sein. Wir finden noch uralte goldne, silberne und kupferne Stücke, darunter sich die goldnen Braktea-

ten, worauf die Götter Thor und Odin vorgestellt sind,
besonders auszeichnen; man trug sie ohne Zweifel als
Amulete um den Hals, wesshalb auch verschiedene unverständliche Runen, vielleicht Zauberformeln enthaltend,
darauf ausgeprägt sind.

Zu den nordischen Religionsalterthümern gehören nun
noch einige aus der Erde, insonders aus Opferhügeln,
herausgegrabene Gegenstände, als Opfermesser, Beile,
Gefässe, Ringe und andere Tempel - und Opfergeräthschaf-
ten. Denkmale, die in alten Grabhügeln gefunden werden,
sind Urnen von Thon und vornehmlich Waffen, z. B. Streit-
hämmer, Speere, Pfeile, Schwerter, welche anfangs
wie bei den alten Teutschen und Celten von Stein, nachher
aber von Kupfer und Eisen verfertigt waren. Vielleicht ist
Odin der erste gewesen, der die Kunst, das Metall oder
vielmehr das Eisen zu bearbeiten, mit aus Asien in den
Norden brachte; es mag dies eines von jenen ausgiebigen
Mitteln gewesen sein, wodurch sich Odin zu einem so bedeutenden und nur von der Allgewalt des Christenthumes
vernichteten Ansehen emporgehoben hat. Was man sonst
noch von nordischen Alterthümern aufweis't, besteht zunächst in Runenstäben, in metalleuen Trinkhörnern mit
und ohne Bildwerk, in steinernen Werkzeugen aller
Art u. s. f. Die Erläuterung aller dieser Denkmäler jedoch
gehört in eine Archäologie des Nordens, wozu nur
erst einzele, wenn gleich höchst schätzbare, Beiträge von
Finn Magnusen, Siöborg, Liljegren u. a. vorhanden sind.

Diese vorläufige kurze Uibersicht alles dessen, was
unter nordischer Alterthumswissenschaft im Allgemeinen
begriffen werden kann, möge einstweilen den, wenn auch
nur andeutenden, Beweis liefern, dass der alte Norden uns
im wahren Sinne Fundgraben darbietet, die unserer
eifrigen Bearbeitung in hohem Maase würdig sind. Niemand

wird demnächst in der, anscheinend vornehm klingenden, Uiberschrift des gegenwärtigen Werkes, welche nur auf das blosse Dasein gewisser, aus der Vorzeit des skandinavischen Nordens uns verbliebener, Denkmäler und Uiberlieferungen, keineswegs jedoch auf die wissenschaftliche oder kunstthümliche Darstellung und Erläuterung derselben, hinweis't: eine einseitige Uiberschätzung des Gegenstandes selbst, noch viel weniger aber die leiseste Spur einer Art grosssprecherischen Dünkels von Seiten des Herausgebers, wahrnehmen wollen. Möge auch immerhin dieser erste, kaum ein Alphabet füllende, Octavband neben den mächtigen Folianten der „Fundgruben des Orients" in aller Unbedeutenheit dastehen: er ist dagegen auch das Werk eines Einzelen und gehört in das Fach der nordgermanischen Alterthumskunde, welche in Teutschland — und auf Teutschland ist das gegenwärtige Unternehmen zunächst berechnet — hinter der orientalischen Literatur bekanntlich so weit zurücksteht, dass der teutsche Fleiss noch langehin in Anspruch genommen werden muss, um dieses Unverhältniss einigermassen auszugleichen. Wohl ist auch die Masse der Gegenstände dort ungleich grösser, wo, wie im Orient, mehrer und grösserer Völkerschaften Wissen und Streben zu erörtern bleibt, als hier im Norden, wo das Wesen nur Eines Volkes und dasselbe überdies nur einem beschränkteren Zeitraume nach entwickelt werden soll: die Behandlung aber für die Wissenschaft ist doch immer nur in gleichem Grade zu erschöpfen.

Der vorliegende erste Band kann gewissermassen auch eine allgemeine Einleitung bilden, da für denselben absichtlich nur solche Artikel ausgewählt wurden, welche das Studium der altnordischen Literatur auf eine oder die andere Weise vorzubereiten dienen. So die Abhandlung über die Runen. Bei derselben ging des Verfassers Bestreben hauptsächlich dahin, Kürze mit Vollständig-

keit zu vereinbaren, und somit einen, keineswegs für
den Norden, dessen lokales Interesse in vielen Stücken
eine bei weitem grössere Ausführlichkeit erheischt hätte,
wohl aber für die Freunde nordischer Vorzeit
in Teutschland, hinreichenden Ueberblick des Gegenstandes zu gewähren. Die Geschichte der Runen nebst
Beleuchtung der zahlreichen Runendenkmale schien dem
Verfasser überhaupt am meisten geeignet, eine Reihe von
Forschungen auf dem Gebiete der nordischen Alterthumswissenschaft anzuheben. Nothwendig war ferner eine
Entwickelung der altnordischen Dichtungsformen, da nur
eine solche allein zur richtigen Auffassung der Dichtungen
selber führen kann. Bei der gegenwärtigen Darstellung
sind zumeist OLAFSEN und RASK benutzt worden. Die
mitgetheilten Skaldenlieder endlich sollen eine vorläufige
Probe von dem Geiste, die Notizen über Skaldenliteratur
einen allgemeinen Begriff von der Anzahl altisländischer
Sänger und dem Vorrathe der, uns theils ganz, theils
nur bruchstücklich aufbehaltenen, skaldischen Dichter-
werke liefern. Dänemarks, Norwegens und Schwedens
namhaft gewordene Skalden sind natürlich in der Reihe
der Isländischen nicht mit aufgezählt, so wie die einzelen
Lieder der Edda, deren jedes auch einen besonderen
Titel führt, in der Reihe der Skaldendichtungen darum
übergangen werden mussten, weil ihre Verfasser unbekannt und ihr Ursprung ohne Zweifel selbst noch über
die Entstehung des Skaldenthumes hinausgeht.

    Soviel über den Inhalt des gegenwärtigen ersten
Bandes. Die beiden folgenden Bände (denen allenfalls
ein Abriss der teutsch-nordischen Mythologie mit Abbildungen folgen dürfte) enthalten die Edda, welche
hier zum erstenmal in vollständiger Uebersetzung und
möglichst erschöpfender Commentirung erscheint, und wobei vornehmlich die, bereits von FINN MAGNUSEN, LING,

               * * *

TRAUTVETTER, MONE u. a. versuchte naturphilosophische Deutung der Gesänge befolgt, doch aber die poetische Seite der letzteren keineswegs in Schatten gezogen wird. Dem dritten Bande ist auch ein vollständiger Blattweiser beigegeben, welcher zugleich die Stelle eines Wörterbuches der teutsch-nordischen Mythologie und Eddalehre vertreten soll.

Der Verfasser hat nun nichts sehnlicher zu wünschen, als dass sich ihm sofort noch andere gleichgesinnte Bearbeiter des nord-germanischen Alterthumes anschlössen, damit die beginnende, nunmehr noch den geringen Kräften eines Einzelen obliegende, Unternehmung nach und nach eine breitere Bahn gewinnen und einen allgemeineren, dauerhafteren Nutzen stiften möge. Darüber mehr noch in der Vorrede zur Edda.

Leipzig, am ersten Tage des Jahres 1829.

Dr. *G. Th. Legis.*

Uebersicht des Inhaltes.

————————

Die nordischen **Runen**.

	Runes	Name
f.	ᚠ ᛉ ᛆ ᛐ ᛑ ᛒ	fö
u.	ᚢ ᛐ ᛦ ᚱ	úr
th.	ᚦ ᛐ [ᚦ ᛑ]	thurs
o.	ᛐ ᛉ ᛐ ᛐ	ós
r.	ᛉ ᚱ ᚴ	reid
k.	ᚴ ᛐ ᛐ	kaun
h.	✳ ✳	hagl
n.	ᛆ ᛐ ᛐ	naud
i.	ᛁ	is
a.	ᛏ ᛐ ᛐ ᛐ ᛐ	ár
s.	ᛋ ᛐ ᛁ ᛡ	sól
t.	ᛐ ᛐ ᚱ	týr
b.	ᛒ ᛒ	biörk
l.	ᚱ ᛐ	langr
m.	ᛉ ᛈ ᛈ	madr

	Runes	Name
y.	ᛐ ᛐ	yr
e.	ᛐ ᛐ ᚷ ᛈ ᛈ	
g.	ᛐ ᛪ	
p.	ᛒ ᛐ	
v.	ᛐ ᛐ	
at.	ᛐ	árlaugr
nm.	ᛆ	tvimadr
tt.	ᛈ	belgthor

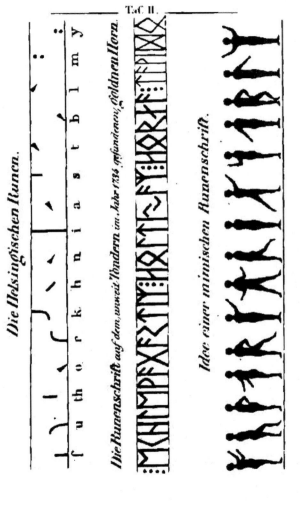

Taf. II.

Die Helsingischen Runen.

f u th o r k h n i a s t b l m y

Die Runenschrift auf dem, unweit Tondern im Jahr 1315 gefundenen, Goldnen Horn.

Idee einer mimischen Runenschrift.

47

Die Schriftzüge auf dem sogenannten

Markomanischen Thurm

zu Klingenberg in Böhmen.

	Phönicisches Alphabet.	Etruscisches Alphabet.	Alphabet der celtiberischen Münzen.		Runen-Alphabet der rhätnischen Alterthümer.
a.	X ‡ Ӿ ƒ ≭ ᴥ	ꟼ I H ⌒ ⌐ 4 P	H	ᴧ	⅄ ⱷ
b.	ᑫ 9 9 ٩	8 ꞁ B	P		Ѱ
ch		> ꜀	<		X ✳
d.	◁ △	◁ D	◁I⊳ iᴅ		D
e.		Ⴈ Ⅎ	F F		ⱷ
f.	λ ↑ ᒋ	ⱽ ꟼ ⅄	↑ ✳		ⴄ
g.	⅄ ↑ ꓶ ꓶ		∩ ꓭ		�
h.	⧛ ⊞	⊞ ꓭ ⊟	× ×		ꟼ
i.	ſ ⌐ ⁀	I	I N		I ↓
k.		ꓝ ꓘ	K	ᵽ	ꟻ ⱷ
l.	↑ ᣬ	✓ ⅃ Ⅴ	×	ᴧ	ⴄ ⱷ
m.	Ѱ ⅄ Ꝩ	⋔ ⋀	⋈	ꓟ	ꟼ ꟼ
n.	ꓭ 9	ꓭ ꓩ	N	N	ᚼ ꓭ
o.		◇	O		↑
p.		⁀ ꓶ	ᒋ		ꓭ ꓭ
r.	ꓷ ꓷ ꓷ	ꓷ ꟼ ꓮ Π	ꓷ ꓮ		ꓣ
s.	ƺ ᴟ	ꓨ ꓘ	ꓳ ꓨ		N N
t.	✝ ꙮ ꓯ ᴛ	↑ ↑ ⅄ ×	Ѱ		↑ ᴖ
u.			ꟷ		
v.	ꓩ ᴗ	ꓦ ᴕ			ᴖ
x.		⅀ d	ⱬ		✝

Lag vid Krákumál,
til fjögra radda.

Vierstimmige Weise zu Krakumaal.

Erste Abtheilung.

Darstellung

des Runenthumes

nach allen seinen Beziehungen.

Unter den Schriftzügen des Alterthumes möchten wohl
nur wenige erscheinen, die ihrem Wesen nach so eigent-
thümlich, so voll innerer Bedeutung sind, und die dabei
gewissermassen ein urthümliches, heiliges Dunkel umgibt,
wie die R u n e n. Die Runen sind aber auch zunächst für
die Teutschen am meisten ehrwürdig. Nicht als ob sie
ein wahres selbständiges Erzeugniss teutschen Geistes
wären — diesem war die erhabenste der menschlichen
Erfindungen nicht vorbehalten — sondern darum allein,
weil sie den Lauten der teutschen Sprache z u e r s t zur
sichtlichen Darstellung dienten (und insoweit tragen die
Runen auch ein ächt teutsches Gepräge an sich), mithin
neben der Sprache als das früheste geistige Eigenthum
unserer Vorfahren zu betrachten sind.

Kaum aber sind auf irgend einem Felde der Alterthumswissenschaft die Ergebnisse der Forscher untereinander so verschieden und abstechend, wie bei den Runen *).
Die Thatsache, dass sich neben Skandinavien auch noch
in vielen anderen Ländern Europas mehr oder minder

---

*) So, um nur Einiges anzuführen, schreiben OLAUS MAGNUS,
RUDBECK, BUREUS, VERELIUS und Andere den alten Skandinaviern
die Erfindung der Runenschrift zu; LAZIUS und WORM leiten die
Runen von den Hebräischen Buchstaben ab; BENZELIUS, WISE
u. A. von den Griechischen; CELSIUS, LEIBNITZ und GIBBON von
den Römischen; ASTLE und LILJEGREN von den Gothischen; LA
CROZE und MURRAY von den Angelsächsischen Buchstaben. BAR-
THOLIN, STUX, BURMANN u. A. lassen die Runen durch Odin in
den Norden bringen; Ihre durch die Alemanen etc. Jene versetzen also den Ursprung der Runen vor die Sündfluth hinaus,
diese suchen ihn erst in den späteren Jahrhunderten der christlichen Zeitrechnung.

A 2

deutliche Spuren der Runenschrift gezeigt haben, verlangt
denn vor allem: Uibereinkunft in dem Begriffe der
Runen selbst, und sonach eine bestimmte und scharfe Be-
grenzung desselben.

Ich setze den Begriff der Runen folgendermassen
fest: Runen sind die ältesten Schriftzüge
der Völker des germanischen Nordens; es
kömmt diese Benennung mithin nur denjenigen Schriftzügen zu, welche sich unmittelbar im Norden erzeugt haben, oder deren
sonstiger nordischer Ursprung entweder durch
Zeugnisse erwiesen oder durch Schlüsse
glaubwürdig gemacht werden kann. Alle anderen Schriftzüge des Alterthumes, sie mögen an Geltung
und Form noch so sehr mit den Runen übereinkommen,
werden auf diese Benennung durchaus keinen Anspruch
haben; ihre Aehnlichkeit mit den Runen muss vielmehr
aus einer früheren und allgemeinen Urstammverwandt-
schaft erklärt werden. Denn die Runen selbst sind, wie
gesagt, nicht im Norden entstanden, sondern durch fremde
Ankömmlinge — vielleicht schon zur Zeit des Kadmus
d. i. 1500 Jahre vor dem Anfange der christlichen Aera —
dahin verpflanzt worden; sie haben sich aber hier acclimati-
sirt und nachher eine eigenthümliche Fortbildung gewonnen.

Glücklicherweise sind nun die Zeiten vorüber, wo
man die Skandinavier selbst für die Urheber der Runenschrift zu halten, wo man überhaupt noch zu glauben
vermochte, die grosse und an sich wunderbare Erfindung
der Buchstabenschrift könne mehr als einmal in der Welt
gemacht worden sein. Nach Massgabe richtiger Ansichten
endlich wird es möglich werden, dasjenige Volk zu ergründen, welchem der Norden den zeitigen Besitz der
Buchstabenschrift dankt; ob es die Phönicier seien —
sollen die folgenden Untersuchungen lehren.

I.

Uiber das Etymon des Namens Rune.

Das Wort Rune ist dem gesamten germanischen Sprachstamme in vielerlei Ausbildungen eigen; es scheint demnach weder nothwendig noch erspriesslich, das Dasein
dieses Wortes in anderen Sprachklassen für mehr denn
zufällig zu erklären. Wichtiger hingegen für die Erforschung des Wurzelwortes, das aus den abgeleiteten
Sprachen nicht klar genug hervorschimmert, ist in Rücksicht dessen die Prüfung indischer insonders aber persi-
scher Wörterfamilien; wenn gleich das Vorhandensein
desselben Wortes im Phönicischen bei weiten am ent-
scheidendsten sein möchte, weil ja die Schriftzüge selbst
den Phöniciern, wenn nicht ihre Entstehung, doch ihre
erste gemeinnützige Anwendung, Cultur und länderweite
Verbreitung pflichten.

Wie schon beiläufig bemerkt, gedenke ich in der gegenwärtigen Schrift die Ansicht durchzuführen, dass die
Runenschrift in früher Vorzeit unmittelbar durch phönicische Kauffahrer den Skandinaviern ist überliefert worden.
Zu diesem Ende darf ich mich auf die Ergebnisse eines
geistreichen Forschers, Reineggs, stützen, welcher im
zweiten Theile seiner Beschreibung des Kaukasus eine
sehr glückliche, obgleich nur wenig ausgeführte Idee über
die phönicische Abstammung der Runen bekannt gemacht
hat. Unter andern bemerkt er (S. 181.) in Hinsicht des

Namens Rune, dass die Phönicische Sprache, nach ihm
(S. 179.) ein Ast der Arabischen, mit den Ausdrücken
روند (*Runah*, *Runeh*) und الروني (*Alruni*) soviel als Zau-
berkunde (nebstbei auch Zauberinnen, die sich nemlich mit geheimen Künsten abgeben) bezeichne. Dem
entsprechend finden wir dasselbe Wort in der Skandinavischen, als auch überhaupt in den Germanischen, Sprachen durchgängig unter gleicher Bedeutung, und zwar der
Weitschweifigkeit dieses Begriffes gemäss vielfältig ausgedehnt und gegliedert.

ISLÄND.: *rúna* Zauberei, Gaukelei; (*Orms S. S.*)
*sva mikit kunni Magnus Jarl i rúnum, tantum
M. J. valuit praestigiis.* ALTSCHWED.: *runokarla* Zauberer. ANGELSÄCHS.: *runan, runian* zaubern, Zau-
berlieder murmeln; *run-craeft* Zauberkraft; *run-
craeftig mystagogus*; *run-vita (Beov. ed. Thork:
101.)* Zaubergenoss; *ge-ryn-elic mysticus*, (*Beda 1.
Reg. c. 1.*) *waes he ge-rynelice word sprecende,
mystica verba locutus est.* KÖNIGSHOFEN: Runa Hexe;
Runer Zauberer. FLORENT. GLOSS.: *helli-runa ne-
cromantia.* RHABAN. GLOSS.: *ca-runi magia.* NOTKER
(Psalm XIII. 3.): Ge-runot Zaubergesang. KYMR.: *rhi-
niau* Zaubergesänge, Beschwörungen. Vgl. *run-zabel
(Goldast in Paraenet. p. 454.) Runa diaboli, Pythonissa*
(Runenpriesterin). Sehr deutlich weisen auch die Namen
Aliorunen, Alrunen (Wahrsagerinen der alten Gothen)
bei Jornandes *Alyrunae, mulieres magae*, auf das
Runenthum hin. Ingleichen Alraune, *mandragora*, die
zauberkräftige Wurzel, oder vielmehr ein aus derselben
geformtes Zauberbild.

Ferner: ULFILAS (Mark. 4. 11.): *runa þiudan-
gardjos Goþs* (ANGELS.: *Godes rices ge-rynu;*
TATIAN.: gi-runo himiloriches) *mysterium regni coe-
lorum.* ISIDOR.: chiruni Geheimniss; chirunan ver-

bergen. ANGELS.: *run arcanum, mysterium, secretum.* KYMR.: *rhin idem.*

In späterer Zeit, wo auch die Bildung allmählig zunahm, verlor sich bei diesen Wörtern natürlich der ursprüngliche Begriff von Zauberei, Wahrsagung u. s. w. immer mehr, und es blieb so zu sagen nur ein Theil desselben, nemlich die Bedeutung von Murmeln, Flüstern, Leisesprechen zurück. Uiberall aber verstand man mitbei ein gewisses geheimes, räthselhaftes, dunkles Trachten und Streben, welche Bedeutung so durch das ganze Mittelalter fortdauerte und sich zum Theil auch bis auf unsere Zeiten erhielt.

ISLÄND.: *eyra rúno* ins Ohr raunen; *at rysia* ingeheim lispeln, seufzen. ALTSCHWED.: *runa* flüstern; (Alex. d. Gr.) *haerin tok þa maellan sik runa* das Heer fing an unter sich zu murmeln; (Reimchron.) *ta menar jak þer med fem runa* dort meine ich ihm etwas zuzuflüstern. ANGELS.: *runian, runere.* ENGL.: *to round.* KYMR.: *rhinio.* ALTHOCHT. und MITTELHOCHT.: gerunen, runen, runzen. PLATT-TEUTSCH: reunen, ruynen. NHT.: raunen, runen, flüstern. Beispiele: NOTK. (Ps. CV. 25.) bediu runextan sie in iro herbergon. MANESS. S.: (II. 237.) durch den stap [ein Blasrohr] runet man verholn; (II. 81.) da wollt si mit im sevil gerunen. TRISTAN (17144) mit einer rune [er sie] enphie: er runete suoze den gelieben ze gruoze. STAR. RENNEWART (Cass. Hs. Bl. 114ᵃ) offenbarliche âne runen. *GNOMOLOGUS FRIDANGI (MS.* Scherz) *col.* 26. der diep ist gär on angest nicht, so er viel runen sicht. BEICHTBÜCHLEIN (*MS.* Scherz) f. 63. Die in der kilchun runen, von vngezogen sind; (f. 35.): geruinis Geraun, Geflüster. CONR. v. WÜRZBURG TROI. KRIEG (*MS.* Scherz) f. 154. nu rune mir, so rune ich dir. *GL. LIPS.:* rundan. *GL. MONS.:* runezan. *GL.*

FRANC. BOXHORN: *runetemn mussanti; orkiruno*
(ISID. und TAT. orruno. GL. PEZ.: *orrunan*) Ohren-
rauner. (*Sigism, R. dipl. in Lunig. corp. jur. feud. Tom.
I. p.* 168.): Runer, Rauner *idem.* Vgl. LAPP.: *runan*
flüstern, heimlich reden.

Ferner: *MYTHOLOGUS* (MS. Scherz) f. 79. sage an
trut geselle myn, was mag das Gerune sin, das dir
gerunet hat der ber .. WILHELMS v. H. LEBEN (MS.
Scherz): des noch orkunde git di ebenture nne stillen Run.

Es umfasste dieser Ausdruck sodann alles heimliche
Reden oder Handeln; also geheime — nachher auch
öffentliche — Berathung, Rath überhaupt, verbor-
gene Anschläge; zuweilen sogar.Urtheil, Gericht
(*Eccard Mos. Cat. p.* 71. thanan cumsüger ci rnananne
[d. i. richten] lebente endi tote) — durchaus Begriffe, die
sich vielfach begegnen und wechselseitig in einander über-
gehen.

ULF.: (Matth. 27. 1.): *runa nemun* sie fassten
Rath; (Luk. 7. 30.) *runa Gops* Rathschluss Gottes;
(Mark. 3. 6.) *ga-runi gatavidedun bi ina* sie rath-
schlagten über ihn. ANGELS.: *gerune* ein geheimer Rath,
Vertrauter. NOTK. (Ps. 41): wider mir fuoren runende
alle mine fienda. *GNOMOL. FRID.* (MS. Scherz) *col.* 102.
dem keiser wohl gezeme, das Runen ende neme. CONR.
v. WÜRZB. (MS. Scherz) f. 305. als wir nu kamen an den
rat, alse unser rate gerunet hat.

Ferner: (*Wurstisius Chron. Basil. ad an.* 1460.) die
Kieser gaben durch die Raun (d. i. ein gegenseitiges Oh-
renflüstern) ihre Stimme und erwehlten. (*Simlerus L. II.
p.* 172. *de civitate S. Galli*) mit der Run (*h. e. occultis
suffragiis*). *JUS STATUT. ARGENTORAT.* (MS. Scherz)
p .205. kein heimbliche samblung antrog sich noch gerun
(d. i. Stimme) ze haben und ze tuen. Auch in Oesterreich
hiess voreinst die geheime Verurtheilung der Verbrecher:

das Gerune, Geraune, Geraune (S. *Paltramus in Chron. Austr. ad an.* 1390. bei *Hier. Pez. Script. Austr. Tom. I. p.* 728. *Annales Mellic. ad an.* 1402. *ibid, p.* 259.). Uibereinstimmend, hiemit läset sich endlich, der Name der, am Poflusse nächst Placentia gelegenen, sogenannten Roncalischen Felder (*Lat. barb. roncalia*) herleiten. In, einer, alten Reichsverfassung (S. GEBAUER *Constitutio Caroli Calvi sive, Conradi Salici*) heisst *curia Gallorum h. e. campus, qui vulgo Rungalle (al. Runcalle*) *dicitur,* der Ort, wo die Franken über Angelegenheiten des Reiches sich besprachen. Nun kam oben (bei ULF.) *runa* in der Bedeutung von Berathung (*consilium*) vor; woraus sich die alten Teutschen ihr Rat (*concilium*) gebildet haben. *Galle* (Vgl. ISLÄND.: *kala.* ANGELS.: *to call.* SCHWED.: *kalla.* GRIECH.: *καλεῖν.* LAT.: *calare = vocare, convocare*) kann nichts anders heissen als Herbeirufung, Zusammenberufung, und ist keineswegs etwa von *Galli,* Gallier, abzuleiten. Es erklärt sich also der ganze Ausdruck *Rungalle* auf die natürlichste Weise durch: *convocatio concilii.*

War ferner dem Grundbegriffe des Wortes, wie eben gewiesen wurde, der Begriff von Rath, Spruch, Urtheil verwandt, so hat der Sprachgebrauch diese Bedeutung allmählig so ausgebildet, dass in mehren Mundarten das Reden überhaupt, das vertrauliche Sprechen, Sagen, Erzählen dadurch bezeichnet worden ist.

Daher im ISLAEND.: *rúnar* Gespräch, Unterredung (*Sig. Kvid. III.* 14. *Gudr. Kv. III.* 4. *Hrafn.* 2.); *Mál-rúnar* trauliche Gespräche; *Val-rúnir (Helga Kv. II.* 11.) räthselhafte Kampferzählungen. Sodann: *rúni collocutor,* Vertrauter; *gramrúni regi familiaris,* Höfling; *rúna, run* (daher die weiblichen Eigennamen *Gudrun, Sigrun etc.*) gleichsam Gesprächsfreundin, Vertraute. ALTSCHWED.: *rúna* reden, sich besprechen. NOTK.

(Ps. 89. 5.): Wales-run *lingua romana provincialis seu rustica.* Angels.: rune Unterredung. Ulf.: andruna disputavit.

Aus dem Gesagten geht bereits hervor, dass das Etymon des Namens Rune, sowohl in dessen Zusammensetzungen als auch in allen weiteren Ausbildungen, nicht eigentlich auf Schrift, sondern mehr auf Wort hindeute. Denn die bisherigen Bedeutungen: Zauberspruch, Geheimniss, geheime Berathung *) scheinen sich alle ganz natürlich in dem, einen sinnlichen Begriff bezeichnenden, *susurrus* zu vereinigen. Jedenfalls aber sollte sich die Bedeutung von Rune auch auf Schriftzüge, sichtbare Zeichen zurückführen lassen, sonst behielte es das Ansehen, als ob wir bisher durchweg nur Nebenbedeutungen, oder andere dahergehörige und erst späterhin aufgenommene Begriffe erforscht hätten. Den, beim Schreibwesen der Germanen und Gothen vorkommenden, technischen Ausdrücken jedoch liegen ganz andere Wurzeln zum Grunde. Auch sie kommen aber so ziemlich wieder in einem einfachen Begriffe, in dem des Einschneidens oder Ritzens, überein.

Isländ.: rista, rita (Angels.: writan. Engl.: to write **)) Buchstaben zeichnen, *scribere;* auch selbst in Verbindung mit den Runen: rista rúnir Runen eingraben, einritzen. Ulf. übersetzt *litera, apex literae*

---

*) Auch Buchstabel meint der Recensent des Grimmischen Werkes (S. Gött. Gel. Anz. 1821. 104. Stück). Denn im Grunde sind die Buchstaben wahre Einhelfer, *Prompters,* die uns einblasen, was wir aussprechen sollen, wie denn auch Leute, die nicht viel lesen, immer halb laut lesen.

**) Schon die Römer übersetzten Britten (Writen), die sich tattowirten, ganz richtig durch *Picti.* Und in Aegypten hiessen jene Priester, welche die heiligen und geheimen Schriften bewahrten: *Phriti-fantes;* zum Unterschiede von den Hierofanten oder Opferpriestern.

gewöhnlich durch *vrits*, hat aber, indem er einmal ἡ μία
κτρεία durch *ainana wruta* übersetzte, auch γράμμα
nach dem Sinne des Textes verschiedentlich gegeben (der
Angels. Uibersetzer gebraucht hier überall sein *stäf*).
Ferner hat auch OTFRIED (III. 17. 72. 97.) für schreiben
den Ausdruck *rizan*. Vgl. SLAV.: *rýti*, *wrýti*, *wy-
rýti* einschneiden, graben, einritzen; *ryt* eine Ritze.
In den GL. DOCEN.: *rizzin characteribus literarum*,
woselbst also *riz* gleichbedeutend mit *runa* erscheint und
für die (hauptsächlich von MONE · vertheidigte) Ansicht
spräche, dass Einschnitt, Ritz, Riss die ursprüngliche Bedeutung von *rune* sei.

Nun hat sich aber auch von selbst, so zu sagen, der
Vermittler gefunden; der die beiden bisher geschiedenen
Begriffe von gesprochenem und geschriebenem Wort in
Einer Stammwurzel vereinigt. Gerade das, was *vrit*, *riz*,
Ritz bedeutet, drückt nemlich das noch übliche Wort
R u n - z e aus; es stammt von r u n e n d. i. schneiden
(*Cfr.* KELT.: *ranna idem*. SLAV.: *runyti* auf einer
Fläche graben, streichen), bezeichnet mithin einen Ein-
schnitt, ein eingehauenes Zeichen. In den Bereich dieses
Begriffes gehört also jede Vertiefung, als da ist Furche,
Graben, Flussbett u. s. w. und somit sind die Wörter
r u n e n, reden, r i n n e n (f l i e s s e n) stammverwandt
wie im Griechischen. Denn ῥῆμα kömmt von ῥέω (verwandt ist ῥέω) *fluo* — das dem Munde entflies-
sende Wort [*)]. Beispiele: ISID. (c. 6.) NOTK. (Ps.
CXVIII. 136) *runsa* Flussbett. (*Gloss. Mons.* p. 340.)
runs Wassergraben. (*Jun. Gloss.*) *ga-runsa* von *rin*
Rinne, Rinnsal (Vgl. Rhein. NORD.: *rin*) Fluss. Endlich
sind noch r i n n e n und r e n n e n (HOLLÄND.: *ronnen*
und *runnen*) verwandt. (*Gloss. Mons.* p. 356.) *runs*

[*)] Iliad. I. 249. τοῦ καὶ ἀπό γλώσσης μέλιτος γλυκίων ῥέεν αὐδή.

trames; (*ibid. p.* 411.) *rum meatus etc.* Uibrigens finden
sich ja im ARABISCHEN wie im PERSISCHEN die nemlichen
Wurzeln in der Familie der Wörter: fliessen, rinnen,
Fluss u. s. w.; und im SANSKRIT wird der Gott der Ge-
wässer *Va-runa* genannt (Vgl. PAULIN. *Amarasinha*
p. 5a.).

Ich muss bei dieser Gelegenheit, um vollständig zu
sein, noch einer älteren und zwar sehr ergötzlichen etymologischen Ableitung gedenken. Der Vater des runolo-
gischen Studiums, OLAUS WORMIUS, behauptete nemlich,
der Name der Runen komme von dem Altschwedischen
raenna (ISLÄND.: *rin*. ANGELS.: *renn*), welches eine
Ackerfurche, einen Wassergraben (Rinne) bedeutet; denn muss — fragt er — hierin nicht Jeder eine augenscheinliche Uebereinstimmung mit den, bei dem Schreibwesen der Griechen und Römer gebrauchten Ausdrücken
Βουστροφηδὸν, *exarare* und *versus* entdecken?

Wir werden nun sogleich eine eigene Ableitung versuchen. Das oben angeführte phönicische Wort לון, dürfte
als die älteste Wurzel und folglich als unumgängliche
Grundlage zu einer jeden haltbaren etymologischen Dedu-
ction des Namens Rune anzusehen sein. Die Phönicier
haben dieses Wort in den Norden gebracht: es war bei
ihnen nicht sowohl eigenthümliche Benennung der Buchstabenschrift, sondern mochte insgemein jedes geheime
Wissen, jede Kunst — im weiteren Sinne also Weisheit, Zauberei — bezeichnet haben. Die sofort durch
die Phönicier mitgetheilte Kenntniss der Schrift hatte natürlich der gesamten nordischen Priesterlehre eine tiefere
Bedeutung verliehen: und derselbe Name, den die Phönicier dem mysteriösen, und ganz den Geist des Orientes
athmenden, Treiben der skandinavischen Priester beilegten,
ist bei diesen leichtlich auf die blosse Schreibkunde übergegangen. Insbesondere aber konnten die Phönicier das

Murmeln gewisser Zauberformeln und Lieder — als das unentbehrlichste und ausgiebigste Mittel bei Zauberkünsten — unter dem Ausdrucke *runa* verstanden haben; wie denn auch in der ältesten Sprache des Nordens, der FINNISCHEN, das Wort *runo* soviel als Gedicht, Lied — Zauberlied *) bedeutet. (Vgl. ARAB.: رَنَا (*r a n a e*) Klang; رِنَم (*r u n u m*) Jubelgesänge; رِنَم (*r e n e m*) ertönen, erschallen. HEBR.: רָנַן (*r a n a n*) singen, jauchzen. PERS.: *saechun-ran sermocinator*.) Das skandinavische Volk, welches erst späterhin zur Kenntniss der Buchstaben gelangte, sah darin allerdings etwas Wundervolles und Göttliches, und gewöhnte sich, diese im Rufe der Zauberkraft stehenden Charaktere unter dem bedeutungsvollen Namen der Runen (ISLÄND.: *rún* (*pl. rúnir, rúnar*) oder *rúnastafr.* ANGELS.: *runstaef*) auch langehin wirklich nur im Zusammenhange mit Magie und Schwarzkunst (*seidr, galldr*) zu betrachten. Daher kömmt es, dass *rúnir* in den Sprachen des Nordens auch noch Weisheit, Gelehrsamkeit, Wissenschaft überhaupt — oder *literae* im Sinne der Römer — bedeutet. *At rýna, reyna* (ALTSCHWED.: *roena*) *discere, experiri, ediscere; raun experientia, exercitatio; ryndr literatus* auch *magus. Hon mun þer rúnar* (*Gripis-spá 17.*) sie wird dich Wissenschaft lehren. *Skald ero höfundar allrar rynni ok málsnildar* (*Snorra Edda P. III.*) Skalden sind die Urheber aller Gelehrsamkeit und Wohlredenheit. *Galldramen sem eptir öllu tgea rynt* (*Rolf Kraka S.*) *magi qui omnia expiscari norunt. Hann reyndi eptir morgum hlutum* (*Droplaug. S. S.*) er hatte Kunde von vielen verborgenen Dingen etc.

---

*) S. SCHRÖTER Finnische Runen. Upsala, 1819. Noch wird bei den Finnen ein Dichter *Runoseppä* (Runenschmied) genannt.

Wie sich nun die Runenschrift im Norden zu einer grösseren Allgemeinheit erhob, so ward auch die ursprüngliche Bedeutung des Namens Rune allmählig vergessen; wohl aber erhielt sich dieser Ausdruck, oft und beträchtlich an Bedeutung, weniger an Gestalt verändert, im Gothisch-Germanischen Sprachstamme fort — wie dies deutlich und ausführlich genug im Vorhergehenden ist dargelegt worden.

II.

Gebrauchsarten der Runen.

Geht man auf die ältesten Schreibstoffe der Phönicier zurück, so wird man leicht die Vermuthung bestehen lassen, dass die nordischen Priester, welchen die Schreibekunst durch die Phönicier zunächst ist überliefert worden, ihre ersten schreiblichen Begriffe von hölzernen Tafeln entnahmen, worin die Buchstaben eingeritzt oder eingeschnitten waren. Als nun die erhaltenen Schriftzüge dem Geiste der nordischen Sprache einigermassen angeschmiegt und somit im eigentlichen Verstande geeignet waren, den Namen Runen zu führen, so fing man alsbald auch mit ihrer Anwendung etwas freier zu schalten an. Die Priester nemlich, welche die Runen, ehe sie dem Volke näher bekannt geworden, zu einem ausschliessenden Eigenthum ihrer Mysterien machten, bedienten sich derselben bei magischen Vorgängen dermassen, dass sie, vermittelst gewisser Stäbchen, die Buchstaben nach einer bereits festgesetzten Regel auslegten — daher das eckige und unorganische der Runenschrift — und diese

Verrichtung mit ihren altherkömmlichen Zauberliedern be-
gleiteten *). Es entwickelten sich auch gleichzeitig die
Runenstäbe, die wohl in den langen mit magischen Runen
bezeichneten Zauberstäben, welche die nordischen Rhab-
domanten während ihrer Beschwörungen zu schwingen
pflegten **), ihre ersten Vorbilder haben mochten. Man
wandte sofort die in Holz geschnittenen Runen bei manig-
fachen Gelegenheiten an. So heisst es in der Vatnsdäla
Saga von Jökul, dass, als er seinen Feinden Finboge
und Berg eine Neidstange errichtete, er zu dem Ende
den obern Theil eines Standers nach der Gestalt eines
Mannshauptes zurechte schnitt, und nach einer bestimmten
Formel Runen darauf zeichnete. Als nach und nach das
Einschneiden der Runen in hölzerne Stäbe immer mehr vervollkommnet wurde und die Brauchbarkeit derselben besonders einleuchtete, hat man diese Stäbe, welche man
fortan *Rúnakéfli* nannte, auch auf andere Bedürfnisse
übertragen und mit der Zeit mehrlei Arten derselben unterschieden. Die berühmtesten und allgemeinsten waren
die vorzugsweise sogenannten Runenstäbe oder die,
gewöhnlich aus Weidenholz verfertigten, Kalenderstäbe
von verschiedener Länge und Gestalt, bald vier-, bald
sechseckig, bald rund; worauf nach mehren Richtungen
gewisse, zur Bezeichnung der Zeit dienende Runenzeichen
eingekerbt waren. Man schnitt die Runenkalender nicht
allein auf Stäbe und Stöcke, sondern auch auf allerlei

---

*) In den ältesten nordischen Dichtungen ist noch zuweilen
von gelegten Runen die Rede. Es scheint auch, dass der
Begriff vom Auslegen der Schrift, der nachher mit jenem
des Deutens zusammenfiel, auf solche Weise sich erzeugt habe.

**) Saxo bedient sich an mehren Orten, besonders aber im
1. und 7. Buche, sobald er von Zauberkünsten und Todtenbe-
schwörungen spricht, der Worte: *diris admodum carminibus ligno
insculptis — linguae demortui suppositis* u. s. w.

Hausgeräth, auf Ellen, Wagen, Spinnrocken, wie auch auf die grössen hölzernen Schwertscheiden, um bei allen Vorkommenheiten seine Tagrechnung bei der Hand zu haben. Nebstdem sind bei den alten Norden auch Runenstäbe üblich gewesen, worin man, dem jedesmaligen Bedürfnisse gemäss, einzele Worte, Sprüche und ganze Familiennachrichten eingrub und die man einander dann wie Briefe zusandte *); ein solcher Stab war auch, nach der nordischen Mythenlehre, Attribut des Götterboten Hermode. Dass diese Briefstäbe, ihrer grossen Oeffentlichkeit wegen, mitunter Manchen genöthigt haben möchten, nach gepflogenem Einverständniss, veränderte und nicht jedem lesbare Buchstaben zu zeichnen, ist sehr natürlich; auch lesen wir in der Svarfdäla Saga von einem, mit besonderen Runen bezeichneten Stabe, womit Sigrid und ihr Bruder Klaufe gegen Thorstein ihre Herkunft beglaubigten. Zu magischen Zwecken wurden im Norden die manigfaltigsten Gegenstände mit Runen versehen **).

***

*) Vgl. GISLE BRYNJOLFSON *Peric. Runolog.* (*Hafn.* 1823.) p. 127 *ff.*

**) Die Lehre von der magischen Anwendung der Runen war den Alten eine „königliche Wissenschaft". (S. *Rigsmál*, Str. 40. 41. 42.) STUUR (Glauben und Wissen der Skandinavier p. 108.) stellt folgende Ansicht hierüber auf: „Wie nach dem Glauben der Alten das Leben aus einem wunderbaren Widerspiel des Guten und Bösen bestand und aus dem Streite der Asen mit den Jetten, so war auch die Runenwissenschaft, wie die Späher- und Wahrsagekunst in sich selbst entgegengesetzt und zwiegestaltet. Es gab nemlich eine lobenswürdige Runenkunde, wie Weissagungsgabe, oder eine solche, wodurch man sich der Hilfe oder des Beistandes der guten Geister versicherte, in welcher erfahren zu sein, jedem ansehnlichen Manne geziemte: und dagegen wieder gab es eine Schwarzkunst und Wissenschaft, mit der man sich die bösen Geister und spucktreibenden Gespenster dienstbar zu machen im Stande war; die in den spätern Zeiten gar besonders von den Finnen getrieben wurde, und damals so ohne alle Idee, dass ihre Formen nur in wunderlichen

Da es ein allgemeiner Glaube war, dass man durch Runenkünste Alles, ja selbst den Göttern zu trotzen, vermöge, so mussten auch alle erdenklichen Dinge für die Runen empfänglich werden. Egil, dem sein Wirth einen Gifttrank unterschob, schnitt sich in die Hand, ritzte Runen auf das Trinkhorn und bestrich sie mit seinem Blute; während er hierauf einen Vers hersagte, zerbarst das Horn. Von einem ähnlichen Horn, das einen durch Zaubermittel bereiteten Trank enthielt, heisst es in der Edda (*Gudrúnarkvida II.* 22.) und Volsunga Saga (c. 41.).

> Waren in dem Horne
> Allerlei Runen
> Geschnitten und geröthet;
> Nicht konnt' ich sie errathen.
> Langer Lindwurm
> Lands der Haddingen
> Ungeschnittene Aehre
> Eingang der Thiere.

Helga — lautet es in einer andern Stelle der Egils Saga — Thorfins Tochter, lag krank darnieder; einst kam der Skalde Egil herzu, durchspähte ihr Bette und fand Fischkiefern darin, die mit Runen bezeichnet waren. Egil warf die Kiefern ins Feuer und, indem er andere Runen unter Helga's Kopfkissen legte, sang er:

> Niemand soll Runen schneiden,
> Der sie nicht wohl zu deuten weiss;
> Oft geschieht es, dass Mancher
> Beim dunklen Buchstab fehlet.
> Ich sah am geglätteten Kiefer
> Zehn geheime Zeichen geritzt;
> Und diese haben der Jungfrau
> Krankheit gebracht.

Fratzen bestanden. Von der edlen Runenlehre sind uns Fragmente hinterlassen im Runencapitel und Brynhildensgesang.

B

Egil hatte nemlich erkannt, dass Jemand, um sich Helga's Liebe zu erwerben, Liebesrunen (*Manrúnir* [*])) in die Fischkiefern hat schneiden wollen; aber nicht genugsam erfahren in dieser Kunst, solche Runen zeichnete, die Helga auf das Krankenlager warfen.

Die Geheimrunen heissen hier *Launstafir* und hängen wohl mit den obigen in so weit zusammen, als beide einem besonderen, wahrscheinlich mehr zusammengesetzten, Alphabete [**]) angehörten. Diese Geheimrunen hatten unter sich wieder eine sehr manigfaltige Bedeutung, und es war von grösster Wichtigkeit, genau zu bestimmen, worein bei magischer Anwendung die verschiedenen Runenzeichen und Formeln zu graben seien. Eine Uibersicht der vorzüglichsten Anwendungsarten der Zauberrunen [***]) gibt uns das Eddalied *Brynhildar-kvida I. edr Sigurdrífomál*, welches in der Volsunga Saga wiederholt wird. Eine meisterhafte Uibersetzung von diesem Liede hat HAGEN in seiner Volsunga Saga (p. 95 ff.) geliefert.

Uibrigens war die Sitte, zauberkräftige Runen auf mancherlei Gegenstände zu zeichnen, auch bei den Angel-

---

[*]) SAXO erzählt im 3. Buche, wie auch ODIN Liebesrunen auf Baumrinde schrieb und selbe der RINDA zuwarf.

[**]) Vgl. auch *Atlamál*, Str. 4. 9. Volsunga S. c. 42.

[***]) Die sieben mächtigsten sind: *Sigrúnar* Siegrunen; *Aulrúnar* Aelrunen; *Biargrúnar* Hilfsrunen; *Brimrúnar* Sturmrunen; *Limrúnar* Baumrunen; *Málrúnar* Spruchrunen; *Hugrúnar* Sinnrunen. Für jede Art gab es eigene Sprüche und Gebrauchsregeln. STUHR (l. c. 104.) sagt: „Wenn von dem Zaubergebrauche der Runen geredet wird, so werden immer Zaubersprüche oder Gesänge verstanden, denen in Verbindung mit den sonst beobachteten Formen man eine grosse Kraft beilegte, und keineswegs ohne allen Grund. Denn die reine Idee der Runensprüche und Gesänge ist eigentlich diese, dass sie Gebetsformeln gewesen sind im Geiste des alten Heidenthumes, — und dass, was nun mit Runen geschmückt war, auf gewisse Weise geheiligt wurde durch die Kraft des Gebets".

sachsen allgemein. Vorzüglich erscheinen in den angelsächsischen Heldenliedern runenbeschriebene Schwerter als
berühmt und verderblich.

Von den runischen Münzen und Amuleten, die man
hier und dort in Schweden und Dänemark aufgrub, wird
im Verfolg die Rede sein. Nun mag der Gebrauch der
Runen hauptsächlich zur Stein- und Bücherschrift (†) in
Betracht kommen. Die Benennung Bücherschrift kann,
insofern sie auf die Runen Bezug hat, hier nur im wei-
testen Verstande giltig werden. Wir haben aus älterer
Zeit durchaus kein Denkmal übrig und eben so wenig ein
beglaubigtes Zeugniss, welches beweisen könnte, dass
die Skandinavier ihre Runen voreinst auch auf Papier
oder Häute geschrieben hätten. Erst mit dem Christenthum ist dieser Gebrauch in den Norden gekommen. Dass
aber vorher die Skandinavier wirklich ihre Runen gemalt
oder gewissermassen geschrieben haben, dafür sprechen
zahlreiche Beweise. So heisst es in der Egils Saga (c. 79.),
dass der Skalde Einar Skaaleglam von Hakon Jarl
für ein Lobgedicht, das er auf ihn sang, zur Belohnung
einen kostbaren Schild erhielt, auf den alte Sagen geschrieben waren und zwischen den Inschriften Goldspangen
und Edelsteine lagen. In der Skalda wird ein Vers Bragi's aus dessen Ode auf Ragnar Lodbrok angeführt woraus
hervorgeht, dass Bragi einen beschriebenen Schild von
Ragnar erhielt, dessen er nun mit den Worten gedenkt:

> Der Männer Tod *) gewahr' ich
> Und viele Sagen
> Auf des glänzenden Schildes Fläche —
> Ragnar gab mir den Schild.

Diese beiden Stellen machen auch die Nachrichten
Saxo's von dergleichen beschriebenen Schilden sehr glaub-

*) Sorli's und Hamders.

würdig. Saxo erzählt im 4. Buche von einem Könige, den er Amlethus nennt, und der im 5. oder 6. Jahrhunderte lebte: dass derselbe seine Kriegsthaten *(exquisitis picturae notis)* auf seinen Schild bringen liess. Als nun einst die Königin der Schotten den bemalten Schild unter dem Haupte des schlafenden Amlethus wahrgenommen hatte, schrieb sie die bildlichen Scenen mit Runen auf, oder wie sich Saxo ausdrückt: *facta quae ex scuto cognoverat, scripto complectenda curavit, ut et clypeum literarum testa et literas clypei interpretes existimares.* Auch Hildiger, Gunnars Sohn, lobt im 7. Buche des Saxo seinen schönbemalten Schild, der ihm zugleich Kriegsmuth, Schutz und Bequemlichkeit verlieh. Endlich macht es eine Stelle in den Kenningar völlig gewiss, dass die Schilde mit Runen beschrieben wurden; sie lautet: *a fornum skioldum var tilt at skrifa raund þa, er baugr var kallaþr; ok ero viþ þan baug skilldir kendir* d. i. Es war eine uralte Sitte, der Schilde Rand, welcher *baugr* (Ring, Rundung) hiess, zu beschreiben; von diesem Rande erhält der Schild seine Benennung.

Man pflegte ferner auch das Wandgetäfel mit Runenschriften, Gemälden und Basreliefs zu verzieren. Die Laxdäla Saga (c. 30.) berichtet, dass ein Isländer, Olaf Pau, zur Verherrlichung eines, in seinem Landhause Hiardarholt veranstalteten, Gastmals, das Gebälk und Tafelwerk des Speisesales mit prächtigen geschichtlichen Sculpturen versehen liess. Auf ähnliche Art liess auch, nach dem Zeugnisse der Niuls Saga, Hakon Jarl seine kriegerischen Thaten in das Holz seines Stuhles und Bettes schneiden.

Sehr wichtig sind uns jene Stellen, worin es heisst, dass Lieder und ganze Gesänge mit Runen aufgezeichnet wurden. Daher gehört vor allen die Stelle aus der Egils Saga (c. 79.). Der lebensmüde Egil war durch die Klug-

heit seiner Tochter Thorgerda vom Selbstmorde abge-
halten und sah sich fortan bestimmt, den Tod seines Sohnes
Bödvar mit männlicher Stärke zu ertragen. Zu ihm
sprach Thorgerda: „Ich dächte, Vater, wir behielten
unser Leben, bis du ein Lied auf Bödvar gedichtet und
ich es auf eine Tafel gezeichnet habe. Darauf dichtete
Egil den Gesang, der *Sonar-torrek* (des Sohns Verlust)
heisst, in vier und zwanzig Strophen." Auch eines gewissen Hallmunds Tochter, wie die Gretters Saga *) erzählt, hat dessen Todesgesang in Holztafeln geschnitten;
und in der Viglundar Saga (c. 19.) heisst es ausdrücklich,
dass zwei Brüder auf ihrer Fahrt einen Schriftstab fanden,
in welchen nebst mehren andern Worten auch der eroti-
sche Wechselgesang Holmketils und Ketilrida's
eingegraben war. Endlich lesen wir in der sogenannten
Oervar-Oddssaga (c. 40.) eine Stelle, wo der sterbende
Held befiehlt, ein Theil seines Volkes solle seinen Gesang
über sein Schicksal auf Holzrollen (*á speldi*) schneiden,
während der andere Theil sein Grab rüste. Übrigens
ist es schon bekannt, dass Holzstäbe und Tafeln — mitunter aus Eschenholz oder Buxbaum verfertigt — bei den
alten Norden gewissermassen die Stelle unsers Papiers
vertraten; die altnordischen Gesetzbücher erhielten davon
die Eintheilung in *Bálkur*, Balken. Es wird ferner in
der Olofs Saga (II. Bd. p. 21. der Skalholter Ausg.) von
einem stummen Mädchen auf Island gesagt, dass sie, um
jedermann verständlich zu sein, ihre Antworten und Wün-
sche mit Runen in einen Stab zu ritzen sich angewöhnen
musste. Saxo erwähnt auch ausdrücklich eines vom

---

*) Dort wird ausserdem (c. 69.) davon gesprochen, dass Gret-
ter in einer Berghöhle auf Island zwei Menschengebeine und
zwischen ihnen ein Runenholz fand, mit darauf gezeichneten
Versen.

Schleswiger Herzoge FANGO an den brittanischen König
auf Holz geschnittenen Briefes (Lib. III. p. 52.) und nennt
dergleichen Schriftstäbe und Liedertafeln überhaupt ein
celebre quondam chartarum genus; seine einzelen Belege
hiezu finden sich gesammelt in BARTHOLINS *Antiq. dan.*
p. 136. 148 ff. der zweiten Ausgabe.

Auch in Teppiche wurden, wie die Edda ausweis't,
Runen eingewoben. WORM beschreibt noch in seinen Dänischen Monumenten (p. 473.) einen solchen mit verschie-
denfarbigen kriegerischen Emblemen gestickten Teppich,
der sehr alt war und den er selbst besass. Ein Theil
der Runenschrift war noch lesbar und lautete: — *Loden
merkede, var Ragnilti systur dotir sini —*
nach seiner Uibersetzung: *Lodena notavit cujus
sororis filia erat Ragnilta.* Dass dieser Teppich, insofern er ächt war, wirklich ein hohes Alter hatte,
erweis't übrigens ein auf Hadeland in Norwegen stehender
Runenstein, dessen Inschrift auf die schöne Stickerin Lodena hindeutet. Einen solchen Teppich hiess man damals
Bók und die eingewirkten Runen *Bokrúnar (characteres
acupictiles).*

Beinahe unübersehbar ist die Menge der bisher in
Norwegen, zahlreicher in Dänemark, bei weitem am zahl-
reichsten aber in Schweden aufgefundenen runischen
Steinschriften *); welche wir hier unter zwei allgemeine Klassen bringen und theils Felsenschriften,
theils Grabschriften nennen wollen. Es sind nemlich
entweder künstlich zugemeisselte Leichensteine oder auch

---

*) Bisher entdeckte man in Dänemark und Norwegen
bei 300, in Schweden hingegen mehr denn 1200 Runensteine,
wovon Upland allein 700 angehören. Oberhalb Medelpad ist in
Norrland kein Runenstein bekannt, auch keiner in Finnland.
(SJÖBORG Sammlungen etc. Stockholm, 1822. I. 34.)

ganze Felsenwände, worauf sich diese Runenschriften befinden. Steine der Art wurden im Alterthum insgemein *Bautasteinar* d. i. Steine, die zum bleibenden Merkzeichen dienen, Gedächtnisssteine, Denksteine genannt; nun bezeichnet man sie unter dem allgemeinen Namen der Runensteine.

Unter den genannten Felsenschriften sind einzig nur solche Runeninschriften zu verstehen, welche nach der Sitte der alten Norden an verschiedenen Orten, zur Verewigung glänzender Siege und anderer denkwürdiger Begebenheiten eingehauen wurden. Den ganzen skandinavischen Norden durchziehen grössere und kleinere, grösstentheils aber sehr steile Granitfelsen, die von zweierlei Art, entweder roth oder grau sind. Coxe machte nun auf seiner Reise durch Schweden und Finnland die interessante Bemerkung, dass die Runenschriften nur auf dem grauen Granit angebracht seien; und dies zwar aus dem Grunde, weil, wie schon die Alten mussten beobachtet haben, der rothe Granit viel zarter ist und eher verwittert als der graue.

Die andere Gattung der Runenmonumente, die Leichensteine, hatten ebendieselbe Bestimmung, welche die Grabmäler anderer Völker von jeher hatten und noch haben. Die Leichensteine der alten Skandinavier waren oft sehr hoch; auch sind zuweilen mehre derselben, zumal auf die Gräber berühmter Könige, aufgerichtet worden. So war der Stein, der K. Harald Harfagri's Asche deckte, 13½ Fuss hoch; und über dem Grabe K. Gorm des Alten und seiner Gattin Tyre Danebod prangte ein beinahe sechs Ellen hoher Stein, zu dessen beiden Seiten noch zwei andere Grabsteine von geringerer Höhe aufgestellt waren.

Erst aus den unbeschriebenen Steinen konnten die Runensteine — ungefähr um Odin's Zeit — sich entwickelt haben. Auch ergiebt sich aus den Inschriften; dass ein grosser Theil derselben auf Scheingräbern (κενοτάφια) angebracht ist; denn es finden sich Grabsteine auf Leute, die in Griechenland, in Italien, in England auf Wikingsfahrten gestorben sind, oder bei Seezügen in den Wellen umkamen. Gewöhnlich waren es die Eltern oder Freunde, zuweilen auch die Diener des Todten *), welche gemeinschaftlich die Aufrichtung des Steines besorgten; die runische Aufschrift jedoch war nicht selten das Werk besonderer Künstler, welche vermuthlich im Lande umherzogen und das Runenmetzen zu ihrem ausschliessenden Erwerbe machten. Man nannte sie (so behauptet Worm) Adalrunir; und mehre derselben, wie Ubin, Bali und Thurbiörn, haben eine grosse Berühmtheit erlangt. Die ersteren lebten, nach Celsius, am Schlusse des zehnten, nach Brochman aber im zwölften Jahrhunderte; der letztere war zugleich Skalde **) und sagt auf dem Hillesiöer Steine am Schlusse der Inschrift ausdrücklich von sich: Þurbiaurn skalld ritt runir, Thorbiörn, der Skalde, schrieb die Runen. Wirklich muss das Runengraben eben keine so leichte Kunst gewesen sein, dies zeigen uns viele der noch vorhandenen Runensteine. Es sind nemlich die Runen immer zwischen zwei Parallelen eingeschlossen; diese aber bilden oft so vielfältig und kunstreich verflochtene Schlangenlinien und Gewinde, dass das Lesen der sich mehrfach durchkreuzenden Aufschrift sehr mühsam, ja zuweilen völlig unsicher wird. In sol-

---

*) Bautil 1139. Ja man findet, dass sogar Sklaven haben Runensteine hauen lassen. Antiq. Annaler, II. I. S. 101.

**) So erklärt es sich auch, wie in vielen Inschriften auf Runensteinen alte Versmasse vorkommen. Vgl. Liljegren Andeutungen, Verse mit Runen geschrieben betreffend, in d. Skand. Lit. Selsk. Skrifter, 17. Band. Eine kurze gereimte Inschrift in Runen auf einem liegenden späteren Grabstein auf Kumlas Kirchhof in Vestergöthland S. bei Gjöransson, Bantil 977.

chen Quer- und Spiralzügen bestand eigentlich der Triumph
der nordischen Runmetzen; überhaupt aber schrieb man
die Runen: bald von oben herab (auf Bornholmer Steinen);
bald von unten hinauf (Haverlöer Stein in Jütland, Trygg-
velder Monument in Schonen u. a.); bald in Kreiscirkeln
(Glenstrupet St. in Jütland); bald im grössten Halbkreise
am Rande des Steines von unten Links auslaufend (Alsteder
St. in Seeland, Wadkierer St. u. a. in Schonen); ebenso
von unten Rechts auslaufend (Alleruper St. auf Füen);
bald in paralellen Halbkreisen (Kjöbinger St. in Schonen);
bald im Viereck am Saume des Steines (Alrumer St. in
Schonen u. a.); bald nach der Form eines Dreieckes (Biergesöer St. N. I. in Schonen); bald nach der Gestalt eines
Kreuzes und durchlaufend (Tossogener St. in Norwegen);
endlich auch von der einen Seite des Steines hinüber auf
die andere Seite (Hobier St. u. a. in Schonen). Alles dies
musste natürlich auch auf das Nebeneinanderstellen und
Fortführen der Runen einigen Einfluss äussern und es ist
schwer, da wir auf Runensteinen dreierlei Schreibweisen
finden, die ursprünglich angestammte darunter zu erkennen. Am häufigsten ist hier die Schreibweise von der
Linken zur Rechten, seltener die Bustrophädonschrift;
hiernächst aber treffen wir auch Inschriften, die vollends
von der Rechten zur Linken gelesen werden. Obgleich
der Unterschied des Alters sämmtlicher Steine nicht genau
angegeben werden kann, so scheinen doch die Runensteine, mit der letztangeführten Schreibweise von der Rechten
zur Linken, nicht unter die jüngeren zu gehören; und
man muss hierin, da solches durchaus nicht für eine
Künstelei oder für einen blossen Einfall der Runenschreiber zu halten ist, vielmehr mit GRIMM die Fortdauer einer
altasiatischen Sitte anerkennen.

Die Art und Weise, wie die Alten die runischen Inschriften eingehauen haben, lässt sich mit einiger Gewiss-

beit von den verschiedenen in jenen Gegenden, besonders in Schonen, unfern von Grabmälern gefundenen steinernen Werkzeugen abnehmen, deren manche ganz die Form unserer Meissel an sich tragen, und ohne Zweifel auch dieselbe Bestimmung hatten. Aber selbst die Vertiefung der Buchstaben hat man, um eine grössere Dauerhaftigkeit zu erzielen, zuweilen mit einer schwärzlichen Flüssigkeit ausgefüllt, welche aus Harz, Robbenblut und anderen Substanzen bereitet war und durch ihre nachherige Verhärtung beinahe ganz unvergänglich ward. Ein Beispiel hievon liefert der, im 6. Buche der Wormischen *Monum. dan.* beschriebene, Framwarder Runenstein.

Was endlich den Platz betrifft, wo die Runensteine pflegten aufgerichtet zu werden, so ward es zunächst schon durch die vielen Kenotaphien nothwendig, dass man hiezu offene und mehr besuchte Oerter wählte; wesshalb auch in dem uralten Liede Havamaal (Str. 61.) gesagt wird: *sjalldan bautasteinar standa brauta naer, nema reisa nidr a nid* d. i. Selten stehen Bautasteine dicht am Wege, wenn nicht Sohn auf Sohn sie errichten. Eben so häufig findet man Runensteine auf Anhöhen gesetzt, wobei besonders zu bemerken ist, dass dergleichen Anhöhen von Alters her ganzen Geschlechtern zu diesem Gebrauche dienten und *Aetthawgar* d. i. Familienhügel genannt wurden.

III.

Runendenkmäler.

So entlegen auch die Gegenden unter einander sind, in denen man bisher mehr oder minder bedeutende Spuren der Runenschrift hat entdecken können, so leicht und einfach lässt sich diese, gewiss merkwürdige Erscheinung erklären, wenn wir uns selbe von der Mitte der germanischen Völker ausgegangen denken. Beinahe überall, wohin nur immer Gothische und andere Germanische Völker im Alterthume gedrungen sind, blieben mannigfaltige Spuren ihres Hierseins zurück; als die unzweideutigsten davon müssen nun allerdings jene anerkannt werden, welche in Uiberresten artentischer oder runischer Schrift bestehen, wenn es auch nicht immer die teutsche Zunge sein sollte, in welcher diese Denkmäler zu uns sprechen. So haben Spanien (1), Brittanien, Permien und andere Länder, ebenso wie Teutschland und die Gegenden Skandinaviens allenthalben runische Denkmäler übrig. Zwar sind diese Uiberreste des Runenthumes von sehr ungleichem Werthe und von verschiedenem, zum Theil auch ganz unbestimmbarem Alter; aber das Gemeinschaftliche derselben ist doch kennbar genug, um uns die nöthige Veranlassung zu genauerer Erforschung ihrer gegenseitigen Abhängigkeit zu geben.

Wenn wir in unseren gegenwärtigen Untersuchungen mit Spanien den Anfang machen, so werden wir einzig nur die alten spanischen Münzen zu berücksichtigen haben; diese nemlich weisen neben den Lateinischen auch noch Inschriften auf, welche zum Theil der Runenschrift sehr ähnlich sind, deren Entzifferung aber bis jetzt noch nicht vollkommen gelang. Die Leser errathen, dass hier von der Schrift der celtiberischen Münzen, den sogenannten *letras desconocidas* *), die Rede ist, wozu TYCHSEN den Schlüssel gefunden zu haben glaubte. Da Münzen dieser Art zumeist in den ehemaligen Wohngegenden der Turdetaner und Celtiberier ausgegraben werden, so ist nemlich kein Zweifel übrig, dass sie auch von diesen Völkern geschlagen wurden; und da sich auf diesen Münzen theils lauter sogenannte Runenschrift, theils Runen und lateinische Buchstaben, theils auch Runen und Römische Köpfe befinden; so müssen selbe in jene Periode gesetzt werden, wo entweder die Römer noch nicht Herren von ganz Spanien waren, oder doch die römische Herrschaft noch nicht die alte Sprache und Schrift verdrängt hatte. Was nun die Schrift betrifft — bekanntlich ein Gemisch von dem alten Jonischen und Phönicischen — so ist es ungereimt, dieselbe, da sie ein unbezweifelt eigenthümliches, wenn gleich mit der Runenschrift zum Theil verwandtes System hat, schon auch mit dem Namen der Runen zu belegen. Demungeachtet ist diese Schrift ziemlich allgemein unter der einseitigen Benennung der spanischen Runen bekannt; wohingegen die alte etrurische Schrift **), die nach solchem Massstabe ein gleiches Recht auf diese Benennung haben dürfte, niemals unter die Runenalphabete gezählt worden ist.

---

*) Vgl. *Ensayo sobre los Alphabetos de las letras desconocidas, que se encuentran en las mas antiguas Medallas y Monumentos de España, por Don LUIS VELASQUEZ. Madrid* 1752. pagg. 163.

**) S. die beigefügte lithographirte Tafel IV.

Das erstere indess wird dadurch einigermassen erklärlich, dass im Norden ein altes Kunstdenkmal; zum Vorschein kam, mit Schriftzeichen, die man — was freilich sehr merkwürdig ist — in dem Alphabete der *medallas desconocidas* sämtlich, bis auf Eines wiederfindet.

Im Jahre 1734 nemlich fand man, nachdem hundert Jahre vorher (1639) beinahe an demselben Orte ein ähnlicher Fund gethan wurde, bei Gallehuus unweit Tondern in Jütland ein grosses Trinkhorn aus gediegenem Golde, worauf nicht nur zahlreiche Figuren und Sinnbilder, sondern auch eine ganz deutlich zu erkennende Umschrift befindlich war. Wie bei ihrem Erscheinen, ebenso hielt man diese Hörner noch lange nachher für ächte Denkmäler des Nordens, bis endlich der scharfsinnige Forscher P. E. Müller dieselben mit einer solchen Sicherheit aus den celtiberischen Alterthümern erklärte, dass bis jetzt noch keine zureichende Widerlegung hievon möglich war. Nebst der Umschrift, welche übrigens nicht der unwichtigste Grund ist, worauf der berühmte Verfasser seine Erklärung stützt, führen auch alle anderen Umstände auf Celtiberien, als das Vaterland dieser Kunstwerke. Schon die beträchtliche Schwere der Hörner (das eine wog 6 Pfund 13 Loth, das andere 7 Pfund 11 Loth) verräth ein Land, wo, wie in Spanien, Uiberfluss am Golde gewesen. Bei der Erklärung der Bilder, die hier in den seltsamsten Combinationen vorkommen, erinnert der Verfasser mit Recht, dass man keine vollständige Deutung erwarten dürfe, da es hier an ähnlichen Denkmälern zu gegenseitiger Erläuterung gänzlich fehlt. Die Celtiberier, so viel ist gewiss, hatten mit Griechen und Phöniciern viel Verkehr und erhielten wahrscheinlich durch die eingewanderten Kelten druidische Religionsgebräuche, besonders Menschenopfer, so dass gerade bei diesem Volke ein Gemisch von religiösen Vorstellungen, wie sie auf den Hörnern sich finden, begreiflich wird. Auch die Kleidung und Waffen der Figuren sind celtiberisch.

Die Inschrift — denn, wie schon bemerkt, findet sich solche nur auf dem Einen Horn — lies't MÜLLER mit Hilfe des Tychsen'schen celtiberischen Alphabets:

scagsbelestit. argtidet. arisle. tebimr.

und deutet (freilich beruht diese Deutung hauptsächlich auf der Richtigkeit des zum Grunde gelegten Alphabets!) die beiden ersten Worte auf die Phönicischen Gottheiten B e l und A t a r g a t i s, die wahrscheinlich in den darunter stehenden zwei gehörnten Figuren dargestellt seien; die zwei andern Namen bezeichnen vielleicht die Dioskuren, welche die Kelten, und nach Tacitus, die Naharwalen verehrten und A l c i s nannten; sie sind auf dem Horn wahrscheinlich in den beiden Bewaffneten von ganz ähnlicher Bildung angedeutet. Aus dem Gesagten geht schon hervor, dass diese Hörner keine eigentlichen T r i n k h ö r n e r können gewesen sein; vielmehr lässt sich aus dem Umstande, dass sie an beiden Enden offen waren, wie auch aus den angelötheten und angehefteten Zierrathen, den beweglichen Ringen und den Ketten, woran sie ehemals hingen, schliessen, dass sie zu W e i h g e s c h e n k e n für eine Gottheit bestimmt waren. MÜLLER sieht sie für Kleinodien eines celtiberischen Tempels an und äussert die Meinung, dass dieselben ihres hohen Werthes wegen von flüchtenden Druiden zuerst nach Gallien und von hier nach Irland oder Schottland mochten gebracht worden sein. Und so konnte sie FRIDLEF, FRODE, RAGNAR LODBROK oder ein anderer Dänenheld, der gegen diese Inseln kriegte, als Beute mit sich fortgeführt und in seiner Heimath verwahrt haben. — Leider sind die beiden goldnen Hörner, diese kostbaren Denkmäler, deren Jahrtausende schonten, nicht mehr vorhanden; im Jahre 1802 wurden sie von frecher Hand aus der königlichen Kunstkammer zu Kopenhagen geraubt und sogleich eingeschmolzen.

Ich habe im Vorhergehenden die wichtigsten Resultate der Müllerschen Untersuchung der goldnen Hörner zusammengefasst; um die Darstellung nicht zu unterbrechen, versparte ich es bis an's Ende, die nöthigen Bemerkungen hinzuzufügen. Hier sei es mir denn erlaubt, etwas von meinen eigenen Ansichten über diese Denkmäler, hauptsächlich über die Umschrift des zuletzt Gefundenen aussprechen zu dürfen. Vorhinein aber muss ich erinnern, dass ich hiemit keineswegs die Absicht habe, die Erklärungen Müllers auch nur im mindesten zu bekämpfen; sondern dass ich, wie ja schon Andere gethan, den Forschern des nordischen Alterthums eine neue, aber unvorgreifliche, Deutung der eben erwähnten Inschrift zur Prüfung vorlege, zumal da ich die Streitigkeiten hierüber noch keineswegs für entschieden ansehen kann.

Ich halte es nemlich für unwiderleglich, dass die beiden Hörner celtiberischen Ursprunges seien; alles, die ganze äussere Beschaffenheit derselben spricht dafür: nur die Inschrift allein verträgt, meines Erachtens, keine solche Auslegung; sie ist nicht celtiberisch, überhaupt gar nicht ausländisch, sondern Runisch; das lehrt der Augenschein. Meine Gründe hiernächst sind: Leicht kann, nach so manchem Beispiele dieser Art, zugegeben werden, dass der nordische Besitzer das auswärtige Gut verschiedener Ursachen halber mit Runen bezeichnete. Diese Annahme wird vollends dadurch bestätigt, dass die Schriftzüge nicht wie die meisten anderen Zierrathen des Hornes angegossen, sondern mittelst eines spitzigen Eisens oder Grabstichels, und zwar mit sehr unsicherer Hand, eingegraben sind. Obgleich sich auch noch andere eingegrabene Figuren unter dem Bildwerke finden, so zeigt sich dabei doch deutlich genug eine Verschiedenheit von der rohen

Manier der eingeritzten Buchstaben. Ferner entspricht gerade der Rune *reid,* die auf dem Horne so deutlich ist, keiner von den celtiberischen Buchstaben: auch ist die ganze Inschrift, sofern sie wirklich blosse Götternamen darstellt, ohne alle tiefere Bedeutung und scheint bei den ohnehin zahlreichen Emblemen ganz überflüssig. Endlich klingen die, aus der Tychsenschen Entdeckung des celtiberischen Alphabets sich ergebenden, Worte der Horninschrift so seltsam und rauh, dass man hier allenthalben nur Abkürzungen vermuthen kann, sonst aber nicht leicht an die Aechtheit dieser Worte und ihr ehemaliges Dasein unter den Sprachen des milden Spaniens glauben wird.

Dahingegen hat es mit meiner Erklärung der Horninschrift aus dem Runenalphabete folgende Bewandtniss. Hier kann offenbar kein anderes, als das sogenannte Teutsch-Angelsächsische Runenalphabet zur Anwendung kommen, welcher Umstand übrigens die teutschen Runenmonumente im Norden auf eine interessante Weise in Erinnerung bringt. Ich fange natürlich unmittelbar nach den dünneren Runen an, die ich für die Endbuchstaben halte*), weil nur der Mangel an Raum ihre feinere Gestaltung herbeiführen konnte; und lese sodann ohne Veränderung eines Buchstabens:

ek hle þaga stim költi sam hörna.... **)

Mit der Entzifferung der sechs letzten oder der feineren

---

*) S. die beigefügte Tafel II.

**) Zu dieser Auslegung habe ich anzumerken, dass zwei auf dem Horn vorkommende Zeichen, der Reihe nach das zweite und das neunzehnte, in keinem Runenalphabete vorkommen. Ersteres nehme ich für ein *k,* es ist ein Theil des nordischen *kaun* oder rhabanischen *chilch;* letzteres muss ein *s* sein, und entstand sichtbar nur aus der Verrückung der beiden Hälften des *s* in dem Worte *stim.* Es erscheint dieses abgesetzte *s* bereits auch auf dem Upländischen Runensteine N°. 581. (*Bautil.* p. 163.)

kamen ist mir der geistreiche Beurtheiler der Brynjulf-
seaschen Schrift über Runen (S. d. Götting. Gel. Anz.
1824. p. 1019.) entgegengekommen, der vermittelst desselben Runenalphabetes liest: te[rimo (lies ta[uimo). Hier,
vermuthet er, habe etwa eine — auf Runensteinen nicht
seltene — Versetzung der Runen Statt gefunden, wornach
tami [uo (nach genauerer Orthographie taemi [ul)'' zum
Vorschein käme, welches bedeutet: Leer' aus! Trink' aus!
Nun übersetze ich die ganze Inschrift:

> Ich freue mich der Gunst [Tyrs] abzuringen
> dem Häuptling diese Hörner. Trink' aus!

Der Erbeuter will hiemit jeden Trunk aus den Hörnern
dem Kriegsgotte weihen, zum Danke, dass er ihm bei
Erkämpfung derselben beistand. Aus dieser Deutung geht
nun folgende Reihe von Ergebnissen und Voraussetzungen
hervor:

1.) Die Sprache ist nordisch; folglich die Inschrift,
   wiewohl mit angelsächsischen Buchstaben, doch nicht
   von dem früheren Besitzer eingegraben.

2.) Die Inschrift beweis't, dass beide Hörner wirklich
   zu einem und demselben Schatze gehörten. Warum
   auf dem anderen Horn nicht auch eine Inschrift vorkömmt, dies erklärt sich aus dem Umstande, dass,
   wegen des gänzlichen Mangels an glattem Raum,
   keine solche darauf anzubringen war.

3.) Der nordische Erbeuter hat diese Hörner, die er
   vermuthlich immer beisammen hielt, für wirkliche
   Trinkhörner angesehen; ohne Zweifel richtete er sie
   auch dazu ein und gab ihnen hölzerne Boden, welche
   nachher in der Erde zerfielen.

4.) Diese Hörner mögen wirklich aus Spanien über
   Gallien nach England gekommen sein; hier gewann

C

sie ein nordischer Raubfahrer irgend einem Häuptlinge (höllär) ab, und schrieb dann, wahrscheinlich
zur Erinnerung an ihre britische Heimath, einen
Spruch mit den dort üblichen Buchstaben darauf.
Will man dies aber nicht zugeben, so konnten diese
Hörner schon aus Frankreich oder auch anderswoher
durch Normänner fortgeführt worden sein.

Somit glaube ich dargethan zu haben, dass die Inschrift
auf dem goldnen Horn ein ächtes Runendenkmal sei; der
Sinn dieser Horninschrift ist nicht unpassend, die Auslegung natürlich, und wenn man auf die geringen orthogra-
phischen und flektischen Abweichungen der herausgebrach-
ten Wörter, da sich hievon Analogien auf Runensteinen
finden, kein Gewicht legt, so gewinnt die obige Auslegung so viel Wahrscheinlichkeit, als einer jeden Kritik
genügen kann. Dass ich endlich ein angelsächsisches Runendenkmal unter den spanischen Münzen — die ich nun
ein für allemal aus der Reihe der Runendenkmäler entfernt wissen möchte — aufführe, liegt allein darin, weil
die Inschrift von den Hörnern selbst nicht wohl getrennt
werden konnte. Dass aber W. Grimm dieses Runendenkmal in seiner Schrift übergangen hat, muss mich besorgt
machen, dass er, bei den Resultaten Müllers verbleibend,
nicht leicht meine Entdeckung, die ich ihm als einen
Nachtrag zu seiner Schrift hiemit freundlich biete, aufnehmen werde.

England hat aus der angelsächsischen Periode mancherlei Runendenkmäler aufzuweisen, sowohl Steine als
Münzen. Die wichtigsten hierunter sind die Runensteine
der Insel Man; sie sind unstreitig sehr alt, möchten aber
doch wohl die Dänische Oberherrschaft in England
übersteigen. Einige Inschriften deuten ausdrücklich auf
Dänische Staatsgewalt hin; dennoch ist es gewiss, dass
die Runen in England lange vor der Ankunft der Dänen

bekannt gewesen. Die, auf dem Querstück eines, zu Be-
vercastle unweit Nottingham gefundenen, steinernen Kreuzes befindliche, Runenschrift hat Grimm entziffert. Ferner
führt Camden (*Brittania*. Lond. 1637. *fol.* p. 632.) ein
Runendenkmal an, welches in einer, auf einem grossen
Gefäss von grünlichem Stein befindlichen, Inschrift besteht,
und in Cumberland in den Ruinen einer alten Burg Pap-
castle zum Vorschein kam. Der vielen Abbreviaturen
wegen ist diese Inschrift zur Zeit noch völlig unverständlich. Neuerlich fand man in Schweden einen Stein mit
angelsächsischen Runen, der in den Nordiska Fornlemningar (1823. II. B.) abgebildet ist. Die Inschrift
geht, wie auf mehren Denkmälern dieser Art, von der
Rechten zur Linken, und ist um so schwerer zu enträh-
seln, als wahrscheinlich ein Theil derselben zu Grunde
gegangen ist. — Sehr beträchtlich ist die Anzahl der in
England aufgefundenen angelsächsischen Münzen. Diese
haben sämtlich runische Aufschriften und sind nebstbei
auch für die Feststellung des Alters angelsächsischer Runensteine von einiger Wichtigkeit. Was Hickes sonst
noch von angelsächsischen Runendenkmälern in den englischen Bibliotheken, besonders der berühmten Cottonischen, entdeckt hat, besteht meist nur in runischen Alphabeten (Vgl. dessen *Thesaurus I.* p: 135. 136. 168.
III. tab. 2. 3. 4. 6 u. a.); von ganzen Codicibus hat sich
nichts gefunden, und selbst die Aechtheit mehrer dieser
Alphabete ist nicht hinlänglich ausgemittelt. Dies berechtigt uns zu der Annahme, dass die Runen auch hier, wie
in Skandinavien, niemals zur Bücherschrift sind angewendet worden. In späterer Zeit jedoch galten die alten
angelsächsischen Runen als besondere und geheime Buchstaben, und man schrieb sie zwischen die gewöhnliche
lateinische Schrift, sobald man etwas Verborgenes und
Mystisches mittheilen wollte. Hickes hat eine solche an-

C 2

gelsächsische Hs. (*Thes. III. tab.* 4. 5. 6.) in einer Nach-
zeichnung geliefert. Es werden hier Räthsel, z. B. Beschreibung eines Ungeheuers, aufgestellt, deren Auflösung
runisch dabei geschrieben ist. Auch Schottland hat
ein Runendenkmal; das sogenannte *Monumentum Ruth-
wellense* (Ihckes *thes. III. tab.* 4.). Es enthält angelsächsische Runen zugleich mit lateinischer Inschrift, und
rührt ohne Zweifel aus christlicher Zeit her. Das Lateinische ist klar; aber die Runenschrift, da man die Folge
der Buchstaben nicht kennt, immer noch unerklärt.

Bekannt sind die, bei dem Dorfe Prilwitz nächst
dem Ufer der Tollense in Meklenburg, sehr zahlreich
ausgegrabenen metallenen Götzenbilder und Opfergeräthe,
welche von den Wenden, dem bedeutendsten der früheren · Ostseevölker, herrühren. Diese Geräthe, die man
übrigens für Heiligthümer des alten Tempels zu Rhetra
ansieht *), haben ächt runische Inschriften, und dienen
seit ihrer Auffindung (um 1690) die vorher völlig unhalt-
baren Meinungen von sogenannten slavischen Runen
einigermassen zu bestätigen. Es war zunächst der, in der
Edda vorkommende, Ausdruck *Venda-rúnir*, den alle älteren Forscher und selbst Suhm fälschlich durch Wendische Runen übersetzten und wodurch sich eben unter
den slavischen und anderen Gelehrten der Glaube an ehe-
malige wendische Runen ausbreitete; man hatte nemlich —
wie mich des vortrefflichen Dobrowsky mündliche Mittheilungen lehren — in dem erwähnten Ausdrucke viel-

---

*) Dieser Ansicht widerspricht keineswegs die Unscheinbar-
keit der Götzenbilder, die insgesamt nicht über 6 — 8 Zoll Länge
haben; denn der Abt Andräas (*De rita Ottonis in Ludew. Scr.
rer. Hamb. c. XIII.* p. 479.) bemerkt ausdrücklich: einige im
Tempel zu Rhetra aufgestellten Gottheiten [ohne Zweifel die
metallenen] wären so klein gewesen, dass man sie bequem in
der Tasche hätte fortbringen können.

mehr den ganz nahe liegenden Begriff von Wenderunen d. i. von runischer Pflugschrift erkennen wollen *).

Die äussere Beschaffenheit der rhetnischen Alterthümer ist in der That seltsam genug, um zu den verschiedenartigsten Erklärungen Anlass zu geben. Obgleich das Metall derselben ziemlich einerlei Bestandtheile hat (Gold, Silber, Kupfer, Blei), so herrscht doch in der Modellirung und im Gusse der Bilder ein ganz verschiedener Geist. (S. die Abbildungen bei: Masch und Woge, die Alterthümer der Obotriten. Berl. 1771. 4. *C. Potocky Voyage etc. pour la recherche des antiquités Slaves ou Vendes. Hamb. 1795. 4*). Die meisten sind roh und ohne allen Kunstsinn gearbeitet; man kann sie demnach ohne Schwierigkeit wendischen Künstlern zuschreiben; andere sind ungleich zierlicher und reiner gebildet und tragen überhaupt solche Spuren griechischen Styls an sich, dass man nicht zweifeln kann, ob sie auch griechischen Ursprunges sind. Ja diese Vermuthung wird dadurch beinahe zur Gewissheit, dass sich auf einem Stücke wirklich eine griechische Inschrift mit griechischen Buchstaben findet **). Um sich diese Erscheinung zu erklären, hat man nur die Byzantinischen Geschichtsbücher ***) aufzuschlagen nöthig; dort nemlich heisst es, dass derselbe Völkerstamm, welcher sich nachher im nördlichen Teutschland und am Dnipr festsetzte, vormals in Dacien gewohnt, und von da aus nicht selten Streifereien in das Innere von Griechenland unternommen habe. Hievon zeugt ja der im J. 582 Statt gehabte Zug, wo 100,000 dieser

---

*) Im Altnordischen bedeutet *at venda* herumkehren, wenden, drehen; *vending* Umwendung.

**) Nemlich das Wort *OHЛPA* (Masch fig. 30. p. 109.).

***) Vgl. Schlözers Nordische Geschichte. Kap. III. p. 345 ff. Gesch. der Slaven von Stritter. §§ 23. 47. 50.

Slaven Thracien und Griechenland plünderten, und ein
anderer im J. 626, wo sie im Gefolge der Avaren sogar
Constantinopel belagert haben. Höchst wahrscheinlich haben
sie auf solchen Zügen einige dieser Götzenbilder erbeutet
und selbe bei ihrer Vertreibung aus Dacien mit sich in
ihre neue Heimath gebracht. Es konnte ihnen gleichgiltig
sein, von wem diese neuen Götzen verfertigt worden und
zu welchem Behufe sie bis dahin gedient haben; sie
haben sie nach solchen Gottheiten benannt, die mit den
Vorstellungen, welche die Wenden von den ibrigen hatten,
in etwas übereinkoinen, und stellten sie nachher in ihren
Tempeln zu Rhetra, Romau und Arcona auf. Solcher-
weise ist auch das böse Wesen (*Czernebocg*), welches
die Wenden erkannten und dem sie den Namen Djabel
(cfr. διάβολος) gaben, ohne Zweifel griechischen Ursprunges.

Die Spuren griechischer Kunst und Schrift auf den
rhetraischen Alterthümern wollen einige Forscher noch
auf eine andere Art durch die Vermuthung rechtfertigen,
dass sich griechische Künstler unter den Wenden sollten
aufgehalten haben. Ich wäre erst jetzt geneigt dieser
Annahme einigermassen beizupflichten, seit ich neulich
eine Stelle des Diodor, welche er aus Hekatäus Nachrichten von den Hyperboräern entlehnte, mit einigem
Grunde auf die wendischen Ostseevölker beziehen zu
können glaube. Diodor berichtet, dass die Hyperboräer
ihre eigene Sprache hätten, die der Griechischen (!) nahe
verwandt gewesen, und dass sie eben darum den Griechen,
besonders den Athenern und Deliern, sehr freundschaftlich
gesinnt wären. Hierauf führt er fort: „auch geht bei
ihnen (den Hyperboräern) die Sage, dass einige Griechen
zu ihnen gekommen und kostbare Tempelgeschenke mit
griechischen Inschriften bei ihnen zurückgelassen" — καὶ
τῶν Ἑλλήνων τινὰς μυθολογοῦσι παραβαλεῖν εἰς Ὑπερβορίους,

και αναθήματα πολυτελή καταλιπείν, γράμμασιν Ελληνικοίς
επιγεγραμμένα. (Διοδ. Βιβλ. ιστορ. B. II. 37 Ed. Bipont.
Vol. II. p. 135.). Wenn man die sämtlichen Nachrichten
des Diodor, oder vielmehr des Hekatäus, über die Hyperboräer zusammenfasst, so wird man die letzteren
weder im nördlichen Asien (wie Schröning will) noch
auch in Brittanien (nach der gewöhnlichen Meinung) suchen
dürfen; sondern das, seiner Lage und Beschaffenheit nach,
den Angaben des Diodor vollkommen entsprechende *)
Preussen für das Wohnland der sogenannten Hyperbo-
riter halten. Wäre nun diese Nachricht des Hekatäus
wirklich der Wahrheit gemäss, so möchte sie auf die
griechisch-wendischen Alterthümer ein ganz neues und
sehr erfreuliches Licht werfen, indem das Alter derselben
somit ziemlich genau würde ausgemittelt sein. Es scheint
aber der Umstand, dass diese Nachricht so beträchtlich
über die christliche Zeitrechnung hinausreicht, die Wahr-
haftigkeit derselben keineswegs in einem solchen Grade
zu verbürgen, dass sie ohne grosses Bedenken hier als
entscheidend dürfte angenommen werden.

Uibrigens kann das Alter einiger, obgleich nicht der
erheblichsten von den rhetraischen Denkmälern, nach
Thunmann beiläufig auf eilfhundert Jahre angesetzt werden; andere können recht wohl vor 955 (der Angabe des
Masch) verfertigt worden sein. Dass sie über insgesamt

---

*) Diodor sagt zwar: „Hekatäus berichtet, dass dem Lande
Keltika gegenüber nach Norden hin eine Insel liege, nicht
kleiner als Sicilien, die wirklich von Hyperboräern bewohnt
wird"; doch kann dies sehr wohl auch von Preussen gesagt sein,
da ja die Alten die meisten Länder an und über der Ostsee für
Inseln hielten. Beiläufig bemerkt, findet sich in dem geograph-
ischen Gemälde des Hekatäus ganz offenbar die Insel Rügen
(gleichfalls ein alter Sitz der Wenden); diese möchte denn aber
hier doch schwerlich gemeint sein.

sehr alt seien, dürfte aus dem Umstande, dass nur die
sechzehn alten und keine von den späteren oder punktirten Runen darauf ersichtlich sind, soviel ich glaube, mit
ziemlicher Gewissheit zu schliessen sein. Dahingegen
aber sind mir einige Abweichungen von den nordischen
Runen, insondern die mehr zugerundete Gestalt der ersteren, etwas bedenklich; und dies um so mehr, da ich
bei Montfaucon, Placentius und auf einigen Münzen
des Alterthums mehre, den Runen der rhetraischen Götzenbilder völlig gleichende, Buchstaben gefunden habe.

Sonst will man auf den rhetraischen Alterthümern
noch Inschriften in zwei Sprachen finden; auf den meisten
Bildern sollen sie Wendisch, auf dem Perkun und den
Berstuken aber Altpreussisch sein. Diese Inschriften
sind es nun, welche runische Buchstaben haben; die dann
entweder mit dem Grabstichel eingeritzt oder mit dem
Meissel eingeschlagen, zuweilen auch schon mit angegossen sind. Die Runenschrift selbst, die hier überall
von der Linken zur Rechten gelesen wird, ist bald da,
bald dort, wo sich eben glatter Raum auf dem Bilde oder
dessen Fussgestelle fand, angebracht. Da hiebei keine
bestimmte Richtung beobachtet ist, so erscheinen die
Runen oft ganz durcheinander geworfen, so zwar, dass
man zuweilen eine Silbe oder einen Buchstaben desselben Wortes auf einer ganz andern Seite des Bildes zu
suchen hat.

Warum aber sollten auf diesen Bildern mehre Sprachen, als: wendisch, teutsch, griechisch und nach
Masch auch noch wandalisch (sic!) und gothisch
so ohne Noth vermengt und dennoch insgesamt mit gleichen Schriftzügen ausgedrückt sein? Entweder also müssen diese Tempelgeräthe ganz verschiedenen Völkern angehört haben, oder sie haben ein verschiedenes Alter

unter sich *); so dass nemlich einige derselben noch von
den älteren teutschen Anwohnern der Ostsee herrühr-
ten, andere die später dahin eingedrungenen slavischen
Völker zu Urhebern hätten. Da aber das erstere eben so
unwahrscheinlich als das letztere ist, so glaube ich, es
möchte des Versuches nicht unwerth sein, sämmtlichen rho-
truischen Runenschriften eine gemeinschaftliche und zwar
die altpreussische Sprache zu unterlegen, wiewohl ich
selbst zu solcher Ausführung gegenwärtig weder die Macht
noch auch den Willen habe. Am abentheuerlichsten finde
ich die griechischen Worte, die man aus den in Rede
stehenden Inschriften herausliest. So nemlich, aber noch
mit Herbeiholung zweier anderen Sprachen, erklärt M. F.
ARENDT **) die Runenschrift auf dem Radegast und dessen
Opfergeräthen. Er liest: *Radegast belbog — zernebog —
razi — zirnitra — gödebu: rim [posion] — monosinus —
alipemma — orice — rabao; Arcona — Rhetra.* = Radegast, gütige und zornige Gottheit, Rathgeber und zau-
berkräftig, aus Norden: verehrt mit besonderem Opfer-
mahle durch den Oberpriester und Diener; zu Arcona
und zu Rhetra. (Vgl. MASCH fig. 1. 2. 41. 45. 53. 54.
61.). Eine ganze Gebetformel, (altpreussisch), die uns
auch LASICIUS ***) aufbehalten, weis't das Bild des Don-
nergottes Perkun auf; nach THUNMANNS Berichtigung und
Ergänzung lautet sie: *Perkune, Dewaite, nie muski und
manan dirwan: meldzia taw paten mieran* d. i. Perkun,

---

*) Oder sie sind unächt!!

**) S. dessen Grossherzoglich-Strelitzisches *Georgium* Nord-
Slavischer Gottheiten und ihres Dienstes. Aus den Urbildern, zu
Beförderung näherer Untersuchung dargestellt. Minden 1820. Ein
Quartbogen. Ich verdanke diese Schrift, die nur allein vom
Verfasser zu erhalten war, der Güte des Hrn. Abbé DOBROWSKY
zu Prag.

***) *De Diis Samogit.* bei *Michalonis Lituani* Frag. *de morib.
tartar. Basil.* 1615. 4. p. 47.

kleiner Gott, schlage nicht auf meinen Acker; ich gelobe dir selbst dieses Fleisch. Auf demselben Bilde des Perkun steht auch noch: *Perkun* [*ust*] *zlebog — en Romau — Rhetra.* = Peroun, zornige Gottheit: verehrt zu Roman und zu Rhetra. (Vgl. Masch fig. 6). Und so enthält ein jedes Götzenbild und sein dazu gehöriges Opfergeräth immer den Namen der Gottheit selbst, und ausserdem zuweilen noch einige Worte über deren Verehrung und Eigenschaften, so dass es sehr glaublich wird, diese Bilder hätten, wie Masch bemerkt, zugleich eine Art von wendischer Götter - oder Geheimlehre enthalten, und die eingegrabenen Worte die Stelle einer schriftlichen Theologie verträten.

Aber schon in diesen, höchst unvollkommen ausgedrückten, Worten erhalten wir eine hinreichende Beweisgabe, dass die Runen ein, dieser Sprache durchaus unangemessenes und fremdartiges Alphabet seien; und der Umstand, dass die hier sichtbaren Runen, durch ihre unsicheren und schwankenden Formen und die Verschiedenheit unter einander überhaupt, gar keine Vertrautheit des Schreibers mit diesen Schriftzügen verrathen, macht es mehr als wahrscheinlich, dass die Runenschrift hier nur ausnahmsweise in Anwendung kam — obwohl es auch sonst ganz unerweislich ist, dass die Wenden und Altpreussen damals schon eine Schrift gekannt, oder etwa eine solche, früher schon gebraucht haben. Denn die Inschrift, welche, wie S. Grunow und Lukas David versichern, auf einer, den alten Preussen durch die Kreuzherren abgenommenen, Fahne stand, und die Bayer in *Comment. Petropol. Tom. II. p.* 470 wiederholte, scheint mir verdächtig; obgleich die von Thunmann und erst kürzlich wiedervon Parrot[*)]

---

versuchte Entzifferung derselben, die Zweifel gegen
ihre Aechtheit allerdings einigermassen erschüttert. Alle
diese Thatsachen zusammengefasst, berechtigen uns endlich
doch zu der Annahme, dass nur der, den Runen zu jener
Zeit in so vielen Ländern gewordene eigenthümliche Ruf,
die Wendischen Künstler oder Priester veranlasst haben
mochte, ihre Götzen mit den heiligen und geheimnissvollen
Zeichen der nachbarlichen Skandinavier zu schmücken.*)
Aus eben diesem Grunde kann in der Folge das Alphabet
der wendischen Denkmäler nicht als ein selbstständig Runisches aufgeführt, sondern das Eigenthümliche desselben
vielmehr nur für eine Verunstaltung des nordischen Runenalphabetes angesehen werden. Es wäre zu wünschen, dass
Hr. Prof. Lewezow, der sich, dem Vernehmen nach, gegenwärtig mit der Untersuchung der sämtlichen rhetnischen
Alterthümer beschäftigt, seine besondere Aufmerksamkeit

---

nord. Völker. S. 235 ff.) hier nach der slavisch-litthauischen
Sprache übersetzen zu müssen glaubte. Nach Parrots Entzifferung aus dem Eestnischen lautet die Inschrift: *Taewa Korge! sep
Pikse! puista täis Ussa Tik sussi!* d i. Hoher des Himmels!
Schmieder des Donners! (n. Perkunl) überschütte
mit Schlangen und Pfeilen den Verheerer. Die Kel-
tische Sprache giebt eine übereinstimmende Erklärung; es entsteht daraus: *Dew cor (gor)! go Su Pik sum! posta ta Is! iara
tec Bus!* Starker (hoher) Gott! zerstreue diese Brut
mit feurigen Pfeilen, schlage doch diese Menschen, dränge sie hinaus, wie bei einer Wolfsjagd.
Ueber die Zeit, da diese Inschrift verfertigt wurde, meint der
Verf. liesse sich nichts Bestimmtes sagen. Doch erlaube das
Wort Verheerer die Vermuthung, dass die Inschrift gegen den
Zerstörer von Romowe gerichtet oder durch ihn veranlasst wurde. Er war nämlich der Erste, der das ruhige Altpreussen mit Krieg überzog.

*) Monn (Gesch. des nord. Heidenth. I. p. 197 — 98.) ist der
Meinung, dass die Wenden vielmehr von den Finnen die
Runenschrift angenommen haben; da sich deutliche Spuren zeigen,
dass finnische Priester unter den Wenden gelebt und wesentliche
Einflüsse auf die Bildung der westslavischen Priesterschaft
geäussert haben.

auf die Erforschung der Inschriften verwende; damit endlich die beunruhigenden Zweifel, die man gegen die Aechtheit dieser Denkmäler noch allenthalben erhebt, entweder
völlig beglaubigt oder ein für allemal beseitigt würden.

In der grossen Tartarei, besonders in Permien, am
Jeniseistrom in Sibirien und an andern Orten hat man
Grabmäler, Obelisken und Bildsäulen von Stein gefunden
mit Schriftzeichen, deren einige völlig so gebildet sind, wie
die Runen. PALLAS (Neueste nord. Beiträge I. 237 ff.) und
STRAHLENBERG (Nordöstl. Europa S. 409, 410) haben Abbildungen und Beschreibungen davon geliefert; der letztere
auch (p. 356. Taf. 5) ein Geräth, das in einem der alten
Hügel dort gefunden ward, und auf dem dieselben runen-
ähnlichen Zeichen vorkommen. Da aber in Russland, Lief-
land, Finnland, welche gerade zwischen Skandinavien und
jenen Ländern liegen, nicht die geringste Spur von Runen
angetroffen wird — wenigstens hat man noch keines der,
von STRAHLENBERG dort bemerkten, Runendenkmäler entdecken können — so kann man daraus schliessen, dass die
Runen nicht von da — wenigstens zu Lande nicht — nach
Skandinavien gekommen sind: aber auch zur See wäre dies
unmöglich gewesen, weil jene Völker, wie die Geschichte
zeigt, nie mit dem Seewesen bekannt waren. Hier kann
also die Vermuthung bestehen, dass skandinavische Bewohner die Runen dahin gebracht haben, und dass diese
Runen nur durch die Länge der Zeit auf mancherlei Weise
verändert wurden. Denn vorerst ist es bekannt, dass Permien der Sitz der von den Odinianern aus Skandinavien ver-
triebenen Gothen gewesen; ferner, dass die Priester in
Nowgorod sowohl mit den schwedischen Priestern in Sigtun,
als auch mit den Dänischen in Seeland und Hlesey in fort-
während er Verbindung gestanden; und endlich, dass im
achten und neunten Jahrhunderte dänische Helden grosse
Seezüge nach Permien oder Biarmaland unternommen haben,

woselbst auch K. Ragnar Lodbrok seine Kriegsthaten
mit Runen in eine Felsenwand hauen liess. Von Permien
aber konnten sich die Runen leicht längs dem Dvina - Flusse
in Sibirien ausbreiten.

Ehe wir die tentschen Runendenkmäler aufsuchen,
bleibt uns noch die merkwürdige Runenschrift auf dem grossen marmornen Löwen in Venedig zu betrachten übrig.
Nach der Eroberung von Athen (1687) führten nenlich die
Venetianer aus dem Piräus zwei Marmor - Löwen von unbezweifelt griechischer Arbeit nach Venedig. Auf dem Einen
hat AKERBLAD zuerst Runenschrift entdeckt, nachdem verschiedene Gelehrte etrurische oder andere Schriftzüge darin
zu erkennen glaubten. (S. die Abbildung davon im Skand.
Museum 1800, II. Heft, p. 1 — 13; im *Magasin encyclopé-
dique* 1804. T. V; und bei GRIMM Taf. 5). Dass es aber
nordische Runen sind, ist gewiss, da selbst die charakte-
ristischen Schlangenwindungen nicht fehlen. Eben so geht
aus den wenigen, noch einigermassen lesbaren, Worttrüm-
mern hervor, dass es nordische Sprache ist. Das Alter der
Inschrift aber möchte durchaus nicht zu bestimmen sein.
GRIMM betrachtet diese Inschrift als von einem Nordländer
herrührend, und zwar vermuthlich aus dem 12. oder 13.
Jahrhundert. „Griechenland, sind seine Worte, wurde ja
nicht selten von Nordländern besucht. Freilich ist unter
Griechenland (auf nordischen Denkmälern) zunächst Byzanz
gemeint; indessen nichts natürlicher als die Vermuthung,
dass ein Nordländer von dort herab nach Athen gekommen sei und die Runen eingegraben habe." Münter
dagegen meint, die Inschrift wäre aus den Zeiten Alarichs,
der mit seinen Gothen Attika überschwemmte. — Ich darf
mir hierüber kein Urtheil anmassen.

In Betreff der Tentschen Runendenkmäler
endlich verweise ich auf die bekannte, sehr gehaltreiche
Schrift W. C. GRIMMS (Ueber deutsche Runen. Gött. 1821.

8.); was er von Ueberresten des tentschen Runenthumes aufgefunden und da bekannt gemacht hat; muss bei weitem für das Vollständigste in diesem Fache angesehen werden, so wie überhaupt diese Schrift immer ein Hauptwerk in die Runenkunde bleiben dürfte. Nach allen diesem aber ist soviel auch gewiss, dass wir bis jetzt noch kein unbezweifeltes Denkmal mit Teutschen Runen in Teutschland selbst entdeckt haben. *) Die sorgfältige Eröffnung und Untersuchung der in Nordteutschland sehr häufigen alten Grabhügel könnte in dieser Hinsicht einige Aufschlüsse erwarten lassen; denn es ist zu vermuthen, dass die inneren Wände der Hünengräber zuweilen beschrieben wurden, wenigstens leiten uns mehre so gefundene Steine auf den Gedanken. Vielleicht hätte auch der, angeblich mit Runen bezeichnete, und von Fr. Kruse (Budorgis; Leipzig 1819. S. 115) näher angezeigte, Stein etwas für das teutsche Runenthum beweisen können. Er wurde 1768 zu Prausnitz im Fürstenthum Jauer in Schlesien bei einem alten Stollen gefunden, kam 1769 nach Berlin, wo ihn die Akademie der Wissenschaften erhielt, scheint aber gegenwärtig verloren zu sein. Den Runen auf dem Steine, in den das Bild der Göttin Ostar gegraben war (S. Graeters Bragur VI. Band, Abth. 2, S. 38) will man die gehörige Beweiskraft nicht beimessen; und von den ältesten Grabsteinen, die man noch in Teutschland findet, hat keiner das geringste Merkmal eines Buchstaben an sich. Sogenannte Teutsche Runen-

---

*) Die älteste(!) noch in Teutschland vorhandene (angelsächsische) Runenschrift dürfte eine halbe Zeile in einem Codex der Homilien Pabst Gregor des Grossen aus dem achten Jahrhundert auf der Universitätsbibliothek zu Würzburg sein, welche die nordischen Antiquare lesen: M R. (Magister) VINFRIT. Winfried war der angelsächsische Name des h. Bonifacius. Andere lesen Erconfrit. Vergl. Oken's Chorographie von Würzburg. 1808. S. 409 und Grimm p. 164.

alphabete aber haben sich in alten Hss. mehre vorgefunden: in einem (eigentlich die Briefe des Bonifacius enthaltenden) Codex zu Wien N°. 277. f. 39. aus dem X. Jahrhundert, wo aber nur die blossen Namen der Runen angegeben sind; in einer Pergamenhs. zu St. Gallen N°. 270 in 4to, p. 52. aus dem X. Jahrhundert, worin mitten unter andern Dingen auch zwei Runenalphabete vorkommen; in einer zu München befindlichen, ursprünglich aber dem Kloster Tegernsee zugehörigen, Hs. aus dem VIII. Jahrhundert, woselbst ebenfalls ein Runenalphabet vorkömmt, das mit den vorigen in eine Reihe zu gehören scheint. Die Runen bei Rhabanus und Lazius sind bekannt; jene bei Trithemius (*Polygr. Argent.* 1600. p. 594), die angeblich durch Beda den Normännern in Frankreich sollen überliefert worden sein, sind wahrscheinlich nichts als eine Nachahmung der Rhabanischen. — Uiberaus glänzend ist die von Grimm gemachte Entdekkung teutscher Runenmonumente im Norden und nicht weniger die theilweise Deutung derselben; ich muss deshalb wiederholt auf sein Werk (p. 171 — 209) verweisen, werde aber unten noch Einiges hierüber anzumerken Gelegenheit haben. —

Es ist bereits oben bemerkt worden, dass uns aus Skandinavien im Verhältnisse zu der vielseitigen Anwendung der Runen, bei weitem die meisten Runendenkmäler hätten zukommen müssen, wenn darunter auch die mannigfaltigen Stücke von Horn, Baumrinde und anderen Materien, die von den nordischen Völkern als eine Art Papier benutzt wurden, die hölzernen Brieftafeln, die runenbeschriebenen Schilde, Ruder, die Kalenderstäbe u. s. w. mitbegriffen wären. Diese aber haben sich als leicht zerstörbar nicht über eine gewisse Zeit hinaus erhalten können; dennoch ist davon nicht Alles für uns verloren. So hat man in der Winjekirche des Oefrer Tellemarken in Norwegen

einen Schriftstab gefunden, der seinem Inhalte zufolge
bald nach dem J. 1200 geschnitten wurde. Die Inschrift
heisst: *Sigurþr Jalsun raeist runarþþesar
lougardagen äfter Botolfsmaeso er (h)an
farþi hingat ok vildi aeigi ganga till saetar
viþ Svaerri foþor bana sin okbroþra* d. i Sigurd
Jarlson schrieb diese Runen am Sonnabend nach Botolfs-
tag, als er hier war und keinen Vergleich mit Sverre, seines
Vaters und seiner Brüder Mörder, eingehen wollte. (Vgl.
Skandinav. Museum 1803. I. 303). Sigurd ist der bekannte
Erling Skacke's Sohn. Er hatte gegen Sverre im J. 1200
eine Schlacht verloren. Dieser König starb 1202. In der
Zwischenzeit ist also wahrscheinlich dieser verunglückte
Versuch zum Vergleiche gemacht worden. Mehre Museen
ferner weisen uns runische Kalenderstäbe auf *); freilich rühren diese aus späteren Zeiten her, ihre Beschaffenheit lässt
aber gleichwohl einen natürlichen Schluss auf die ältesten
und ursprünglichen Runenstäbe machen. Um den Lesern
einen anschaulichen Begriff von einem nordischen Kalender
oder Runenstabe zu geben, liefere ich hier die Beschreibung
eines solchen aus christlicher Zeit; aber mit steter Rücksicht
auf den Zustand im Heidenthume. Die alten Runenkalender
haben bei dem Uibergange zur christlichen Verfassung in
ihrer inneren Beschaffenheit keine, wie man doch glauben
sollte, wesentliche Veränderungen erfahren; es sind nur
mehrere Festtage hinzugekommen und die alten Tage, die
jetzt in anderen Hinsichten merkwürdig wurden, sind so
wie die Zeichen mit wenigen Ausnahmen beibehalten und
mit dem Christenthume in Verbindung gebracht worden.

---

*) In Upsal auf der Bibliothek des astronomischen Obser-
vatoriums befinden sich 120 altnordische Runenstäbe, und wie
Arendt versichert, sind alle noch nicht untersucht. S. Idunna
u. Herm. 1814. N. 49. p. 196.

Auch ist in heidnischer Zeit der Anfang des Jahres etwas
früher gerechnet und die goldene Zahl darnach versetzt.

Wir haben denn hier einen viereckigen Runenstab vor
uns, von dessen beiden bezeichneten Seiten jede ein hal-
bes Jahr enthält. Jede Seite ist in drei abgesonderte
Reihen getheilt, deren mittlere den Sonnencyclus, die
untere den Mondcyclus, die obere aber die Fest- und
Merktage enthält. Der Anfang des Kalenders ist oben
an dem Handgriff des Stabes. Die alten nordischen Völker rechneten nach Zwölf und nach den sogenannten
grossen Hunderten (*storrhundrade*) oder 120; der
Umfang des ganzen Jahres bestand bei ihnen demnach aus
drei grossen Hundert und fünf Tagen und sechs Stunden.
Die Tage des Jahres wurden, wie fast bei allen uns bekannten Völkern, in Wochen von sieben Tagen abgetheilt
und diese, gerade so wie im Cisioian mit den sieben
ersten Buchstaben des Alphabets, neulich mit den Runen
ᚠ, ᚢ, ᚦ, ᚨ, ᚱ, ᚲ, ᚼ (S. die beigefügte Schrifttafel: I)
angedeutet. Doch ist zu merken, dass man nicht auf allen
Runenstäben den ersten Tag des Jahres mit der Rune ᚠ
(*frey*) bezeichnet findet, sondern auf einigen mit ᚦ,
auf anderen mit ᚨ. Diese rührt von dem erwähnten Unterschiede her, wornach in heidnischer Zeit das astrono-
mische Jahr von dem Eintritte der Sonne in den Steinbock
begann; das bürgerliche Jahr hingegen am Julfeste
(zwischen dem 24. und 25. December) oder auch fünf
Tage früher seinen Anfang nahm. Dieser Jahresanfang
ward hie und da noch in christlicher Zeit beibehalten.
Damit aber Stäbe dieser Art leichter mit den übrigen verglichen und Verwirrungen gänzlich vermieden werden
könnten, so ward auf denselben sowohl der 12. als der
13. Tag mit ᚠ bezeichnet, so dass der eine das Ende,
der andere dagegen den Anfang des christlichen Jahres

I)

andeutete. Der Schalttag ward alle vier Jahre am Ende des Jahres angebracht; einige gebrauchten dazu die Runen ᛈᛏᛏᛈ, einige ᛈᛈ, andere verdoppelten die letzte Rune ᛉ. Weil aber ein Tag über 52 Wochen im gemeinen Jahre oder zwei Tage im Schaltjahr die Sonntagsbuchstaben verrücken, und diese erst wieder nach 28 Jahren in derselben Ordnung zurückkehren, so schnitten die Alten auf einer anderen Seite des Stabes diese Periode (welche der Julianischen Tabelle der Sonntagsbuchstaben völlig entspricht) folgendergestalt ein:

Die untere Reihe des Runenstabes bestimmt also den Mondcyclus, wesshalb sie auch *Túnglstafr* (Mondstab) genannt wird. Die sogenannte goldene Zahl hiess im Norden *Túngltál* (Mondzahl, später wörtlich *Gullin-tál*); zu ihrer Bezeichnung dienten die sechzehn alten nebst den drei Doppelrunen (S. unten) nemlich:

1. 2. 3. 4. 5. 6. 7. 8. 9. 10.11.12.13.14.15.16.17.18.19.

Diese Zeichen sind auf den meisten Runenstäben so gestellt, dass die dritte Zahl oder ᚦ auf den ersten Jänner, die erste ᛈ aber auf den 23. dieses Monats fällt. Indess giebt es auch Stäbe, die einen andern Buchstaben unter dem ersten Tage des Jahres aufweisen. Ihre Verfertiger haben sie vermuthlich so eingerichtet, um der Mühe des sonst erforderlichen Abziehens überhoben zu sein. Die Regel, deren sich die alten nordischen Völker bei der goldenen Zahl zur Bestimmung des Neumondes bedienten, zeugt von einer ganz genauen Kenntniss des Mondenlaufs. Sie bestand nur in den wenigen Worten: *Tunglet skiuter tolf ok fiog under Auni* d. i. der Mond bewegt sich durch die zwölfte und zwanzigste Zahl unter dem Auni. Wenn nämlich ein Monat 30 Tage hat und der Neumond den ersten Tag eintritt, so wird er im Jahre darauf den 20. eintreten, im dritten Jahre wieder um 12 Tage zurückgehen u. s. f. bis er in sechs Jahren in den folgenden Monat fällt. Sucht man nun den gegenwärtigen Monat, so hat man nur 12 Tage zurückzuzählen und auf diese Art mit allen Monaten zu verfahren; fährt man nun durch 19 Jahre fort, so wird der Neumond wieder auf den ersten Tag des Monats zutreffen. Auni, der hier genannt wird, war ein alter nordischer König, der in den 300 Jahren seiner Lebenszeit diese Entdeckung gemacht haben soll.

Die Zeichen der oberen Reihe des Runenstabes zeigen die unbeweglichen Feste und andere merkwürdige Tage an. Nebstdem laufen auf manchen Runenstäben noch verschiedene andere Zeichen fort, die auf Märkte, Zusammenkünfte, zuweilen auch auf Hausangelegenheiten, Bezug haben. Einige von den gewöhnlichsten Zeichen der Fest- und Merktage in den Runenkalendern sind folgende: Das Trinkhorn am Neujahrstage, die noch fortdauernden Julfeierlichkeiten bezeichnend. Das umgekehrte Horn am 13. Jänner (St. Knuds Tag), Ende des Julfestes. Der Leuchter am 2. Febr., Reinigung Mariens. Der Pflug und die Schlange am 21. März) St. Benedikts Tag), Anfang der Feldarbeiten; die Schlangen kriechen hervor. Der Schlüssel am 29. Juni (St. Peters Tag), Schluss der Jahreshälfte. Das Beil am 29. Juli, Ermordung K. Olaf des Heiligen von Norwegen. Der kahle Baum am 14. Oktober, Winteranfang. Der Anker am 23. November (St. Klemens Tag), alle Schiffe liegen vor Anker. Viele Hörner am Ende des Stabes, vom 21. December an, Zeichen des grossen Julfestes. — Ich habe in der vorhergehenden Beschreibung eines nordischen Runenkalenders zugleich

D 2

auch das Nöthigste von dem gesammten altnordischen
Kalenderwesen in der Kürze beigebracht; schliesslich
mache ich noch die teutschen Leser auf den einzigen —
meines Wissens — in Teutschland befindlichen ächten
Runenkalender aufmerksam, welcher neulich im Natura-
lienkabinete des Waisenhauses in Halle aufbewahrt wird.
Gräter, der diesen Runenkalender zuerst entziffert, gab
im ersten Jahrgange von Idunna und Hermode
eine interessante Beschreibung und Abbildung davon, nachdem Worm bereits in seinen Werken über Runen mehre
nordische Kalenderstäbe beschrieben hatte.*)

Von runischen Büchern, wenigstens von solchen,
die beweisen könnten, dass die Runen auch zur Bücherschrift bestimmt gewesen, ist durchaus nichts vorhanden.
Es ist uns weder bekannt, ob die alten Skandinavier,
die kein Papier kannten, etwas von dem Schreiben auf
Häuten gewusst haben. Was daher aus späteren Jahrhunderten von runischen Hss. vorliegt, hat offenbar bloss
zufällige Ursachen gehabt. **) Von der Art ist jener, in
der Universitätsbibliothek zu Kopenhagen aufbewahrter,
Codex in 4to, welcher ausser dem Schonischen Gesetze
und der Beschreibung der Grenzen von Dänemark und
Schweden, am Schlusse zwei ebenfalls mit Runen geschriebene Dänische Königsregister (herausg. von Worm
und nachher von Langebeck in Scr. rer. Danic. Tom. II.)

*) S. auch I. Wolff Rüna - Kefle ou Calendrier Runique &c.
Paris 1820. Hahn's Collect. monumentor. ineditor. II. 201. Ar-
chaeolog. Britann. Vol. 1. p. 102.

**) Gleichwohl sprechen Volkslieder aus dem Mittelalter viel-
fältig von Runenbüchern und schildern auf eine höchst poetische
Weise die Zauberkraft der Runengesänge. Vergl. Svenska Folk-
visor. I, s. 7. Danske Viser fra Middelalderen I. 235. Geijers
Gesch. v. Schwed. d. Ulbers. S. 142.

enthält. Der Autor dieses Codex, vermuthlich ein Mönch, hat sich Tuli unterzeichnet und ohne allen Zweifel aus blosser Curiosität die runischen Buchstaben gewählt. Wenn sich von dem letzten in dem Register verzeichneten Könige Erich Menved, welcher 1319 starb, auf das Zeitalter des Schreibers schliessen lässt, so wissen wir, dass der Codex im 14. Jahrhunderte geschrieben worden; übrigens sind die Runen darin gänzlich auf die Form der sogenannten Mönchsschrift zurückgeführt. Auch ist es glaublich, dass der Verfasser aus Schonen herstammte, da er den König Olaf, Haralds Sohn, unter die Dänischen Könige zählt. Ferner bewahrt die Kopenhagner Univ. Bibliothek ein runisch geschriebenes *Soliloquium Deiparae virginis* (herausg. von Peringskiöld. Stockh. 1721. fol.), angeblich von einem Mönche aus K. Olaf Skautkonungs Zeitalter herrührend. Auch ein runisches Exemplar der Hialmars Saga (herausg. zu Stockholm, 1699 und von Hickes) wird daselbst vorgezeigt. — Mehr beachtenswerth sind die nordischen Runenalphabete, welche in alten Hss. entdeckt worden sind. Ein in Frankreich im J. 1022 geschriebener Codex enthält die sechzehn alten Runen. (S. unten) in der alten Ordnung (nur für das *th* ist ein leerer Raum gelassen); dann auch nebst einer kleinen Schriftprobe das vollständigere Runenalphabet, aber in der Ordnung der lateinischen Buchstaben, die auch darüber geschrieben sind. Voran stehen die Worte: *Alphabetum Norvagicum*; bei Montfaucon (*Palaeogr. graeca* p. 292) und bei Grimm (Taf. III.) finden sich Zeichnungen davon. Ein anderes nordisches Runenalphabet theilte Hickes (*Thes. I. p.* 148) aus der Cotton. Hs. Vitellius A. 12. mit; ein drittes und viertes hat ebenfalls Hickes aus den Cotton. Hss. Galba A. 2. und Galba A. 3. so wie aus der ersteren und der Hss. Caligula A. 15. auch kurze Inschriften mit nordischen Runen bekannt gemacht. Eine St. Galler Hs. endlich (N. 878, S. 321) von des spanischen Bischofs Isidor († 636) Traktat *De accentibus, de posituris, de literis*, aus dem neunten Jahrhunderte, enthält neben dem Hebräischen und Griechischen Alphabete auch ein angelsächsisches und nordisches Runenalphabet, wovon das erstere *Anguliscum*, das letztere, welches zugleich mit einigen Wörtern erläutert ist, *Abecedarium nord.* genannt wird.

Obgleich die, in Skandinavien allenthalben ausgegrabenen, Münzen grossentheils ausländisch sind, so gehören doch auch viele derselben dem Norden an, und darunter zuvörderst diejenigen, welche runische Inschriften haben und im Allgemeinen unter der Benennung der Runenmünzen*) bekannt sind. Die Runenmünzen, von denen die ältesten aus reinem Silber, die späteren aber immer mehr mit Kupfer versetzt sind, theilen sich in Münzen, die nur mit Einer Rune und in solche, die mit mehren Runen und ganzen runischen Legenden versehen sind. Von der letzteren Gattung sind bisher ungleich mehrere, als von der ersteren zum Vorschein gekommen.**) Ausserdem sind die runischen Gold-Brakteaten, die man ohne Zweifel als Amulete um den Hals trug, und auf denen unter mehren Vorstellungen auch Odin und Thor abgebildet sind, besonders merkwürdig. Man findet mehre derselben in Bartho-

---

*) Unter den Münzen, welche man im J. 1792 zu Podmokle, auf der Herrschaft Bürglitz in Böhmen ausgegraben hat, finden sich mehre Gothische mit Runenschrift. Auf einem kleineren Stücke las ich das Wort ᚾᛉᛁ. Mehr hievon an einem anderen Orte.

**) Burmann verzeichnete (im J. 1795) sechzehn Runenmünzen der ersten Art, grösstentheils in Schweden gefunden; und etwa dreissig der zweiten Art, wovon die meisten in Schweden, andere in Dänemark, in England und auf Bornholm ausgegraben wurden.

LINN *Antiq. dan. p.* 461 und in den *Actis med. et philos.*
Vol. II. p. 97 abgezeichnet; doch verdient das Prachtwerk:
Danske Meduiller og Mynter i det Koogelige Cabinet, Kjöb.
1791. f. dabei vorzüglich zu Rathe gezogen zu werden. Da
die Aufschriften aller Runenmünzen überaus schwer und am
häufigsten gar nicht zu entziffern sind, so ist auch das Alter derselben sehr ungewiss. Dass aber jene runischen
Brakteaten, auf denen die Götter Thor und Odin, beide
reitend, ausgeprägt sind — denn der letztere wird durch
den vor ihm fliegenden Vogel, seinen Raben, der erstere
hingegen durch das Zeichen des Hammers im Münzfelde,
genugsam charakterisirt — dass alle diese Brakteaten, worauf zuweilen auch Rabe und Hammerzeichen zugleich vorkommen, dem skandinavischen Heidenalter angehören, kann
ohne alles Bedenken zugegeben werden. Bei den übrigen
Runenmünzen macht es die unverständliche Aufschrift sehr
ungewiss, ob sie von Heiden oder Christen geprägt worden; doch erhellt aus denen, die man in der Grafschaft
Holstenborg und in Seeland ausgegraben hat, dass sie alle
in **Lund** geschlagen und einem dänischen Könige Svend
zugehören, es mag nun dieses **Svend Estrithsön** oder
Svend Tveskiäg († 1014) sein. Auch KEDER (*De
argento runis insignito*) und GIBSON (*Col.* 874. in **Cam-
dens** Gesch. von Brittanien) führen eine Münze auf, mit
der Inschrift: *DURGUT LUNTIS.*

Die herrlichsten Runendenkmäler des Nordens sind bekanntlich die **Runensteine**, in Island *Bautasteinar,*
in Dänemark und Norwegen *Runestene*, in Schweden
Runstenar genannt. Ich habe bereits oben angemerkt,
wie gross beiläufig die Anzahl dieser Denkmäler Skandinaviens sei; auch ist über das Aeussere derselben schon Einiges an seinem Orte erwähnt worden; hier übrigt daher
noch, den allgemeinen Inhalt der Aufschriften und einige
auf Erfahrungen beruhende Grundsätze anzugeben, von

denen bei der Bestimmung des Alters der Runensteine
zunächst ausgegangen werden muss. Die Aufschriften der
Runensteine betreffen meist Begebenheiten im Lande und
Privatangelegenheiten, welche nicht in den Kreis der Geschichte fallen. Dem Namen, bemerkt GEIJER (l. c. 135),
werden die einfachsten Nachrichten beigefügt, als:
dass der Verstorbene da oder da wohnte; oder dass der
Stein am Hofe stehe (*Baut.* 684); dass er ein guter Bauer
war, geschickt, gerecht (*snialr — ra*þ*apaki*), gastfrei,
unerschrocken — einer der im Kampfe nicht floh (*Baut.*
1169. 1172) — unbesiegt, so lange er Waffen hatte —
ein Anführer, ein Steuermann, ein Wächter auf dem
Schiffe, ein Hauptmann; ein guter Hofmann oder Kriegs-
mann (*þiakn*, *þiagn*, *þegn*); ein rascher Jüngling, der
weit in der Welt umgefahren ist; ein lieber Sohn, Vater,
Mutter, Bruder, Gattin u. s. w. Oft dient ein Stein zum
Denkmal für mehre, oft für noch Lebende (*Bautil* 753.
Peringsk. Annot. in vit. Theod. p. 405; *Worm mon. dan.*
p. 29), oft auch für Lebende und Todte gemeinschaftlich
(*Baut.* 644). Wie schon gesagt, enthalten diese Inschriften mit sehr seltener Ausnahme bloss unbekannte Namen,
und die Zeit, welche diese einfachen Denkmale verschont
hat, hat über die Geschichte, deren Erinnerung sie erhalten
sollten, dieselbe zerstörende Macht geübt, welche das
Gedächtniss der Urheber der grössten und wunderbarsten
Denkmale vernichtet hat. Gleichwohl sind die Runensteine für die Geschichte des Nordens von Wichtigkeit,
da sie durch die Entfernung von hingeschwundenen Jahrhunderten so manchen Blick in die Vorzeit werfen
lassen — denn sie gehen wirklich bis in die Zeiten des
Heidenthumes zurück. Nur die Runensteine Dänemarks,
Norwegens und Schwedens können hier hauptsächlich in
Betracht kommen; auf Island sind selbe, zumal von früherer Zeit, äusserst selten, Doch zählt Finn Magnus-

ten vierzehn Runensteine daselbst und glaubt zwei davon
mit Sicherheit in die heidnische Zeit stellen zu dürfen;
woraus denn folgt, dass die Runen bereits im neunten
Jahrhunderte durch die Norwegischen Ankömmlinge nach
Island gebracht worden sind. Unter die ältesten Runensteine Islands gehört unstreitig der am Kirchhofe zu Borg
im Myrar-Syssel stehende Runenstein von basaltförmiger
Klippenart; seine schon sehr unkenntlich gewordene Aufschrift lautet nach Olafsen:

> Her ligr halr Kartan Olafsson . . . .
> fyri svik af sárt deydi.
>
> Hier ruht der tapfere Kartan Olafson . . .
> Gestorben an einer, verrätherischer Weise
> erhaltenen, Wunde.

In der Laxdäla Saga heisst es von diesem Kjartan,
dem Sohne Oluf Pau's, dass er im J. 1003 bei Svinedal
im Dale-Syssel meuchlings erschlagen wurde. Weil zu
jener Zeit keine Kirche näher war, als die auf Borg, so
ist seine Leiche dahin geführt und begraben worden. Die
übrigen runischen Steinschriften Islands können, da sie
zum Theil beträchtlich jünger sind, hier übergangen
werden.

Einen äusserst merkwürdigen kleinen Runenstein jedoch,
den man im J. 1824 auf Kingiktorsoak, einer Insel
West-Grönlands, gefunden hat, muss ich hier näher
beschreiben. Dieser Runenstein — der erste, den man
noch in Grönland gefunden — hat bei fünf Zoll Länge und
einen Zoll Höhe, und befindet sich gegenwärtig im königlichen Museum zu Kopenhagen. Seine Inschrift lautet:
*Ellingr Sigvatssonr ok Bjarni Þordarson ok
Einriþi Oddsson laugardaginn fyrir gagndag hlódu varda þessa ok ruddu MCXXXV*
d. i. Erling Sigvatsson und Biarne Thorderson

und Eindridi Oddsson errichteten diese Warden (d. i. Steinhaufen) am Sonnabende vor dem
Gagndag (d. i. 25. April) und räumten den Platz
im Jahre 1135. Auf der Stelle, wo der Stein gefunden
wurde, sieht man noch deutliche Trümmer der Warden.
Aus der Zeitbestimmung vor dem Gagndagsfeste ergiebt
sich, dass der Stein in die christliche Periode Grönlands
gehört. Wenn aber auch keine Jahreszahl angegeben wäre,
so müssten uns doch die in der Anfschrift vorkommenden Verkürzungen, verbunden mit dem Gebrauche der punktirten Runen, zum Beweise dienen, dass wir damit nicht
weiter, als in das 11. Jahrhundert hinauf steigen dürfen.
Uebrigens beweiset dieser Runenstein auch, dass die alten
Norden bereits im 12. Jahrhunderte die Westküste von
Grönland eben so weit gegen Norden hinauf gekannt
haben, als wir sie jetzt kennen (Vergl. d. Antiq. Annal.
IV. B. 2. Heft).

Die Runensteine der übrigen Länder Skandinaviens
können wieder unter zwei Klassen gebracht werden, nemlich unter heidnische und christliche Runensteine.*)
Wie schwer aber, wie mühsam und unsicher ist eine solche
Absonderung, nicht zu gedenken, dass sie in den meisten
Fällen ganz unmöglich wird! Die Schwierigkeiten bei der
Erklärung der Runensteine haben ihren Grund zum Theil in
dem Alter der Steine, welches gemacht hat, dass die Runen
an manchen Orten verlöscht sind, und an anderen Orten

---

*) Wenige Runensteine nur giebt es, die gerade auf der Grenze
zwischen Heidenthum und Christenthum stehen und die Spur
von beiden verrathen. Einzelne dieser Art sind auf Personen
errichtet, welche starben i heita radum d. h. in ihren weissen
Taufkleidern, welche die Neugetauften anzogen und einige Zeit
nach der Taufe noch trugen. (Vgl. Heimskr. I. 348). Diese
Steine sind also Denkmäler auf bekehrte Heiden, die oft die
Taufe bis zur letzten Stunde aufschoben, um in den Taufkleidern sterben zu können. (Rimberti Vita Ansgarii c. 21.)

sich wieder nichtsbedeutende Striche eingefressen haben;
theils in den wunderlichen Schlangen und Kreiswindungen;
theils in der Rohheit der Züge — denn nicht selten haben
Bauern und andere schlechte Hände die Runen eingehauen;
ferner in der mehrfachen Bedeutung eines und desselben
Zeichens und der, verschiedenen Gestalt der Runen überhaupt, und endlich in den sogenannten wilden Runen
(*Villrúnir*). Zu allem dem kommt noch die Umwendung der Runen (*runae inversae*) und die häufige Versetzung derselben (*perturbatae*,) in welchem letzten Falle
der Runenschreiber nemlich eine Rune zuweilen an den
ungehörigen Ort und einen Buchstab vorne hin stellte, der
hinten seinen Platz hatte. Rechnet man, wie Grimm
scharfsinnig bemerkt, hiezu noch die häufige Unwissenheit,
die in rohen Dialektformen die Worte ausdrückte, so stei-
gern sich diese Schwierigkeiten aufs Höchste. Denn es ist
bemerkenswerth, dass, während die grösseren Werke jener
Zeit die Sprache in dem reinsten Zustande darstellen, hier
Formen so roh, als in irgend einer gemeinen Mundart
uns begegnen.

Man hat es, zumal in früherer Zeit, auf mancherlei
Weise versucht, da auf keinem der nordischen Runensteine eine Jahreszahl angegeben ist, einige allgemeine
Gesetze ausfindig zu machen, nach welchen sich das Alter
eines jeden Runensteines mehr oder minder genau bestimmen liesse. Hier nur Ein Beispiel: Olaus Rudbeck,
der bekannte Verfasser der Atlantik, glaubte dafür aus der
Natur selbst ein allgemein gültiges Gesetz entwickeln zu
können. Uiberall, sagt er, ist der Erdboden, da wo er
flach, nicht heftigen Winden ausgesetzt, nicht von Men-
schenhänden verändert ist, neun Zoll hoch mit schwarzer
oder Garten-Erde (Schwed. *mat-jord, terra altrix*)
bedeckt. Diese Erde findet sich nirgends als auf der äus-
sersten Rinde des Erdbodens, und ist von faulem Gras

Blättern und anderen erdigen Theilchen, die durch Regen und Schnee aus der Luft herabkommen, entstanden. Diese Bedeckung von neun Zoll hoch, die überall fast gleich ist, muss erst nach der Sündfluth, folglich vor etwa 4000 Jahren, sich zu sammeln angefangen und mithin alle 500 Jahre um etwa einen Zoll zugenommen haben. Nun giebt es Grabhügel und Runensteine, auf denen über acht Zoll hoch Gartenerde liegt: folglich müssen solche im zweiten oder dritten Jahrhunderte nach der Sündfluth schon errichtet worden sein. — Auf diese Weise ging mit einemmale über eine ungeheure Anzahl von Runensteinen ein unerwartetes Licht auf. Aber unglücklicherweise — sagt Ihre — haben sich in der Folge, Runensteine gefunden, auf denen Rudbecks Gartenerde so hoch lag, dass sie nach seinem Zeitmasse einige Jahrhunderte älter als die Schöpfung sein mussten!

Mit ziemlicher Sicherheit liesse sich der Runensteine Alter bestimmen, wenn es deren mehre gäbe, die bekannte Namen und Begebenheiten meldeten. Auf einem Steine (GIÖRANSSONS *Bautil*, n. 1100) kömmt z. B. ein Biörn als Heerführer der Helsinger, *Haupink Hel-sana*, vor, der ganz Seeland bezwungen. Dieser Stein, wenn er gleich unläugbare Spuren des Christenthumes hat, kann doch nicht jünger, als Erich der Siegreiche sein, denn nach dessen Zeit ist kein Seezug in diese Gegenden unternommen worden. Aber wie klein ist die Anzahl jener Runensteine, deren Inschriften so in das Geschichtliche ihrer Zeit eingreifen, und wie ungewiss und mangelhaft ist zuweilen nicht selbst unsere historische Zeitrechnung, zumal in früheren Jahrhunderten, wo eben diese Steine gesetzt wurden! In dieser Hinsicht wären es die Felsenschriften allein, die für uns, weil sie nur Ausgezeichnetes und daher grossentheils historisch Bekanntes verkünden, eine völlig genaue Angabe ihres Alters an der

Stirne tragen; nur ist es sehr zu beklagen, dass sich so
wenig von den nordischen Felsenschriften bis auf unsere
Tage erhielt. Von der berühmten Runenschrift der sogenannten Haraldsklippe sind nur geringe Spuren vorhanden. Diese Inschrift, welche der Dänenkönig Harald Hilde-
tand (um das J. 600) seinem Grossvater zu Ehren in die
Felsenwände des Runamoberges in Blecking hauen liess,
wird von Einigen für das älteste im Norden bekannt gewordene Runenmonument angesehen. SAXO giebt uns
in Praef. Hist. Dan. p. 3. *et Lib. IX. p.* 173) eine sehr
abentheuerliche Beschreibung von diesem Denkmal, und
setzt hinzu, K. Waldemar I. habe Leute abgeschickt,
welche die Aufschrift untersuchen sollten, die aber nichts
hätten heraus bringen können; ein Beweis, dass dieselbe
schon zu jener Zeit (im J. 1152) unlesbar geworden
war.*)

Aber auch Grabsteine gibt es, deren Alter aus der
Inschrift ganz genau hervorgeht; unter diesen sind die
drei, jetzt auf dem Kirchhofe von Jellinge unweit
Weile in Jütland liegenden, Steine, welche dem Könige
Gorm dem Alten und seiner Gemahlin Tyre Danebod
gesetzt wurden, besonders merkwürdig. Die spätere
Inschrift ist gleichzeitig mit der Einführung des Christen-
thumes; denn Harald Blautand liess sie um das Jahr 992
zum Denkmal seiner Taufe in eben diesen Grabstein seiner
Eltern einhauen. Zur Probe stehe hier die ganze Inschrift,
deren Zeichnung — freilich nicht am genauesten — in
WORMS *Monum. Dan. p.* 326 befindlich ist:

---

*) Über die Felsenschrift zu Kallebek bei Gothenburg s.
LINK's Reise nach Westgothland S. 144. WILLAN hat (in *Act.
societ. Upsal.* 1751, p. 132) eine kurze Runeninschrift auf einem
Berge im Kirchspiel Bro auf Gothland und KLÜVER in seinen
Norw. Denkmalen eine Runenzeichnung von einer Felswand zu
Stördalen in Norwegen mitgetheilt.

Haraltr: kunugr: bad: gaurva:
kubl: þausi: eft: Gurm: fedur sin
auk eft: Þiuroi: mudr: sina sa
Haraltr ies: sor: van Tanmaurk
ala auk Nurvieg
auk tini... kristno.

Der Sinn dieser jetzt erst richtig gelesenen Inschrift ist, nach MAGNUSSENS Deutung, folgender: Harald König gebot zu machen (aufzuführen) diesen Grabhügel nach (für, zum Andenken) Gorm seinem Vater und Thyre seiner Mutter. Der(selbe) Harald welcher schwor (den Eid ablegte, das Christenthum annahm) gewann ganz Dänemark und Norwegen und .... Die hier weiter fehlenden Worte haben ohne Zweifel auf die Einführung des Christenthums Bezug. (Vgl. FINN MAGNUSSEN Optegnelser paa en Reise til Jellinge. Kjöb. 1821. S. 90 ff.)

Für das Alter der Runensteine überhaupt gibt es allerdings gewisse Merkmale; nur haben diese nicht eine gleiche Tauglichkeit, wenigstens sind die, welche bloss auf dem Aeusseren der Steine und der Schrift beruhen, bei weitem unzuverlässiger als jene, die uns der Sinn der Inschriften selbst angibt.

Im Allgemeinen sind jene Runensteine die ältesten, welche eine rohe und beinahe völlig unbearbeitete Gestalt haben; sie gehören insgesamt noch zu den ersten Versuchen dieser Art, und halten mit der Rohheit der darauf befindlichen Schriftzüge und der Unvollkommenheit des Ausdruckes gleichen Schritt. Hieraus folgt, dass die Verschiedenheit der Züge am öftersten die Verschiedenheit der Jahrhunderte verräth, in denen die Runen gegraben wurden; nur ist dabei wohl zu untersuchen, ob nicht etwa auch in späteren Zeiten durch ungeschickte Hände, durch

die Flüchtigkeit des Einhauens, durch eine ungewöhnliche
Härte des Steines oder schlechte Werkzeuge eine solche
Unsicherheit, Rohheit und Armuth der Schrift herbeige-
führt wurde. Die Runen haben sich während der absteigen-
den Jahrhunderte ihres Gebrauches sichtbar verändert und
verfeinert; ungeachtet auf den harten Steinen, worin sie
zunächst gegraben wurden, keineswegs freie Züge, wie
etwa auf weicheren Materien, anzubringen waren; so wie
ohnehin die beiden Linien, zwischen welchen die Runen
beinahe durchgehends eingeschlossen wurden, ihr sonst
willkührliches Auslaufen und Einziehen hinderten. Auch
die sorgfältige Unterscheidung der sogenannten punktirten
Runen, welche, wie unten gezeigt werden soll, späteren
Ursprunges sind, gehört hieher.

Aus dem Genie der Sprache, in der die Runeninschriften abgefasst sind, lässt sich sicherer, als es aus
anderen Umständen möglich ist, das beiläufige Alter der
Runensteine errathen. Es ist bekannt, dass die Sprache
auf allen Runensteinen ohne Ausnahme *) die sogenannte
túnga norraena, die Altnordische oder Isländische

*) Die wenigen Runeninschriften, welchen ein und der andere
lateinische Spruch angehängt ist, sind, als erwiesen christlich
für unsere Untersuchung ohnehin von keiner Wichtigkeit. Ausserdem aber ist hier noch eines anderen Verhältnisses zu gedenken. Die Herausgeber der *Nordiska fornlemningar* lieferten
daselbst im J. 1823 die Zeichnung eines in Schweden gefundenen
Taufbeckens, das mit Runen beschrieben ist; ferner einen Stein
vom J. 1350, wo neben der lateinischen Inschrift mit sogenann-
ter Mönchschrift, eine runische Zeile steht, die denselben Inhalt kurz ausdrückt; endlich auch Einen, wo dieselben Worte
an der einen Seite mit Runen, an der anderen mit Mönchschrift
eingehauen sind, wovon einige andere Beispiele in GJÖRANSSONS
Bautil vorkommen. Die Runen sollen ohne Zweifel das Lesen
der unbekannten Mönchschrift erleichtern und sie waren die
allgemein verständlichen Zeichen. Daher findet man
auch alte, mit Runen bezeichnete, Grenzsteine und andere
von dem gemeinen Volke selbst herrührende Runenreste.

Sprache ist, und dass mithin alle Runensteine älter sind, als die Dänische und Schwedische Sprache. Zu jener Zeit herrschte nemlich über ganz Skandinavien nur Eine Sprache, welche erst nachher, zumal bei den Dänen und Schweden, durch den ununterbrochenen Verkehr, den diese mit ihren Nachbarvölkern gepflogen haben, dermassen verändert wurde, dass sie förmlich in drei verschiedene Dialekte zerfiel. Das Altschwedische oder sogenannte Gothländische Recht (*Westgöþalag*) aus dem 13. Jahrhunderte, ist seiner Sprache nach schon sehr von dem ächten Isländischen unterschieden. Wir können also daraus für unsere Forschungen den Schluss ziehen, dass jene Runeninschriften, die sich im Genie der Sprache diesen Gothländischen Gesetzen und anderen gleichzeitigen Schriftstellern nähern, jünger seien; älter aber jene, die mehr Isländisch lauten; und älter als beide diejenigen, die sowohl vom Isländischen als von der Sprache der Gothländischen Gesetze beträchtlich abgehen. Diese Bemerkung geht sowohl auf die Flektionen der Wörter, als auf die Wörter selbst. Zur Probe, wie man, bei hinlänglicher Kenntniss der alten Sprache und der verwandten Dialekte, die Sprache der Runensteine Behufs der Erforschung ihres beiläufigen Alters untersuchen könnte, setze ich aus IHRE einige Beispiele her.[*)]

Auf manchen Runensteinen heisst es: *F. raisti stain þina*, *F. erexit lapidem hunc*. Das Pronomen *þina* wurde im Mittelalter wie noch jetzt im Schwedischen *þenne, þenna* ausgesprochen; allein das alte Runenalphabet hatte keine *e* und setzte daher immer *i* dafür. Isländisch hingegen sagt man *þisa, þann*. Folglich sind die Steine jünger, auf denen *stain þina, þino*,

---

*) Es scheint mir jedoch, als ob es hiemit nicht ganz seine Richtigkeit hätte.

þini vorkömmt, und jene, die *stain þan, þasa*
haben, sind älter. Noch andere Steine haben *stein*
þansi, þonsi, þinsi, þanasi, þisun, auch þiksi,
þiksat, ja auch *sirun*, *sirsi*; von diesen Wörtern
und Flectionen findet sich in der ganzen altnordischen
Literatur kein Beispiel, folglich sollten diese Steine noch
weit älter sein. Ein Stein heisst in den alten Gesetzen
steirn, ISLAEND. *stein*, auf den Runensteinen *stin*, *stan*
(für *sten*, weil das *e* mangelte). Diese Steine sind also
jünger, jene die *stain* haben, älter. Für *stain* kömmt
auch nicht selten *marki*, *mirki*, *signum* — *raisa*
marki, *erigere signum*, vor: allein sein Synonym *ar*,
iar, *aur* ist einigen Runmetzen eigen und weis't daher
auf ältere Zeiten zurück. Zuweilen kommen Wörter vor,
die weder Schwedisch noch Isländisch sind und gleichwohl uralt zu sein scheinen. So steht oft *kui* für *stain*,
bisweilen mit *al* am Ende, *kuial*, auch *steinal*, dieses
kui ist das Finnische *kivi* (Lapp. *kiedge*) *lapis*, das
die finnischen Ureinwohner in Schweden zurückgelassen,
das sich aber schon vor dem Anfange der Bevölkerung Islands verloren hatte. *Al* heisst eben das, und wird auch
geschrieben *hal*, *il*, *hil*, später *hall*; bei den Pereko-
per Gothen heisst ein Stein *ael*; *al* ist also das Urwort
und älter als *il*, *hil* und *hell*: in dieser Reihe ist endlich *haell* entstanden u. s. w. Uibrigens ist es wohlbe-
greiflich, dass die Schreibung der Wörter zu verschiedenen Zeiten und in mehren zum Theil entfernten Gegenden ebenfalls sehr verschieden sein musste, da noch keine
allgemeinen Grundsätze dafür festgestellt waren. Dem zufolge haben die Worte auf den Runensteinen in Schleswig,
Jütland, Seeland, Schonen, Upland, Gothland und Norwegen keineswegs eine und dieselbe Form, ausgenommen
etwa diejenigen, welche ungefähr gleichzeitig mit einander
sind.

E

Fürwahr, eine missliche Deutung, wo sich mit der
mehr oder minder grösseren Undeutlichkeit im Aeussern der
Inschrift überhaupt und mit allen Verschiedenheiten, Kün-
steleien und Mängeln der Schriftzüge, auch noch eine so
schwankende Schreibung der Wörter, so viele Archaismen und
Plebeismen vereinigen, um somit für den Erforscher insgesamt Schwierigkeiten auf Schwierigkeiten zu thürmen!
Dennoch haben sich zahlreiche Gelehrte mit der grössten Un-
erschrockenheit und dem ausdauerndsten Fleisse auf die Erklärung der Runeninschriften verlegt; ja, es würde bei weitem
den Raum dieser Blätter übersteigen, wenn man nur ober-
flächlich aufzählen wollte, was die vortrefflichen Männer,
ein WORM, BUREUS, PERINGSKIÖLD, GJÖRANSSON, CELSIUS,
WALLIN, IHRE, BURMANN, SIÖBORG, NYERUP, FINN MAG-
NUSSEN, RASK und Andere, deren Namen hier sämtlich als
genannt gelten sollen, für die Entzifferung der nordischen
Runensteine gethan haben.

Auf vielen Runensteinen ferner geschieht der Reisen
einzeler Skandinavier Erwähnung. Züge im Osten und
Westen, nach Finnland, Holmgard, Gardarike, Lifland,
Esthland, Semgallen, England, die Lombardei, Griechenland, Asien*) werden erwähnt. Besonders gibt es eine
grosse Menge Runensteine, auf denen der Name *Grikum*,

---

*) *Asfara*, das auf Runensteinen vorkömmt (Bautil 684.
Act. lit. Suec. 1736) bedeutet **Asiafahrer**. Auf einem
Gothländischen Runensteine wird von einem Manne gesprochen,
der hinterlistiger Weise von **Blaumännern** (Mohren) erschlagen wurde. *Acta lit. Ups.* 1751, p. 47. Auf einem Runensteine im Park bei Dagsnäs, der vom Kirchthurm in Saleby dorthin
gebracht wurde, wo er eingemauert war, scheint eine Schlacht
bei Accon, Acre oder Ptolemais während der Kreuzzüge angedeutet zu sein. SIÖBORG (Sammlungen etc. I. 28) liest: *Atark
Krinsten gardi Kubl þausi ofter Þuru kunu sin,
su tutir i Akit. miþ allum vi barþi Tiraka suk kunu
kiør* d. i. Atark, Christ, errichtete dies Denkmal auf Thura, seine

Girkium, *Girkia*, *Griklandi* vorkömmt. Upland allein hat gegen 100 solcher Steine. Diese sind beinahe alle älter als das eilfte Jahrhundert. Denn *Grikia* bedeutet nicht immer das eigentliche Griechenland oder das Byzantinische Reich; dieses wird ausschliesslich nur dann verstanden, wenn von Pilgerfahrten die Rede ist; sonst aber bedeutet Girkia und Girkland — auf den Runensteinen sowohl als in andern Denkmälern — die östlichen Küsten der Ostsee nebst dem südlichen Russland. Da es nun historisch gewiss ist, dass die Normänner erst seit Harald Hardraade (1070) nach Griechenland reiseten, um Wäringer *(Βαραγγοι)* zu werden, und um eben die Zeit deren Pilgerfahrten nach dem Oriente ihren Anfang nahmen: so müssen wir jene Runensteine, welche den, als Wäringer und Pilger im Oriente Verstorbenen, gesetzt wurden, von denjenigen wohl zu unterscheiden trachten, die von dem nähern Grikium d. i. von Russland und anderen östlichen Ländern zu verstehen sind. Die letzteren haben nemlich ein verhältnissmässig höheres Alter und man kann im Durchschnitt annehmen, dass sie sämmtlich vor dem 11. Jahrhunderte gesetzt worden sind. Ausführlichere Beweise s. bei Ihre in SCHLÖZERS Nord. Gesch. p. 541 ff. (Vgl. übrigens die *Acta lit. Suec.* 1728. *p. 378.*)

Es ist nicht zu läugnen, dass die Mehrzahl der skandinavischen Runensteine aus christlicher Zeit herrührt; doch gibt es deren auch, die unbezweifelt heidnisch sind, auf denen nemlich noch der Gott Thor angerufen wird. So

---

Frau. Sie starb in Accon mit allen. Wir (beide, [*vid* ist der Dualis]) fochten mit den Türken, auch die liebe Frau. Ich hieb (die Runen.) — Acre wurde von den Christen 1191 eingenommen. Das *Chronicon Conc.Ursp.* erwähnt, dass nordische Völker, *Daci*, *Normanni*, *Gothi*, während der Belagerung auf runden Fahrzeugen (*Hilnachiae*. Cf. Altfranz. *Esnecke*; Altnord. *Snoeckor*) zu Hilfe kamen. S. GEIJERS Gesch. v. Schwed. I. S. 134.

wird in d. Skand. Lit. Selsk. Skrifter 1806 II. p. 106 ff.
eine Runenstein - Inschrift mitgetheilt, in welcher die Worte
vorkommen: Þór vígi þessi rúnar d. i. Thor, heilige
diese Runen.*) Einige Runensteine haben auch die, ebenfalls auf Thor hindeutende Formel: Ainn almáttki As,
der allmächtige Ase. (Vgl. Schefferi Upsalia antiqua
p. 40 u. a.) Im Allgemeinen aber gibt es Kennzeichen
genug, vermittelst welcher einzele heidnische Runensteine
von den christlichen ziemlich genau können unterschieden
werden. Nicht selten haben Runensteine die Worte: harda
gudan trug, den Göttern ergeben; wie der Biergesöer
Stein auf Schonen: Ohgi saiti stain dansi iftir Ulf
brudur sin harda gudan trug, Ohgi lapidem hunc
Ulfoni fratri suo posuit diis fido, dagegen christliche
Steine gewöhnlich die Formel: gud hialpi sialu hans,
Gott sei seiner Seele gnädig, anhängen; wie z. B. der Runenstein bei Åkier auf der Insel Bornholm: Ogmunt auk
Fruburnr satu stein eftir Isrgori fadur sin
gud hialpi sialu hans, Ogmund et Fruburn lapidem
posuerunt Isrgorgio patri suo, Deus animam ipsius juvet
(Worm. Lib. III.) Auf den christlichen Steinen geschieht
auch oft Christi und der Mutter Gottes Erwähnung. So hat
der Breckstader Stein in Upland die Formel: — — gisgu
hiristr litin sakli hos, Jesus Christus stehe seiner
Seele bei; der Timmeleder St. in Upland: — — hiligr
Kristr i (himi)riki, heiliger Christ im Himmelreiche;
der Fockstader St. in Upland: — — gud hialpi hons
(si)al uk guds mudir, Gott helfe seiner Seele und
auch die Gottesmutter u. s. w. Runensteine, worauf
nachdrücklich der Heiden und meistens mit Verachtung
gedacht ist, sind offenbar christlich. So hat der Noraer

---

*) Vgl. Magnusen Lexic. mythol. in carm. Eddae Saemund.
p. 649. Edda Magn. III. p. 921 ff.

St. in Upland die Worte: — — *hon vard swikun of ina (ha)idi*, er ward von einem Heiden hinterlistig (erschlagen). Auch vorkommende biblische und andere Namen von Heiligen, z. B. *Daniltr.* (Daniel) *Aystein* (Augustin), *Brusi* (Ambrosius) *Joris* (Georg) u. s. w. lassen den christlichen Stein nicht verkennen. Aber nicht immer bedeuten kreuzweis gemachte Striche wirkliche **Kreuze**, Symbole des Christenthums; häufig sind solche Zeichen nur ein Zierrath, mit dem der Runenschreiber einen runden leeren Raum eben so ausfüllte, wie er oft im gleichen Falle Thiere, Schiffe und dergleichen hinzeichnete. Uiberhaupt ist ein Kreuz das einfachste und natürlichste Zeichen, das sich auch bei vielen nicht christlichen Völkern in Asien, den Tibetanern, Hindus und Japanesern, vorfindet; um so behutsamer muss daher von solchen kreuzförmigen Zeichen (CELSIUS hat sie alle gesammelt in *Actis lit. Suec.* 1727 p. 238) auf das nachchristliche Alter der Runensteine geschlossen werden. Dass übrigens das Kreuzeszeichen im odin'schen Heidenthume auf Thor's Hammer gedeutet werden konnte, davon giebt die Hakon Adelst. Saga c. 18. ein merkwürdiges Beispiel.

Das sicherste Kennzeichen heidnischer Runensteine ist die Erwähnung der Hügel. So heisst es auf dem Steine zu Hareby *(Bautil n.* 86): *Uluki lit raisa stain auk hauk kiara iftir Kioro bropur sin, Uluki lapidem erigendum curavit et tumulum struendum in memoriam Kiori fratris sui.* Es kommen nemlich sowohl in den Schwedischen als Isländischen Schriften die Hügel *(haugar)* immer als charakteristische Grabstätten der Heiden vor, welche desswegen die Christen verabscheuten. Im Gothländischen Gesetze heisst es am Ende: þer *ligger han ia enom kolla, fore þy at han var hedn*, hier liegt er in einem Hügel, weil er

ein Heide war. Olaf Tryggvesons Saga (Theil II. S. 213):
*han andat — — oc var lagþur i haug at for-
num sid haeidinna manna*, er starb — — und ward,
nach der Sitte der alten Helden, in einen Hügel gelegt.
Uiberhaupt, wo bei Snorro und in den Sagen die Redensarten *setta i haug, verpa haug, heyga dysa*
u. s. w. vorkommen, da ist immer von der Bestattung
eines Heiden die Rede.*) Endlich weisen die Worte des
sterbenden K. Hakon Adelsteins ganz deutlich darauf hin,
dass das Begraben in Hügel ein ausschliesslich heidnischer
Gebrauch gewesen. Da nemlich König Hakon von seinen
Freunden befragt wurde, ob er nicht nach England gebracht
werden wolle, um dort nach christlicher Sitte begraben
zu werden? antwortete er: als ein Heide habe ich gelebt;
als ein Heide, nicht als ein Christ muss ich also bestattet
werden (Snorro's *Hakonar Saga c.* 32). Noch gibt es
Runensteine, welche von Brücken oder Wegen Mel-
dung thun. So hat der Brobyer Stein *(Bautil n.* 123)
die Aufschrift: *Ikfastr auk Austain auk Suain
litu raisa stain þasa at Austain faþur sin,
auk bru þasa karþu, auk hauk þanasi, Ikfastr
et Austain et Suain lapidem erigendum curarunt Austaino
patri suo, et pontem hunc fecerunt et tumulum hunc.*
Diese Erwähnung der Brücken ist aber keineswegs ein
entscheidendes Merkmal des Christenthums; vielmehr ist
es, wie Ihre bemerkt, wahrscheinlich, dass es auch schon
unter den Heiden gewöhnlich war, Brücken zum Gedächtnisse geliebter Todten zu bauen. Die alten Christen
erbten diese Sitte, die Priester erhielten sie, weil sie

---

*) Auch die alten Teutschen hatten nach langehin solche Hü-
gel; daher verordnete Karl der Grosse durch ein eigenes Gesetz,
*ut corpora Christianorum Saxonum ad coemeteria ecclesiae defer-
antur et non ad tumulos paganorum. (Capitulatio Caruli M. de
partibus Saxoniae. cap.* 23, *apud* Baluxium *Tom. I. p.* 254. *cf.
cap.* 6.)

einem von Flüssen und Sümpfen durchschnittenen Lande
heilsam war; ja es war selbst für ein verdienstliches
Werk angesehen und jenen, die Brücken anlegten, eine
frühere Erlösung aus dem Fegfeuer versprochen: was
auch wohl schon dadurch einzusehen war, dass der Seele
des Abgeschiedenen in den Gebeten des geförderten
Wanderers gedacht würde. Daher die Ausdrücke *karþi
bru þisa fur ont sina, furir ont mak sin etc.*
er baute eine Brücke für seiner Seele Heil, für das
Seelenheil seines Bruders u. s. w. Was also vorher der
Heide aus Ruhmsucht that, das setzte der Christ aus Aber-
glauben fort.*) Gerade so verhielt es sich auch mit dem
Steinesetzen überhaupt; nicht nur die Formeln *gud hialpi
siálu hans*, Gott helfe seiner Seele u. s. w., sondern
schon die blosse Errichtung des Grabsteines brachte, dem
Aberglauben der alten Christen zufolge, dem Verstorbenen
Heil und Erlösung. Denn oft wird gesagt, A. habe den
Stein für die Seele des B. oder auch für seiner eigenen
Seele Heil setzen lassen. Vermuthlich schreibt sich diese
Einbildung gleichfalls von den Priestern her, die solche
Grabmäler andern für gute Bezahlung machten.

---

*) Anders will MONE (Nord. Heid. I. 429) die Sitte des Brük-
kenbaues hergeleitet wissen. Die wahre Bedeutung dieser Sitte,
sagt er, liegt in der Lehre von der Seelenwanderung. Wer von
den heidnischen Norden ungehindert über die Flüsse Niflhels
kommen wollte, der baute sich im Leben Brücken über Bäche
und Flüsse, die nach dem Grundsatz des Makrokosmus seiner
Seele eine Brücke zur andern Welt wurden, woran sich zugleich
die Verdienstlichkeit des Brückenbaues für die Bequemlichkeit
der Lebenden reihete.

IV.

Die runischen Schriftzüge.

Aus dem Gesagten ergibt sich schon, dass wir mehre Arten runischer Alphabete zu unterscheiden haben; auch ist es keinem Zweifel unterworfen, dass in Skandinavien selbst ein doppeltes, nemlich neben dem gewöhnlichen noch ein geheimes Runenalphabet bestanden habe, welches letztere wieder seine Abarten hatte. Ohne aber hierauf und auf die sogenannten Teutschen und Angelsächsischen Runen Rücksicht zu nehmen, will ich vorläufig das Nordische Runenalphabet im Allgemeinen darstellen.

Die nordischen Runen, welche, wie bei den Griechen und Ulfilas, zugleich auch Zahlzeichen waren, bestanden ursprünglich aus funfzehn oder sechzehn Buchstaben, deren jeder seinen besonderen Namen hatte. Diese Namen enthielten jedesmal ihre Rune, den Vokal in der Wurzel des Wortes und den Consonant im Anfange. Die alphabetarische Aufeinanderfolge der nordischen Runen ist ganz eigenthümlich, die Ursache dieser Eigenthümlichkeit aber noch zur Stunde unentdeckt. Dass jedoch der Zufall, wie bei unserem Alphabete, so auch hier gewaltet habe, ist sogleich sichtbar, indem die Anordnung des Runenalphabets höchst regellos und der Spracherfahrung eben so unangemessen erscheint, als das teutsche Alphabet, welches auf die Verwandtschaft der Consonanten und ihr wechselseitiges Uibergehen in einander durchaus nicht aufmerksam macht. Hier die altrunische Buchstabenreihe (S. die beigefügte Tafel I.):

ᚠ, F. *(Frey) fé* (Frei der Ase) Geld. 1.

ᚢ, U. *úr.* Funke.

ᚦ, Þ. *þurs.* Riese. 3.

ᚬ, O. *ós.* Pforte, Mündung. 4.

ᚱ, R. *reid.* Ritt. 5.

ᚴ, K. *kaun.* Beule. 6.

ᚼ, H. *hagl.* Hagel. 7.

ᚾ, N. *naud.* Noth. 8.

ᛁ, L. *is.* Eis. 9.

ᛆ, A. *ár.* Fruchtbares Jahr. 10.

ᛋ, S. *sól.* Sonne. 11.

ᛏ, T. *(Tyr) tyr* (Tyr der Ase) Stier. 12.

ᛒ, B. *biörk.* Birke. 13.

ᛚ, L. *laugr.* Wasser. 14.

ᛘ, M. *madr.* Mann, Mensch. 15

(ᛦ, Y [*yr.* Bogen] galt zugleich als End — *r* (soviel als *or*, *ur*,) und hiess als solches auch *a u r*, Schutt) 16.

Dieses Alphabet ward in drei Klassen eingetheilt, von denen der Buchstabe ᚠ die sechs ersten, ᚼ und ᛏ aber, jeder fünf der zehn letzten Runen, anführte; und die daher *Freys-aett* (Frei's Gattung) *Hagls-aett* und *Tyrs-aett* hiessen.

Es ist einleuchtend, dass man mit diesen Buchstaben alle Laute in einer Sprache nur sehr kümmerlich bezeichnen konnte. Man hatte nur Ein Zeichen für *g* und *k; d* und *t; b* und *p; u, v* und *y*. Das merkwürdigste hiebei ist, dass der vermittelnde Vokal *e* so wie auch *ö* gänzlich fehlen; dieses wird gewöhnlich durch *au*, jenes hingegen durch *i, a, ia* und *ai* ausgedrückt. Für *g, gh* steht manchmal *h;* und *u* bezeichnet sonst noch die Vokale *o* und *y*, die Doppellaute *ae, au* und *ey*,

selbst den Consonant *v* und *f*. Offenbar, bemerkt
Grimm, sah man in den Vokalen nur einen einzigen Laut,
gerade wie bei der Alliteration, dessen verschiedene
Zeichen man verwechseln könnte, weil die besondere
Mischung, die gemeint wäre, doch bei Kenntniss der
Sprache müsste herausgefunden oder sogleich gefühlt werden.
Analogieen finden sich in altgriechischen Inschriften. In der
Folge, als die Mangelhaftigkeit des Runenalphabets fühl-
barer wurde, hat man es durch vier hinzugegebene Buchstaben zu vervollständigen gesucht. So entstanden die Runen
e, *g*, *p* und *v*; die aber nicht mehr wie die sechzehn
alten, besonders benannt wurden. Auch sind für sie keine
neuen, im Geiste der übrigen Runen gebildeten, Zeichen
erfunden worden; man wählte vielmehr das einfache Mittel,
aus jenen sechzehn einen verwandten Buchstab herauszu-
nehmen und diesem einen Punkt oder zwei zuzusetzen,
wesshalb auch diese Runen *stúngnar rúnir*, punktirte
Runen heissen, und den Punkt ausgenommen, sonst aus
den Buchstaben *i*, *k*, *b* und *f* bestehen. Als endlich
die lateinische Schrift und zu derselben Zeit das Schreiben
auf Papier und Pergament in den Norden kam, hat auch
das Runenalphabet eine Bereicherung erfahren; es wurden
nemlich noch für *dh* und *d*, für die Diphthonge *ae*,
oe, *ue*, ja mit der Zeit auch für die ganz überflüssigen
Buchstaben *c*, *q*, *x* und *z* neue Zeichen gebildet; die letzteren besonders sind als unächt und als ein erst spät zu
dem Runenalphabete hinzugekommener Luxus anzusehen.
Eine ähnliche Bewandtniss scheint es auch mit den drei
Doppelrunen zu haben, welche die Zahlen bis auf n e u n -
z e h n verlängerten (denn weiter geht das runische Zahlen-
system nicht[*])) nemlich:

---

[*] Um die übrigen Zahlen auszudrücken, setzten die alten
Norden mehre Runen zusammen. ⋀⋀ (oder zwei Zehn) bedeu-
tete 20; ⋀⋀ᛈ = 21; ⋀⋀⋂ = 22. u. s. f.

    ⬆, A L. *úrlaugr.* 17.

    ✳, MM. *tvimadr.* 18.

    φ, T T. *belgthor.* 19.

In der Skalda heisst es demnächst ausdrücklich, dass das Runenalphabet nach dem Lateinischen ist umgestaltet und verbessert worden und zwar durch einen Meister PRISCIAN; falsch aber ist es, wenn eben dort gesagt wird, König Waldemar II. habe, um das Jahr 1202, die vier punktirten Runen hinzugesetzt. Denn dass diese Runen um vieles älter seien, ist schon darum gewiss, weil sie sich auf dem Schleswiger Runensteine finden, den man mit Sicherheit in das Jahr 992 setzt. Auch ein Runenalphabet, das, wie oben erwähnt, MONTFAUCON aus einem in Frankreich im Jahre 1022 geschriebenen Codex bekannt machte, enthält sie bereits.

Auf die Frage, wie die Namen der Runen entstanden sind, kann nichts Gewisses geantwortet werden; denn eben so, wie wir von den Namen der griechischen Buchstaben nicht die Entstehungsgeschichte kennen, so sind auch von dem Ursprunge der Runennamen gar keine Nachrichten übrig. Aber ein nordisches Gedicht, das die Runennamen besingt, ist uns, wiewohl in einer späteren Umarbeitung*), aufbehalten worden. WORM theilte es

---

*) Sollten die Runensprüche, welche DALIN (ich weiss nicht woher) im ersten Bande seiner Schwed. Reichsgeschichte anführt, etwa die ältere Grundlage diéses Gedichtes über die Runennamen enthalten? Die moderne Schreibung, in der sie bei DALIN erscheinen, kann uns hier ganz gleichgültig sein. Ohne übrigens Etwas darüber entscheiden zu wollen, setze ich diese Sprüche in derselben Gestalt, in der ich sie gefunden, hieher. Sie lauten: (*Frey*) *fae frenda rogur,* Vieh oder Eigenthum ist der Freunde Zwist — *ur er wersta wäder,* der Schneewind ist das schlimmste Wetter — (Þ*or*) Þ*uss kletta ibui,* die Thussen wohnen in den Bergen — (*Oden*) *os leker i widi,* die

aus einer Hs. der Kopenhagner Univ. Bibliothek in seiner
Runenliteratur (p. 95 — 97) mit; und GRIMM, der es ebenfalls in seinem Werke (p. 246 — 252) abdrucken liess,
berichtigte den Text und versah ihn mit einer teutschen
Uibersetzung. Die Freunde des nordischen Alterthums
sollen dieses Gedicht hier nicht übergangen finden, zumal,
da sich hierauf einige Vermuthungen über die Bedeutsamkeit der Runennamen bauen lassen. Ich gebe hier, des
beschränkten Raumes wegen, bloss den Text und verweise
rücksichtlich der Uibersetzung auf die beiden oben erwähnten Werke. Uibrigens hat dieses Gedicht gar keinen poetischen Werth; denn die zweite Zeile ist jedesmal bloss des
Reimes wegen zugesetzt und steht ihrem Inhalte nach mit
der ersten weiter in keiner Verbindung.

ᚠ.

Fé velldr fraenda rógi.
faedist ulfur i skógi.

ᚢ.

Úr er af elld-jarni.
opt sleppr raui á hiarni.

Quelle spielt im Meer (oder *os i hwarje aa*, jeder Fluss hat
seine Mündung) — *reid heista sprengur*, viel Reiten ver-
dirbt das Pferd — *kün i kütte werst*, Beulen sind das schlimmste im Fleisch — *hagl er kalda korn*, der Hagel gibt kalte
Körner — *naud thngr kostr*, Noth ist eine harte Kost — *is
er bro bredast*, Eis ist die breitste Brücke — *ar gunna
gamman*, der Jahrwuchs ist des Landmanns Freude — *sun skya
skioldur*, die Sonne ist der Wolken Schild — *tyr enhaendter
As*, Tyr ist ein einhändiger Gott — *biark lunda faegurd*,
die Birke ist der Wälder Schönheit — *laugur er landa belti*,
das Meer ist des Landes Gürtel — *madur er moldar auke*,
der Mensch ist des Staubes Vermehrung — *aurmadur ting-
sakur*, der Reiche hat immer vor Gericht zu thun.

ᚦ.

Purss velldur kvenna kvilju.
  katur verdur fár af elju.

ᚭ.

Ós er flestra ferda.
  enn skálpr er sverda.

ᚱ.

Reid kvaeda hrossum vesta.
  Raghn er sverdit brádesta.

ᚤ.

Kaun er beggia-barna.
  böl giorir nár fullfarna.

᛫᛬

Hagl er kaldastur korna.
  Kristur skóp heiminn forna.

ᚾ.

Naud giorir napa kosti.
  naktan kiaelir í frosti.

ᛁ.

Ís köllum brú breida.
  blindan þarf at leida.

ᚨ.

Ár er gumma gódi.
  get ek, at ör var Fródi.

ᛋ.

Sól er landa liómi.
  lýt ek at helgum dómi.

ᛏ.

Týr er einhendur Ása.
opt verdur smidur at blása.

ᛒ.

Biarkan er lauf-graenst lima.
Loki bar flaerdar tima.

ᛚ.

Laugr er þad er fellur ur fialli.
fost en gull eru nalli.

ᛘ.

Madr er moldar auki.
mikil er greip á hauki.

ᛦ.

Ýr er urtur graenst vida.
vant er þar er brenner at svida.

Man sieht, dass es meist Naturgegenstände sind,
von welchen die Namen der Runen ausgehen. *) Sollte es
nun ein blosser Zufall gewesen sein, durch welchen sie
den Runen sind beigelegt worden, oder hat die Gestalt
der Runen selbst, wie Rask meint, diese Benennungen
veranlasst?**) Keineswegs, glaube ich, können diese

---

*) Auch die slavonischen Buchstabennamen sind bedeutungs-
voll im Zusammenhange. So heissen die alt-russischen des
Cyrill: *As, Buki, Wiedi, Glagol, Dobro, Jest, Ziwit, O-xio,
Zemelie* u. s. f. „Ich Gott sehe und sage: es ist gut zu leben von
den Kräutern der Erde,"'u. s. t.

**) Schon Worm äusserte diese Meinung und entwickelte sie
vollends in seiner Runenliteratur (p. 87. 88.) woselbst man jede
einzele Rune mit einer Erklärung versehen findet. Ich setze

132

Namen ohne alle Bedeutung und ganz gleichgiltig sein.
Sie bezeichnen sämmtlich Gegenstände, die dem Nordländer im täglichen Leben von entscheidender Wichtigkeit
waren; darum ist hier zunächst auf das Wünschenswerthe
und Unheilbringende, auf die nächste Umgebung oder Verrichtung gedeutet. So dachte man sich unter den Runen:

ᚼ *ár*, Jahr (zumal ein gutes Jahr), Fruchtbarkeit,
Glück, Wohlstand — Morgen, Anfang u. s. f.

ᚠ *fé*, Güter, Reichthum; Heerde, Geld — oder Frey's,
jenes Gottes Namen, der zunächst diese Gaben verlieh.

ᛏ *týr*, Ehre, Ruhm, Namen des Kriegsgottes Tyr.

ᚤ *Odin*, und

ᚦ *Þor*, Namen des obersten Asen und des Gottes des
Donners und der Stärke — also Hilfe, Gunst. Dagegen
bedeuten:

---

diesen seinen Versuch, der Naivetät wegen, mit welcher er durch-
geführt ist, hieher: *fé*, Vieh: die Rune stellt einen gehörnten
Stier vor — *úr*, Funke: die Rune versinnlicht die vom Stahle
abspringenden Feuerfunken — *Þurs*, Riese: die Rune ein am
Berggipfel sitzender Riese — *ós*, Hafen: die Rune offenbar ein
Hafen mit den vor Anker liegenden Schiffen — *reid*, Ritt: die
Rune stellt einen aufs Pferd steigenden Reuter vor — *kaun*,
Beule: die Rune ein Mann, der sich seinen beschädigten Kopf
hält — *hagl*, Hagel: die Rune eine eckige Schlosse — *naud*,
Noth: die Rune ein alter Greis, der sich auf seine Krücke stützt
— *is*, Eis: die Rune ein Eiszacken — *ár*, fruchtbares Jahr:
die Rune eine Pflugschaar, das wichtigste Geräthe beim zweck-
mässigen Feldbau — *sól*, Sonne: die Rune ein Sonnenstrahl
— *týr*, Stier: die Rune stellt einen Stier, der mit den Hörnern
in der Erde wühlt, vor — *biörk*, Birke: die Rune ein Schatten
werfender Birkenbaum — *laugr*, Wasser: die Rune ein Giess-
bach, der sich vom Bergesgipfel stürzt — *madr*, Mensch: die
Rune stellt einen Mann vor, der den Lauf der Gestirne beobachtet und vor Verwunderung die Hände erhebt — *ýr*, Bogen: die
Rune augenscheinlich ein gespannter Bogen. Uibrigens hat auch
BRYNJULFSON die hier gegebenen Erklärungen zum Theil anerkannt, zum Theil auch berichtigt, wo es nöthig schien. S. *Peric.
runolog.* p. 86 — 92.

ᚾ *naud*, Noth, Banden, Fessel, Kerker, Elend aller Art — auch das unumgängliche Schicksal.

ᚴ *kaun*, Wunden, Krankheit.

ᚦ *Þurs* (neben Þ*or*), ein Riese, Trold, Dämon, Feind — auch Befragung des Orakels. Die verschiedene Beschaffenheit der Witterung drückten folgende Runen aus:

ᛋ *sól*, Sonne, klares und schönes Wetter.

ᚢ *úr*, Regen, Feuchtigkeit — auch Funken, Feuer.

ᚼ *hagall*, Hagel, Schnee.

ᛁ *ís*, Eis, Frost.

ᚱ, ᛚ *reid*. und Þ *Þor*, Donner, Unwetter — Sturm. Bei Reisen und Fahrten — dieser unbesiegbaren Leidenschaft der alten Nordvölker — mochte man folgende Runen anwenden:

ᛚ *lögr*, Meer, Wasser, Fluth (Seefahrt).

ᚫ (neben Odin) *ós*, Flusses Mündung; vormals besonders zu Hafen und Landungsplätzen erwählt.

ᚱ *reid*, Reiten, Fahren — ein leichtes Gespann.

Die Zeit zur Feldbebauung konnte sich bestimmen lassen durch ᛆ *ár* (Pflügen, Feldarbeit); die Zeit Bäume zum Bau- oder Brennholz zu fällen, Früchte u. s. w. zu sammeln, durch ᛒ *biarkan*, Birkenfrucht, Baum und Baumfrucht überhaupt. Glück in Liebessachen drückte man am passendsten durch ᛘ *madr* Mensch, Mann aus. Endlich konnte ᛦ *ýr* (Bogen) alle Waffen überhaupt bezeichnen, folglich Jagd, Krieg, Schlachten u. dgl. Auf solche Gebräuche scheinen einige Stellen der Edda zu weisen. Skirnisför St. 36 heisst es:

> Ein Þ schneid' ich dir und drei Stäbe,
> Ohnmacht, Wuth und Unruh.

Und in dem obigen Gedichte wird von der Rune Þ ᚢ ᚱ ᛋ etwas ähnliches gesagt:

Þ macht den Weibern Angst.

Der Riese oder Jote (Þ u r s) nemlich erregt den Frauen Furcht und Angst, wenn sie ihn erblicken. In der obigen Strophe des zweiten Gudrunenliedes kommen Zauberrunen vor, die auf ein Horn geschnitten waren. Die lange Schlange (*lyngfiskr lángr*), die dort genannt wird, scheint ein ᚼ, also die Sonne; die ungeschnittene Aehre (*akt óskorit*) das Ᵽ, also Geld anzudeuten. (Vergl. *Thorlacii Antiq. Spec. IV.* 80 — 82 und Hagens Volsunga Saga p. 166). In *Sigurdrifomál* Str. 3. lautet es:

> Ael-Runen*) sollt du wissen,
> Willt du, dass eines andern Weib
> Dich nicht betrüge, so du traust:
> Am Horn**) sollt du sie schneiden
> Und auf der Hand Rücken,
> Und kerben am Nagel Nauth.
> Den Trank sollt du segnen
> Und dich Gefahr versehen,
> Und Lauch in's Wasser werfen.

Hier wird also die Lehre gegeben, dass, wer von einer Frau, der er vertraue, nicht wollte hintergangen sein, die Rune ᚾ (*naud, necessitas*, daher *vinculum*, das Bindende) auf den Nagel zeichnen müsse. Dies reicht hin, die Bedeutsamkeit der Runennamen ausser Zweifel zu setzen. Nebstdem haben jedoch einige Runen noch eine besondere kalendarische Bedeutung. Die sieben Wochentage sind mit den Namen gewisser Gottheiten benannt, und diese scheinen wieder mehre entsprechende Runen zu versinnlichen.

---

*) Bier-Runen. **) Trinkhorn.

F

ᛋ *ról*, Sonntag, Altnord: *Sunnudagr*. Cäsar zählt die Sonne unter den alten germanischen Gottheiten ersten Ranges auf. Knud der Grosse hatte seiner Zeit ein strenges Gesetz erlassen, worin er den Sonnendienst verwarf.

ᛘ *madr*, sonst ohne Zweifel Mani (Mond), Mondtag, *Mánadagr*. Die Verehrung des Mondes war, nach Caesar, ebenfalls den Germanen eigen; Knud d. G. musste sie durch ein eigenes Gesetz unter den Skandinaviern aufheben. Auf die Rune selbst spielt der alte Aberglaube vom Mann im Monde an, den man sowohl unter den Teutschen als unter den Engländern, Dänen und Schweden findet.

ᛏ *Týr*, *Tír*, Dienstag, *Tísdagr*. Tyr, des Tacitus *Mars* — *dies Martis*.

ᚫ *Ódinn*, Mittwoch, *Ódinsdagr*. Tacitus übersetzt Odin durch *Mercurius* — daher *dies Mercurii*.

ᚦ *Þor*, Donnerstag, *Þorsdagr*. Bei Tacit. steht für Thor: *Hercules*, der keltisch-germanische Jupiter — *dies Jovis*. Bekanntlich errichteten die alten Germanier dem Jupiter Taranis Altäre.

ᛈ *Frey* scheint eben sowohl den Gott Freyr, als dessen Schwester Freya anzuzeigen, da die Benennung *Freádagr*, *Friádagr* (für Freitag) zweideutig ist. Die Analogie der Mythen entscheidet jedoch für Freya, die Venus des Nordens — entsprechend der Benennung *dies Veneris*. Da überdies der sechste Tag der Woche zugleich der Götterköniginn Frigga geheiligt war, so muss auch die Isis des Tacitus (als *mater deorum*) auf Frigga gedeutet werden.

ᛚ *lögr*, ursprünglich gewiss auch ein Göttername, und zwar ᛗᛁᚴ. Es ist dies der Vulkan der Germa-

nen, von dem Cäsar meldet, und dessen Verehrnng
(d. i. Feuerdienst) auch Knud's Gesetz untersagt. Der
heidnische Dänenkönig Gorm opferte einst dem Utgard-
Loke. Die Verstossung Loke's aus dem Kreise der
Asen erinnert an S a t u r n s Geschick, und es ist
glaublich, dass man im Norden den Planeten Saturn
eben so wie den Samstag *(dies Saturni)* mit Loke's
Namen benannte. Hat nun *Lokadagr* den letzten
Wochentag (von *lok*, Ende etc.) bezeichnet, so
passte L o k e ' s Name dem Planeten Saturn um so
mehr, als nach der Meinung der Alten, dieser Planet
die Sphären und Bahnen der übrigen Planeten um-
schloss. Uibrigens kann die Rune ⌐ ursprünglich
leggr d. i. Lohe [*logi*, Dän. *lue*; Norw. *Loge*;
Schwed. *Låga*; Schott. *Lough*; Finn. *Liecki*] und
nicht eben *laugr* d. i. Wasser, Fluth, geheissen haben.
Und so ist *Leygardagr* nach und nach zu *Laugar-
dagr* verderbt worden.

Aus diesen Uebereinstimmungen möchte sich folgern
lassen, dass auch die übrigen Runen nach Gottheiten
benannt waren. Vielleicht hiessen einst: ⌐ Uller, Vale;
人 Han, Rota, Rögn (Götter überhaupt, gleichwie þ Thur-
sen); ⌐ Gefion, Gefna, Gerda, Gna, Göndul, Gridur
etc.; ✳ Heimdall, Hödur, Harbard, Hrimner, Hel,
Hilda; ⌐ Nornen, Niord, Nanna etc.; ⌐ Asen, Alfen;
β Baldur, Brage u. s. f. Von allen diesen hätten sich
dann nur die Namen O din, Thor, Freyr und Tyr
erhalten; bei den ersteren ist es übrigens auch sichtbar,
wie nach Einführung des Christenthumes die heidnischen
Namen sich verloren und andere Gegenstände an deren
Stelle traten: Tyr allein hat eine doppelte Bedeutung.

Es ist schon bemerkt worden, dass es ausser den
Nordischen noch andere Runen gibt; die Teutschen Runen

F 2

bei R h a b a n u s, und die Angelsächsichen Runen auf
zahlreichen Denkmälern, Münzen, Steinen und in Handschriften. Aus der, sowohl mit den Namen, als mit der
Figur und Aufeinanderfolge der Buchstaben vorgenommenen, Vergleichung dieser drei Runenalphabete, fliesst das
Ergebniss, dass sie insgesamt sehr nahe mit einander
verwandt sind, folglich Eines der beiden anderen Grundlage sein muss. Infolge des Grundsatzes: *quo quidquid
est simplicius, in suo genere hoc antiquius* muss unter
den drei Alphabeten den Nordischen Runen unbedenklich
das höchste Alter zugestanden werden; eben so wie es
auf der anderen Seite sehr wahrscheinlich gemacht werden
kann, dass nemlich die eigenthümlichen Namen, welche
die Runen führen, gleichfalls im Norden entsprungen sind.
Denn mehre der Angelsächsichen so wie der Teutschen
Runennamen finden sich nicht weiter in diesen Sprachen
und müssen daher ohne alle Veränderung aus dem Nordischen — vermittelst dessen sie allein noch verstanden
werden — beibehalten worden sein.

Die Uibereinstimmung dieser Alphabete findet merk-
würdigerweise nur bei den sechzehn alten Runen Statt;
die übrigen oder sogenannten neueren Runen, deren im
teutschen und angelsächsischen Alphabete noch a c h t sind,
verrathen durchaus keine Abhängigkeit mehr von den
Nordischen, wiewohl dieselben wieder unter sich keine
grosse Verschiedenheit zeigen. Denn während man sich
im Norden zur Bildung neuer Buchstaben des Punktes
bediente, so scheint man hier Verdoppelung der Zeichen
gewählt zu haben. Diese Vermuthung trifft bei der Rune
E (eh) ein, die aus einem doppelten gegen einander
gestellten nordischen *A (àc)* gebildet wäre; die Rune
D (daeg) ist sichtbar aus zwei gegen einander gestellten
Þ (Þorn) entstanden, so wie auch in *G (gyfu)* sich
eine Verdoppelung kund gibt. Aus solchem Verhältniss

dieser drei Runenalphabete gehen mehre aufklärende
Resultate hervor, welche unten im Zusammenhange werden
angeführt werden; die umständliche Vergleichung der
Alphabete selbst ist bei Grimm nachzusehen.

Da bisher nur von den gewöhnlichen oder gemeinen Runen (*runae vulgares*) die Rede war, so müssen
nun noch die sogenannten Geheimrunen berücksichtigt
werden. Aber wenn schon zu jener Zeit immer einiges
Dunkel auf der runischen Geheimschrift mochte geruht
haben[*], so hat es sich bis auf unsere Tage herab
keineswegs zerstreut, vielmehr ist dasselbe nur noch
undurchdringlicher geworden; denn da die Geheimrunen
kaum jemals sind in Steine gehauen worden — wenigstens würde dies mit dem nächsten Zwecke eines Monu-
mentes im klaren Widerspruche gestanden haben — so
bleibt die Aechtheit anderer Denkmäler, woselbst sich
etwa Geheimrunen finden, immer zweifelhaft. Die eigentlichen Zauberrunen (*Svartrúnir, ramrúnir*), von
denen es ungewiss ist, ob sie auch ein Alphabet ausmachten, sind uns gänzlich entfremdet; wohl aber hat
Brynjulfson aus alten isländischen Hss. Einiges über
die Beschaffenheit der geheimen Runenschrift mitgetheilt,
wovon ich hier eine kurze Probe geben will. Brynjulfson zählt von den geheimen und künstlichen Runen drei-
sig und mehrere Arten[**]. Eine der originellsten davon ist

---

[*] So z. B. erzählt die Sturlunga S. (c. 20), dass der berühmte
Snorre Sturleson unversehens überfallen und ermordet wurde,
weil weder er selbst, noch einer der Anwesenden, die auf eine
eigne künstliche Weise gezeichneten Runen deuten konnte, durch
welche ein Freund ihn vor der Verschwörung warnen wollte.

[**] So gibt es *Hiálm rúnir, Spialdr., Halsr., Sólr., Einhver-
fingar einstei, Hemlur. Iunhúa-rúnir, Jötunvillur, Klapprúnir* etc.
etc. Ferner *Haugbúa-letur* (Todtenschrift), *Stafkarla-letur*
(Bettlerschrift), *Iraletur* (Irische Schrift), *Klásletur, Lappale-
tur*, endlich folgen in dieser Reihe auch *Vinda-rúnir*.

folgende. Das runische Alphabet wurde, wie bekannt, in drei Theile getheilt (daher *Þrideilur*), nemlich in *fé*-Reihe oder Geschlecht, in *hagal*-Reihe und in *tyrs*-Reihe. (S. oben). Sollte nun in der benannten Geheimschrift ein Buchstab bestimmt werden, so wurde immer nur ᚠ geschrieben, aber durch vor- und nachgesetzte Zahl bestimmt, aus welcher Reihe er war und welchen Platz er darin einnahm. *Sigurdr* hätte also folgendergestalt müssen geschrieben werden:

$_{2}$ᚠ^{5} $_{2}$ᚠ^{3} $_{1}$ᚠ^{5} $_{3}$ᚠ^{2} $_{1}$ᚠ^{4} $_{1}$ᚠ^{2} $_{3}$ᚠ^{1}.

Das merkwürdigste dabei ist, dass diese, freilich äusserst unbeholfene, Geheimschrift schon gerade so in einem St. Galler Codex des X. Jahrhundertes vorkömmt, woraus sie bei Grimm (p. 110 — 113) mitgetheilt ist.

Die einzelen Denkmäler mit Teutschen Runen, deren bereits oben gedacht worden ist, können hier füglich unter den Gattungen der geheimen oder richtiger der seltenen und ungewöhnlichen Runenschrift genannt werden; denn es hat das Ansehen, als habe das teutsche Runenalphabet im Norden für ein zweites, feiner ausgebildetes gegolten, zu dessen Kenntniss nicht ein Jeder gelangt sei. Noch muss hier vorläufig gesagt werden, dass vermöge der durchgängigen Aehnlichkeit der teutschen Runen mit den Angelsächsischen, im Ganzen beide Alphabete für eines und dasselbe angesehen werden können.

Der Steine mit teutschen Runen sind durch Grimm nur fünf nahmhaft gemacht worden; vier davon stehen in Schweden und einer in Norwegen.*) Diese Steine, die

*) Vor nicht langer Zeit hat jedoch Klüwer zwei Steine mit teutscher Runenschrift in Norwegen und zwar in *Grabhügeln über Todtenurnen* gefunden. Ich bedauere über diese wichtige Entdeckung keine näheren Nachrichten mittheilen zu können.

sich schon äusserlich sehr bestimmt von den übrigen nordischen Runensteinen unterscheiden (Vgl. GRIMM p. 171 ff. und Taf. 6. 7. 8.) sind von ihren ersten Bekanntmachern, WORM und GJÖRANSSON, und zwar ein für allemal, für ganz unverständlich erklärt worden; GRIMM hat sie endlich grossentheils entziffert. Nach ihm hat der Norweger Stein Bustrophädonschrift und auf zweien der Schwedischen Steine geht die Schrift völlig von der Rechten zur Linken; die Inschriften selbst sind sämtlich in nordischer Sprache abgefasst. Hieraus folgert GRIMM: dass es insgesamt keine von Fremden herrührende Inschriften sind, mithin das teutsche Runenalphabet auch im Norden bekannt war und angewendet wurde, wenn gleich nur selten. Ferner: es leidet keinen Zweifel, diejenigen, welche diese Runenschrift eingehauen, haben zugleich das altnordische Alphabet gekannt, da sie entweder nur einen Theil der teutschen Runen einmischten, oder auch die verschiedenen Formen neben einander brauchten. Dagegen kömmt in allen fünf Inschriften nicht eine einzige punktirte Rune vor, was rücksichtlich des Alters derselben wohl verdient bemerkt zu werden. Da nun (wie im Verfolg dargethan werden wird) das teutsche Alphabet schon im neunten Jahrhunderts aufgezeichnet ist, so darf man vermuthen, dass ein doppeltes Alphabet, ein engeres und ein vollständigeres, im Norden schon damals neben einander bestanden habe.

Eine andere, ebenfalls nur sehr selten zur Anwendung gekommene, Art der Runen machen die sogenannten Helsingischen Runen aus. Diese finden sich bloss auf fünf Steinen in den Schwedischen Landschaften Helsingland*) und Medelpad, und sind gänzlich verschieden aber noch einfacher als die gewöhnlichen Runen; so dass sie

---

*) Auf einem solchen Helsingischen Runensteine findet sich ein ganzes Geschlechtsregister; der Stammbaum geht bis in's

beim ersten Anblick mit dem *Ogumn*-Alphabete der irischen Druiden oder mit den asiatischen Keilschriften eine gewisse Verwandtschaft verrathen.

Das Helsingische Runenalphabet besteht aus 16 Buchstaben. Die Bedeutung der Runen selbst, da immer mehre eines und dasselbe Zeichen haben, wird jedesmal erst durch die Stelle bedingt, welche sie innerhalb der beiden, sie umschliessenden, parallelen Linien einnehmen. Ein gerader Strich, perpendiculär an die Paralellen geheftet, bedeutet sowohl *i*, *f*, *d* und *s*: wenn er nemlich die beiden Paralellen verbindet, so bedeutet er ein *i*; berührt er bloss die untere Linie, so drückt er ein *f*, an der obern Linie hingegen ein *s* aus; endlich bezeichnet er ein *d*, wenn er inmitten ganz frei, ohne eine von den Paralellen zu berühren, angebracht ist. Ein kleiner Keil zur Rechten geneigt und an der obern Linie stehend, bedeutet *l*; in der Mitte *n*; und an der untern Paralelle ein *o*. Eine Linie von der obern Paralelle ausgehend und bis zur Mitte des Zwischenraumes eine nach Links geneigte Krümmung bildend, steht für *k*; dieselbe umgekehrt, von der untern Paralelle aufwärts gehend, drückt ein *r* aus u. s. w. Die Absicht des sinnreichen Erfinders dieser Buchstaben scheint also gewesen zu sein: alle Charaktere durch kleine Keile, gerade und krumme Striche und zwei Punkte auszudrücken, und zwar vermittelst deren verschiedenfacher Stellung innerhalb zweier Paralellen (Vgl. die beigefügte Taf. II.) Die viererlei einfachen Zeichen lassen nun in Abhängigkeit von den beiden Paralellen im Ganzen 56 Variationen zu, woraus der Erfinder aber nur 16 wählte und zu wählen brauchte. Erst als MAGNUS CELSIUS im J. 1737 die Entdeckung machte, dass beinahe alle diese einzelen Zeichen nichts anders, als die von dem Stabe (*ful-*

12te Glied. (BROCKMANN Anh. z. Ingvars Saga S. 218). Eine ungewöhnliche Erscheinung auf Runensteinen!

crum) entblössten gewöhnlichen Runen seien, konnte denselben der gemeinschaftliche Name der Runen zukommen.

Uiber das Alter der Helsingischen Runen ist viel und lange gestritten worden. (Vgl. Stösono *Historia Runarum Helsingicarum. Lundae.* 1806). Dass sie jünger seien, als die gewöhnlichen Runen, kann besonders dadurch glaubwürdig gemacht werden, dass die hier allein entscheidenden Denkmäler, worauf diese Runen vorkommen, ihrer Zierlichkeit halber nicht sehr alt und, nach den eingebauenen Kreuzen zu urtheilen, höchst wahrscheinlich aus christlicher Zeit sind, wo also die gemeinen Runen gleichfalls noch im Gebrauche waren. Im gegenseitigen Falle aber ist es der immer fortschreitenden Cultur der Schreibekunst ganz entgegen und ebenso der Kindheit des damaligen Zeitalters unangemessen, vorhandene Schriftzüge willkührlich zu verstümmeln und dadurch unleserlich zu machen. Schwierig endlich wird jede Entscheidung hierüber durch den Umstand, dass auf den Medelpader Steinen gemeine und Helsingische Runen, ohne da oder dort eine deutliche Vorherrschung erkennen zu lassen, durcheinander gemischt sind. Uihrigens aber beweis't der ganz gewöhnliche Inhalt der Aufschriften, dass diese Art der Runen in den genannten Gegenden muss allgemein gewesen sein.

V.

Alter der Runen.

(Belege.)

Ob bei den germanischen Völkern schon damals, als sie den Römern näher bekannt wurden, Buchstabenschrift

eingeführt war *): ist eine Frage, deren Bejahung aus
ausdrücklichen Zeugnissen zu einem Grade von Wahrscheinlichkeit erhoben werden kann, der nahe an Gewissheit grenzt; schwieriger auszumitteln aber ist ein anderes
Verhältniss, worauf es hier ankommt: ob es nemlich
Runenschrift gewesen, deren sich diese Völker schon
in früherer Zeit bedient haben! T a c i t u s (*Germ.* 19)
sagt von den Germaniern, unter denen er bekanntlich
auch die Skandinavier begreift: *literarum secreta* **) *viri
pariter ac feminae ignorant.* Ohne auf die zahlreichen,
verschiedenartigen und mitunter seltsamen, Erklärungen
dieser Stelle Rücksicht zu nehmen, glaube ich mit Adelung,
Grimm und Andern, dass hier am natürlichsten übersetzt werden müsse: das Volk schrieb nicht. Allerdings aber lässt sich aus dem gesamten Zustande der
Nation und einzelen Nachrichten schliessen, dass diejenigen, in deren Händen die Bewahrung des geistigen Eigen-
thumes lag, Fürsten, Priester, Handelsleute u. a. bereits
zu jener Zeit wirkliche Buchstabenschrift besassen. Tacitus
selbst berichtet an andern Orten (*Annal. II.* 88) dass des
verrätherischen Chattenfürsten Adgandester (lies: Adage-
ster) Brief an den Römischen Senat, worin er dem Armi-
nius den Tod schwor, daselbst vorgelesen wurde; ingleichen, dass Marbod, als er vom Throne gestürzt, äusserst

---

*) R a d l o f in seinen Untersuchungen des Keltenthums p. 50
sagt: „die S c h r e i b e k u n s t war bald nach der Ankunft
des K a d m u s in Europa durch ganz Germanien verbreitet worden" und verweist desshalb auf seine ausführliche Schreibungslehre (Frankfurt 1820). Zu meinem innigen
Bedauern ist mir diese Schrift eben nicht zur Hand, darum ich
mir vorbehalten muss, von der ausgesprochenen, im letzter-
wähnten Werke näher entwickelten, Idee noch Gebrauch zu
machen.

**) Wie nahe ist doch Tacitus mit seinen *secretis literarum*
er Grundbedeutung des Wortes R u n e!

bedrängt und von Allen verlassen war, dem Tiberius einen Brief schrieb (*Annal. II.* 63); ohne Zweifel lateinisch, allein es geht doch daraus hervor, dass man die Sache selbst kennen gelernt hatte.

Ausserdem aber hat uns die Geschichte, wie RADLOF (Bild. d. Germanen S. 481 ff.) ausführlich dargelegt, noch eine Menge ausdrücklicher Zeugnisse für die Schreibkunst aller germanischen Völkerschaften aufbewahrt; unter andern z. B. folgende: Als die vom Rhein hergekommenen Semnonen oder Senonen die Stadt Klusium belagerten, verlangten, nach Plutarch (*Vita Camilli*), die Klusier von den Römern Gesandte und ein Schreiben an die Barbaren (γράμματα). Als Hannibal über die Alpen nach Italien einbrach, hatte er mit den dortigen Kelten ein schriftliches Bündniss geschlossen. Die Verschworenen des Catilina gaben, nach Sallust, den Gesandten der Allobroger einen versiegelten Brief mit. Caesar schickte (B. G. I. 26) Briefe und Boten an die Lingonen im östlichen Gallien. Der Briefe germanischer Fürsten an die Römer unter den Zeiten des August und Tiber z. B. Segest's, Adragast's, Marbod's u. a. werden mehre erwähnt. Ein Brief des alemanischen Königs Vadomar an den Konstantinus wurde von Julian aufgefangen (*Amm. Marc. XXXI.* 3.). Ein anderer alemanischer König erhielt von Julian für geliefertes Getreide Empfangscheine. Unter den Kaisern Valentinian, Valens und Gratian wurde der alemanische Magnat Hortar wegen eines gefährlichen Briefwechsels mit Makrian und andern alemanischen Grossen angeklagt, gefoltert und lebendig verbrannt (*Amm Marc. XIX.* 4.). Unter Theodorich bekamen, nach Cassiodor, die Ostgothen in Italien, Anweisungszettel, ohne welche sie kein Stück Landes in Besitz nehmen durften; dies übrigens ein Beweis, dass die Schreibkunst damals selbst schon bis unter die niedrigsten Stände verbreitet war.

Wenn Tacitus (*Germ. 3.*) sagt: *quidam opinantur —
monumenta et tumulos quosdam, graecis literis inscriptos,
in confinio Germaniae Rhaetiaeque adhuc exstare:* so
beschreibt er ganz deutlich Runensteine auf Grabhügeln,
wie sie im Norden vorkommen, und gibt uns hiemit
glücklicherweise auch die Gestalt der Buchstaben zu erkennen. Halten wir diese Stelle mit einer andern des
Cäsar (*B. G. I.* 29) zusammen, wo es heisst, dass er
in dem eroberten Lager der Helvetier Tafeln mit angeblich griechischen Buchstaben fand „*tabulae repertae sunt
literis graecis confectae*“ so sehen wir abermals einen
nordischen Gebrauch*), nemlich die hölzernen Brieftafeln,
aber auch mit griechischen Buchstaben bezeichnet. Um
dies zu erklären, darf man sich die Vermuthung erlauben,
dass hier wie dort i n l ä n d i s c h e R u n e n s c h r i f t gemeint sei. Denn da die Uibereinstimmung der Runen mit
den griechischen Buchstaben auf den ersten Anblick zugestanden wird, so wird es einleuchtend, dass die Römer um
den Charakter der runischen Schriftzüge richtig zu bezeichnen, hier gar keinen andern Ausdruck hatten wählen
können.

Eine Bestätigung für unsere obige Vermuthung liefert
im IV. Jahrhunderte das gothische Alphabet des Ulfilas.
Diese Schrift, grösstentheils verwandt der Griechischen
und Lateinischen, enthält vier Buchstaben, welche nicht
zu diesen stimmen, sondern offenbar der Runenschrift
angehören. Es sind dies die Buchstaben O, U, Þ und

---

*) Selbst mit Tacitus Berichte von der Germanier Wahr-
sagungskünsten (*Germ.* 10) finden sich im Norden Uibereinstim-
mungen. (Vgl. unter andern *Hymiskvida* St. 1). Die Worte:
„*surculos — notis quibusdam discretos super candidam vestem temere
et fortuito spargunt*“ weisen auf eine Art von *rúnakefli* hin;
denken wir uns (mit Fr. Schlegel) unter diesen *notas* schon
förmliche, auf Zweige geschnittene R u n e n, so hätten wir sogar
ein neues Zeugniss von dem Dasein wirklicher Buchstaben.

V. Da nun zu der Meinung, Ulfilas oder wer sonst der Gothischen Schrift Urheber gewesen, hätte für diese vier Buchstaben die Zeichen aus dem Runenalphabete geholt, durchaus kein Grund vorhanden ist, indem sich ja im Griechisch-Lateinischen gleichfalls entsprechende fanden; so folgt vielmehr aus dem Gesagten, dass Ulfilas ein bereits vorhandenes altangestammtes Runen-Alphabet beibehielt, nach dem griechisch-lateinischen Alphabete vermehrte und ausbildete, und durch die Uibersetzung der Bibel die weitere Verbreitung desselben in solchem Masse förderte, dass ihm nachher die Sage auch dessen Erfindung zuschrieb. Wenn demnach auch kein ausdrückliches Zeugniss und noch weniger ein erhaltenes Denkmal dafür spricht, so ist es unter solchen Umständen allerdings glaublich und kann angenommen werden, dass in jener Zeit nicht die Gothen allein, ob sie gleich durch eine besondere Bildung ausgezeichnet waren, die Schrift kannten, sondern dass ihnen der Besitz derselben auch mit den übrigen teutschen Völkerstämmen gemeinschaftlich gewesen.

Mit der nunmehrigen Vervollkommnung der Ulfilischen Buchstaben und der immer mehr, unter den Franken so gut als unter den Ostgothen, um sich greifenden lateinischen Sprache, scheint der Gebrauch der alten einheimischen Buchstaben beinahe gänzlich aufgehört zu haben; dahingegen in dem vom römischen Einflusse noch unberührten Norden, die Runenschrift in vollster Pflege stand. Während wir aber für diesen und die früheren Zeiträume das Runenthum des Nordens, da Nachrichten und Denkmäler daselbst noch nicht anheben, bloss aus den einstimmigen Zeugnissen späterer Sage kennen: finden wir um das J. 530 bei G r e g o r v o n T o u r s (*Hist. Francor.* V. c. 45) und nach ihm bei A i m o i n (*De gestis Francor.* L. III. c. 40) eine kurze Bemerkung, welche die dort zu

Lande üblichen Buchstaben betrifft, und mithin von uns um
so weniger darf übergangen werden, da mehre Schriftsteller,
wie Wonm, Reinart und Eckhart diese Stelle von den
Runen verstanden haben. Gregor meldet nemlich am angezeigten Orte von dem Fränkischen Könige Chilperich:
— *addidit autem et literas literis nostris, id est w sicut
Graeci habent, a e, the, u u i (w), quarum characteres
subscripsimus. Hi sunt* . . (die benannten vier Charaktere)
.., *et misit epistolas in universas civitates regni sui ut sic
pueri docerentur, ac libri antiquitus scripti, planati
pumice rescriberentur.* Es ist hier aber die Frage, was für
Buchstaben Gregor unter den *literis nostris* versteht: wollte
nemlich Chilperich mit seinen vier neuen Buchstaben ein
Teutsches oder ein Lateinisches Alphabet vermehren? In
dem *nouveau traité de Diplomatique* (II. 50. 65., der
Uibers. II. 276 ff.), wohin ich verweise, findet sich diese
Stelle Gregors eben so weitläufig als gründlich abgehandelt; es genügt hier bloss anzuführen, was Gruer
übereinstimmend mit Adelung (Vgl. dessen Uibers. der
Diplomatik II. 240 in d. Anm.) und Maskow (Gesch d.
Deutschen H. 14, C. 14, Anm. 8), nach Erwägung der von
den Benediktinern im obigen Werke niedergelegten Meinungen, so wie der Aeusserungen Ihre's (*De lingua codi-
cis argentei* §. 9. 10. in Büschings Sammlung p. 262.
263) hierüber besagt. Sonach — heisst es am Ende —
ist wenigstens der Gedanke erlaubt, Gregor habe das Alphabet für die teutsche Sprache gemeint, in welchem
gar wohl Zeichen für diese vier Laute, die sämmtlich
vorhanden waren, konnten vermisst werden. Freilich ist
nicht bloss denkbar, dass dieses Alphabet wiederum aus
den lateinischen Buchstaben bestanden habe [richtiger,
glaube ich, vermuthet hier Adelung (p. 290 d. Diplom.)
eine Tochter des lateinischen Alphabets], sondern
sogar hier wahrscheinlich; indess muss doch auf die Mög-

lichkeit hingewiesen worden, dass zugleich ein eigenthümlich Teutsches gemeint sei, welches Chilperich ergänzen
wollte. Andere Meinungen hierüber: Düclos, Fauchet,
Schöpflin s. in der angeführten Diplomatik a. a. O.

Um die Zeit Gregors aber, nemlich in der letzten
Hälfte des VI. Jahrhunderts, finden wir auch schon den
Namen Runen in Schriften angewendet, und zwar bei
Venantius Fortunatus, einem Bischof von Poitiers
und Freunde Gregors, zuerst. (*Opp. ed. Colon. Lib. VII.
Epigr.* 18. *ad Flavum*). Fortunatus schreibt an seinen
Freund Flavus Fuodius. Er wirft ihm 'vor, dass er
ihm so lange nicht geantwortet hätte und begegnet den Ent-
schuldigungen von dem Mangel des Papiers oder dass er
nicht öffentlich Lateinisch schreiben wollte, zum voraus,
indem er hinzusetzt, er könne auf Baumrinde schreiben.
Wenn Du, sind nun seine Worte, das römische Ge-
murmel nicht liebst, „*An tua Rumuleum fastidit lingua
rusurrum*" (dafür also galt unter Fortunatus fränkischer
Umgebung das Latein!) so kannst Du mir (ohne Zweifel
wollte er hiemit seine und seines Freundes hohe Gelehrsamkeit rühmen) hebräisch, persich (4) oder griechisch
schreiben, oder, fährt er fort:

„*Barbara fraxineis pingatur runa tabellis,
Quodque papyrus agit virgula plana valet-*"

Hier ist also Runenschrift und zwar keine andere, als
teutsche Runenschrift gemeint; auch spricht der
Dichter so, als wenn damals das Teutsche gewöhnlich
oder nur mit Runen und auf Holztäfelchen geschrieben
worden wäre. Denn Fortunatus, obgleich in Italien geboren, hatte viel und an verschiedenen Orten in Teutschland
gelebt und musste unter solchen Verhältnissen auch die
teutsche Sprache und Schrift kennen gelernt haben. Uiberall gebraucht er den Ausdruck *barbaricus* (wie die Alten,

bei denen er nur ausländisch hiess) ohne eine nachtheilige
Nebenbedeutung für teutsch, und in den Versen:

Nos tibi versiculos dent barbara carmina liedos
Sic variante tropo laus sonat una viro

bedient er sich sichtbar des teutschen Wortes Lied; es
folgt denn daraus, dass, wenn *barbara carmina* nothwendig durch teutsche Gedichte muss übersetzt werden,
auch *barbara runa* teutsche Rune heisst. *Fraxinese
tabellae* und *virgula plana* sollen wohl ganz dasselbe ausdrücken, und erinnern ihrer Bestimmung zufolge an die
runischen Briefstäbe des Nordens. Wer endlich dieser
Flavus sein möchte, von dem Fortunatus einen Brief mit
teutschen Runen verlangt, ist ungewiss, doch lässt der
Name ebenfalls einen Italiener vermuthen.

Wie es in dem nun folgenden VII. Jahrhunderte um
die Schrift der Teutschen mag gestanden haben, ist unbekannt, weder einheimische noch auswärtige Nachrichten
bieten hierüber die mindesten Aufschlüsse dar: zufällig
aber findet sich für den Norden in der Vorrede zum
alten Upländischen Gesetze eine Stelle, welche die Anwendung der Runen im besagten Zeitraume ausdrücklich beweis't. Der König Birger sagt bei der Bestätigung des
Upländischen Gesetzes nemlich: *hnat aer wir hittum i
Laghsagu hans,* was wir fanden in dessen abgelesenen
Gesetzen. Wahrscheinlich also hat der berühmte Lagmann
Viger Spaa unter Ingiald Illrade (um d. J. 610) die Upländischen Gesetze, damit sie alljährlich auf den Versammlungen der Stände könnten abgelesen werden, auf hölzerne
Tafeln gezeichnet, und zwar der Landessitte gemäss, mit
Runen.

In den, vom St. Galler Mönche Kero (um 720) zu
der lateinischen Benediktiner-Regel (S. Schilters
Thes. Tom. I. c. LIV.) verfassten Alemanischen Inter-

linear-Glossen, erscheint ferner der Ausdruck *runstaba*, über dessen wahre Bedeutung vielfach gestritten wird. Die ganze Stelle lautet:

Nohheinu   mezzu   erlaubit   noh fona catalingun
Nullatenus liceat Monacho, neque a parentibus suis,

noh fon einigun   noh im   untar im puah
neque a quoquam hominum, nec sibi invicem literar,

runstaba   so   uuelicha so manaheitl
aut eulogias, vel quaelibet munuscula accipere aut dare sine praecepto Abbatis. etc. Kero erklärt hier *literae* durch puah und *eulogiae* durch runstaba: aber unglücklicherweise ist das Lateinische Wort eben so dunkel als das Alemanische. So viel geht jedoch daraus hervor, dass es Geschenke seien, die der Mönch ohne Erlaubniss des Abtes nicht geniessen durfte; wahrscheinlich Testamente, welche, nach Carpentier, im Mittelalter *eulogiae* oder gewöhnlicher *eulogia* und *elogia* geheissen haben. Denn Testamente oder andere Verschreibungen (Kero nennt sie überhaupt *literas*) durften an keinen Mönch insbesondere geschickt werden: alles fiel der gebeimen Klosterkasse anheim. S. Kap. 59 dieser Benediktiner-Regel. Da man voraussetzen darf, dass die wahre Bedeutung des Wortes *eulogia* dem Kero, der selbst Benediktiner war, mochte bekannt gewesen sein, so liesse sich runstaba allenfalls durch „Erklärung des letzten Willens" auslegen. Grimm glaubt nun aus dem Dasein dieses Wortes allein mit grösstem Wahrscheine schliessen zu dürfen, dass in Teutschland ein eigenthümliches Alphabet vorhanden gewesen, dessen Buchstaben *runstaba* geheissen: und Lanz vermuthet, man hätte desshalb runstaba für Testamente genommen, weil die Testamente, damit sie auch Ungelehrte lesen könnten, in gemeiner Runenschrift aufgesetzt wurden. Ich will es einstweilen bei diesen beiden Folgerungen bewenden lassen, da sie den Grund rechtfertigen, warum ich die obige Stelle des Kero erst hier und

G

nicht bereits oben, wo von dem Etymon des Namens Rune die Rede war, angeführt habe.

Noch ist hier ein altes, für das teutsche Runenthum entscheidendes, Zeugniss zu berücksichtigen. Rhabanus Maurus (um 818), Erzbischof von Mainz, hat uns nemlich in seiner Abhandlung „De inventione linguarum ab Hebraea usque ad Theodiscam et notis antiquis" (Opp. ed. Colon. 1626. T. IV. p. 333. und in GOLDASTI Alam. antiquit. Tom. II. P. 1. p. 67) *) ein Runenalphabet aufbewahrt, von dem er vorher sagt: „Literas, quibus utuntur Marcomani, quos nos Nordmannos vocamus, infra scriptas habemus; a quibus originem trahunt, qui Theodiscam linguam loquuntur. Cum quibus carmina sua, incantationesque ac divinationes significare procurant, qui adhuc paganis ritibus involvuntur." Aus diesen Worten des Rhabanus folgt, dass das beigesetzte Alphabet für ein ursprünglich Teutsches galt; dass nur die, welche dem Heidenthume zugethan waren, sich dessen bedienten; und zwar zu einem besonderen Zweck, um ihre Gedichte, Zaubersprüche und Weissagungen damit aufzuschreiben. Das Alphabet enthält 23 Buchstaben, die in der Ordnung: atc. birith. chen. thorn. ech. fech. gibu. hagals. his. gilc **). lagu. man. not. othil. perc. chon. rehit. rugit. tac. hur. halach. huyri***). ziu. auf einander folgen. In der Gestalt der Buchstaben selbst zeigt sich, wie schon gesagt, auf den

---

*) WOLFGANG LAZIUS De migratione gentium p. 514 hat einen Theil eben dieses Alphabets (die ersten 15 Buchstaben, bis P) aus einer andern aber unvollständigen Hs. bekannt gemacht. Beide diese Alphabete sind wiederholt bei WORM lit. run. p. 46. 47. HICKES Thes. III. tab. 1. GRIMM Taf. 1.

**) Bei LAZIUS chilch.

***) Spr. W y r í (nach dem Nord. ýr.) Das Zeichen w war zu Rhabans Zeiten noch unbekannt, daher es auch hier durch hu, und später durch uu ersetzt wurde. Ubrigens ersetzt Rhaban in seinen Gedichten das y gewöhnlich durch iu, (unser ü).

ersten Anblick eine auffallende Aehnlichkeit mit den nordischen Runen, deren Züge im Ganzen nur einfacher sind.
Man muss jedoch bedenken, dass die Nordischen Runen,
welche wir kennen, auf Stein eingehauen oder auf Holz
eingeschnitten, die Teutschen dagegen mit der Feder auf
Pergament gemalt sind.

Alles kömmt nun darauf an, wer diese *Marcomani,
quos nos Nordmannos vocamus*, seien? Wie schon der
Name Mark-mannen zeigt und Helmold (*Chronicon Sla-
vorum c.* 68) bestättigt, waren es Völker, die die March
bewohnten, besonders begriff man darunter (*HELMOLD.
l. c. c.* 87) die sonst sogenannten Ditmarsen, *Telmarscii,*
die nebst den Holsteinern und Sturmaren Nordalbingien
inne hatten. Wenn nun eben diese Völker zu Rhabanus
Zeiten noch besonders Nordmänner genannt wurden,
so kennt man dasjenige Volk zuverlässig, welchem Rhabanus die Runen zuspricht. Wirklich lässt es sich auch aus
anderen Stellen erweisen, dass die Sachsen, die jen-
seit der Elbe wohnten, d. i. die *Transalbiani, Nordal-
bingi* zu jener Zeit Markmannen, Nordmannen, Nordleute
hiessen. (Vgl. die Annalen Karls d. Grossen *ad ann.* 789 in
SPENERS *notitia Germaniae Mediae C.* 4. *p.* 402. *FULCUIN
de gestis Abbatum Lobiens.* in ACHERY *Spicileg. Tom. VI.
p.* 559. GRIMM *p.* 150 *ff.*) Uibrigens nennt Rhabanus in der
Aufschrift seiner Nachricht diejenigen ausdrücklich *Theodis-
cos,* die er nachher *Marcomannos* und *Nordmannos* heisst.
Von eben diesen Nordmännern oder überelbischen Sachsen
redet vermuthlich auch der ungenannte Angelsachse in *Hum-
phred. Wanley Catalogo Codicum ASaxon.* HICKES
Thes. II. p 247, der gleichfalls das Runenalphabet liefert
und sodann folgende merkwürdigen Worte hinzusetzt: *Hae
litterarum figure ingente Nortmannorum feruntur primitus
invente. Quibus ob carminum eorum memoriam et incanta-
tionem uti adhuc dicuntur. Quibus et Runstafas (al.*

Rimstafas) nomen imposuerunt, ob id, ut reor, quod hii res abscondilas, vicissim scriptitandas aperiebant.

Im neunten Jahrhunderte endlich beginnen, wie eingeborne Forscher längst erwiesen haben, die zahlreichen Runendenkmäler des Nordens.*) Zum Uiberflusse können wir auch für diese Zeit ein ausdrückliches Zeugniss herweisen, das einen bereits ausgebildeten Gebrauch der Runenschrift im Norden ausser Zweifel setzt. Rimbert nemlich (*Vita S. Ansgarii* in LANGEDEKS *Script. Rer. Danic. I. p.* 448 und die *nota f.*) sagt: *servi Dei cum certo legationis experimento et cum literis regia manu more ipsorum deformatis ad serenissimum reversi sunt Augustum.* ANSGAR kehrte nemlich, nach einem zweijährigen Aufenthalte in Schweden, nach Teutschland zurück, und es gab ihm der König Björn von Schweden einen, mit den *deformibus gentis suae literis* d. i. mit Runen geschriebenen, Brief an den Kaiser Ludwig den Frommen mit.

VI.

Ursprung, Verbreitung und Schicksale der Runenschrift.

Dass das Alphabet der Phönicier ein Stammalphabet, und dass es eben dasjenige sei, aus dem alle übrigen Alphabete Europa's hervorgingen, darüber sind die Meinungen aller

---

*) Dass aber nicht auch ältere Runenmonumente in Skandinavien vorhanden seien, ist keineswegs ausgemacht. Die vorgenannte Felsenschrift von Runamo rührt selbst aus dem VI. Jahrhunderte her. Und so mögen manche Runensteine noch aus Odins oder dem nächsten Zeitalter nach ihm herstammen; wer aber vermag dies irgendwo mit Sicherheit zu bestimmen!

Forscher längst schon einig: sowohl Zeugnisse als auch gegründete Vermuthungen führen einmüthig darauf hin. Aus diesem Grunde sollten denn alle europäischen Alphabete, zumal die älteren, eine gewisse, durch den Abstand ihrer jedesmaligen Entwickelungsperiode bedingte, Aehnlichkeit mit der phönicischen Urform erkennen lassen. Bei keinem von den Alphabeten des Alterthumes aber ist die Aehnlichkeit mit dem phönicischen Alphabete in einem solchen Grade vorhanden, wie bei den Runen. Dieser Umstand schon spricht für das hohe Alter der Runen und ihrer Denkmäler. Hiezu kömmt, dass selbst der Name dieser Schrift ursprünglich phönicisch ist; es können mithin, wenn auch weiter keine Thatsache mehr übrigen sollte, um die unmittelbare Entstehung der Runen aus den Schriftzügen der Phönicier zu erweisen, die beiden eben erwähnten hinreichend sein, uns in diesem Falle die volleste Gewissheit zu geben. Nebstdem aber zeigt sich auch in der Anzahl der Runen und jener der phönicischen Buchstaben eine solche Uibereinstimmung, dass über die allernächste Verwandtschaft beider sofort kein Zweifel mehr obwalten kann. Fünfzehn bis sechzehn altrunische — eben soviel phönicische Buchstaben; die letzteren durchgängig und auf das augenscheinlichste den Runen gleichend: wer wird hier nach einem unzweideutigeren Beweise fragen können, da überdies auch noch geschichtliche Nachrichten eine nicht unbeträchtliche Bestätigung bieten? Die Phönicier segelten bekanntlich schon in früher Vorzeit nach Brittanien und an die Bernsteinküste, und waren überhaupt lange Zeit gänzlich im Besitze des Handels im Baltischen Meere.*) Sollten sie damals nicht auch auf die Sitten, Meinungen, Gebräuche, ja vielleicht selbst

*) Diese Handelsverbindungen sind, laut der Zeugnisse der Römer, gegen das Ende des zweiten Punischen Krieges, 201 v. Chr., so mächtig unterbrochen worden, dass von dieser Zeit an

auf die Sprache jener Anwohner, des Baltischen Meeres
eingewirkt haben? Wenn es gleich mit Reinegg nicht wohl
anzunehmen wäre, dass die Phönicier auch über entferntere
nordische Küsten sich ausbreiteten, selbe etwa gar eroberten und besassen; so kann doch leicht zugegeben werden,
dass diese fahrt- und gewinnlustigen Segler noch eine
gewisse Strecke über die Bernsteinküste hinaus und tiefer
in den skandinavischen Norden gedrungen sind. Es lassen
sich ja in solcher Beziehung noch deutliche Uibereinstim-
mungen phönicischer Glaubensansichten und Vorstellungen
mit Finnischen, und den Mythenlehren anderer nordischer
Urvölker nachweisen. Hiernächst muss also die Mittheilung
der wichtigsten und unentbehrlichsten Kenntniss, die Uiberlieferung der Schreibkunst, obenan gestellt werden, da ja
ohnehin der Gedanke an eine Verheimlichung dieser Kunst
von Seiten der Phönicier durchaus nicht aufkommen kann.
Die angestammte Wildheit der ältesten Bewohner des Nordens mochte zwar die allgemeine Annahme und Ausbreitung
der Schreibekunst nicht wenig hindern; desto sicherer aber
hat diese unter den Priesterverbindungen geblühet. Denn
dort am Baltischen Meere waren die Sitze jenes geheimnissvollen Dienstes der Hertha, jener priesterlichen Gebräuche und Mysterien, die sowohl anwohnende als auch
entferntere Völkerstämme einander näher geführt und sofort
zu anstrebender sittlicher Cultur wirksam vereinigt haben.
Indem nun die Priester einen weisen Gebrauch von der
ihnen mitgetheilten Schreibekunst machten, ist auch das Volk
nach und nach dafür empfänglich geworden, und hat dieselbe
zu Zauberspielen, Geheimnissen, endlich, wenn auch noch
sparsam genug, zu weltlichen Dingen und zu eigentlicher
Verständigungsschrift vererbt. Die ursprüngliche und un-

---

kein einziges Schiff mehr durch die Meerenge von Gibraltar kam.
Spanien nemlich und also auch Keltiberien war unter die Herrschaft der Römer gerathen.

bezweifelte Anwendung der Schrift zum magischen Gebrauche scheint auch die auf den Inschriften noch kennbare
Form der Runen bestimmt zu haben. Denn mit hölzernen
Stäben, die dazu ausgesucht und eingeweiht waren, wurde
diese Schrift gelegt, und der Seher oder Priester murmelte
dazu den weihsagenden oder beschwörenden Gesang. Es
sind die Runen auch, wie gesagt, eine wahre Stabschrift,
ganz eckig und geradlinig, Buch-*)staben im eigentlichen
Sinne des Wortes.

Endlich kam, um das fünfzigste Jahr vor der Geburt
Christi, der grosse und glückliche Reformator des alten
Nordens, Odin an der Spitze seiner Asen; um wie alles
übrige, so auch die vorgefundene Schrift ausbildend umzu-
stalten, und zur Erreichung fruchtbringender und allgemeiner Zwecke geschickt zu machen. Er hat diese Schrift dem
Geiste der Sprache mehr angepasst; ihre allgemeinere Verbreitung gefördert und ohne Zweifel auch das Schreibmate-
rial vervollkommnet, wo nicht gänzlich erst festgesetzt und
bestimmt. Odin führt in den ältesten nordischen Schrift-
denkmälern noch den Namen *Rúnhöfdi*, Runenhaupt,
Urheber der Runen. Er selbst sagt von sich:

>Ich weiss, dass ich hing
>Am windbewegten Baum
>Neun Nächte lang
>Vom Spiesse verwundet,
>Und Odin gegeben,
>Und selbst mir selber —
>An dem Baume,
>Von dem Keiner weiss
>Aus was Wurzel er spriesset.

---

*) Man bemerke die gemeinschaftliche Wurzel von **Buch**
und **Buche**: der uralte Schreibstoff bestand nemlich in Tafeln
von Buchenholz, in Buchen-Stäben. Wie sich nachher diese
Gemeinschaft trennte, so blieb auch hier (für *fagus* und *scipio*)
der Plural: **Buchen** und **Stäbe**; dort (für *liber* und *litera*)
hingegen: **Bücher** und **Staben**.

Sie reichten mir weder Brod
Und reichten mir weder Becher:
Gierig nieder ich sah
Und nahm die Runen auf,
Nahm sie schmerzend
Und fiel herab.[*]

So weit jedoch darf der obige Beiname Odins, der
ihn zum Urheber der Runen macht, so wie die eben angeführte Stelle aus dem Runenkapitel keineswegs ausgedehnt
werden, dass man Odin förmlich für den ersten Bekannt-
macher der Runen im Norden oder gar für deren Erfinder
ansehen wollte. Dagegen nemlich streitet eine Menge von
Gründen. Da sich die Runen sämtlich in Phönicischen,
sonst aber in keinem Alphabete, wiederfinden, so hätte
Odin unumgänglich mit diesem Alphabete bekannt sein
müssen und es angewendet haben; wohingegen es weit
wahrscheinlicher und natürlicher ist, dass Odin, sofern er
wirklich mit der Schreibkunst vertraut gewesen, griechische Schrift kannte; denn er kam ja vom schwarzen
Meere, wo alles von griechischen Kolonien voll war. Halten wir die letztausgesagte Vermuthung fest, so können
wir hinsichtlich der Runen mehre auf den Einfluss des griechischen Alphabets hindeutende Phänomene erklären. Das
phönicische Alphabet, die Quelle der Runen, beobachtet
wie alle morgenländischen Alphabete die Richtung von der
Rechten zur Linken. Bei weitem die meisten Runenschriften
aber haben die entgegengesetzte Richtung; jene ist auf
Runensteinen überhaupt eine Seltenheit. Hier ist nun die
Vermuthung natürlich, dass Odin die, der Griechischen
entsprechende, Schreibweise auch im Norden eingeführt
habe. Er, der ohnehin die Sitte, zum Gedächtnisse der
Abgeschiedenen Steine zu setzen[**]), in den Norden gebracht,
er war ja vor allen andern veranlasst gewesen, über die

[*]) *Runatals-þáttr Odins*, Str. 1, 2.
[**]) Snorro *Heimskr.* I. p. 10.

Einrichtung der Aufschrift nachzudenken; und so mochte
er hiebei seine, etwa an den griechischen Steinschriften
gemachten, Erfahrungen benutzt haben. Vielleicht schreibt
sich von ihm die auf Runensteinen häufige Bustrophädon-
Schreibweise her, die nur im Altgriechischen allein ihr Vorbild hat. Ist aber Odin wirklich mit der Kenntniss griechischer Schrift ausgerüstet in den Norden gekommen, so
sollte man vermeinen, er hätte mit dieser Schrift, die ja
bei weitem reicher und zweckmässiger war, die unbeholfenen
Runen lieber gänzlich verdrängt, als dass er auf die Ver-
besserung der letzteren seine Mühe wandte! Allein wenn
man bedenkt, wie sehr die Nordvölker an alten Sitten und
angestammten Fertigkeiten hingen, und wie spät nach
Bekanntwerdung der Schrift im Norden erst Odins Einwanderung Statt fand, so wird man alsbald einsehen, dass die
gänzliche Abschaffung der Runen wohl eben so wenig als
jene der Landessprache und der früher herrschenden Glaubensansichten und Gebräuche möglich war. Höchstens
gelang es dem Odin, ein nordischer **Palamedes** zu werden; denn wahrscheinlich sind die vier punktirten Runen
seine Ergänzung. Hierauf, und auf die gleichzeitige Anwendung der Runen zur Steinschrift, spielt auch eine
Stelle in Runenkapitel an. Odin sagt du:

Runen wirst du finden
Und verknüpfte Stäbe,
Gar grosse Stäbe,
Gar starke Stäbe,
D i e d i e h e i l ' g e n G ö t t e r g e m a c h t,
U u d d e r a l t e P r i e s t e r g e s c h m ü c k t,
U n d d i e e i n g r u b d e r o b e r s t e G o t t:
Odin bei den Asen, Dain bei den Elfen,
Dyalin bei den Zwergen, Alsvid bei den Riesen,
S e l b s t g r u b i c h e i n i g e e i n.*)

Nebst der Erweiterung des Runenalphabetes überhaupt
mochte Odin, und zwar nach der Idee von den ἐπίσημα,

---

*) *Runatals-Þáttr Odins*, Str. 5. 6.

die Runen auch als Zahlzeichen gebraucht haben; ingleichen
scheint es ferner, dass durch ihn der sonst unnütze, bloss
nur orthographische Unterschied des doppelten r, nemlich
des ᚱ une ᛣ sich erzeugt habe. Denn gerade die Griechen hatten ein solches doppeltes r: ϱ am Anfang und ϱ
in der Mitte und am Ende der Silbe, wie man deutlich
sieht, wenn ϱϱ zusammenkommen. Ohne Zweifel haben
aber die Griechen einen Grund dazu in der Aussprache
gefunden, wohingegen die Skandinavier beim Aussprechen
durchaus keine Verschiedenheit merken liessen. Nimmt
man nun zu allen diesen Umstaltungen und Verbesser-
ungen des Runenalphabetes auch noch die einzelen im
Geiste der griechischen Buchstaben daran vorgenommenen
Veränderungen für Odins Werk: so rechtfertigt sich vollends die Sage, dass Odin Schöpfer und Urheber der
Runen sei. Auffallend genug ist es jedoch, dass Odin
bei der ursprünglichen grossen Mangelhaftigkeit der Runen
es musste bewenden lassen (denn die punktirten Runen
möchten nicht wohl als eine förmliche Hinzugabe zu betrachten sein); doch scheint sich dies wieder durch die Möglichkeit zu erklären, dass Odin nicht sogleich Herr der
Sprache, zunächst nur nach fremden Analogien Veränderungen anzubringen wagte. Auch mag sich Odin mehr
auf die magischen Runen, oder die durch Runen zu er-
zielenden Zauberkünste verlegt haben, theils um sich zu
behaupten, theils um das Volk, das ohnehin an Wundern
mehr als an Schriftzügen Gefallen fand, durch allgemein
ansprechende und hochwichtig scheinende Erfindungen zu
gewinnen. Endlich konnten dem Odin jene, mit wahrhaft
odysseischer List ersonnenen und die angestrengteste, be-
harrlichste Thätigkeit erfordernden Pläne zu einer religiösen und politischen Umwälzung Skandinaviens, und seine
verhältnissmässig nicht sehr lange Lebenszeit die allsei-
tige Ausbildung der nordischen Schreibkunde, die seinen

eigennützigen Absichten überhaupt gar wenig zu frommen
versprach, unmöglich verstattet haben. Auch hatte ja
Odin nur zu erproben, dass er auch in der Schreibkunst
nichts weniger als fremd, sondern wie in Allem, so auch
hier über die Einsichten des skandinavischen Volkes und
seiner Priester weit erhaben sei.

Es ist bereits oben erinnert worden, dass die Teutschen
Runen unmittelbar aus den Nordischen sich entwickelt haben:
und zwar musste dies zu einer Zeit geschehen sein, wo man
im Norden nicht mehr als die sechzehn alten Runen kannte,
indem die bei Ergänzung der fehlenden Laute in beiden
Alphabeten obwaltende Verschiedenheit, eine eigenthümliche Fortbildung auf jeder Seite deutlich erkennen lässt.
Hat Odin, der obigen Vermuthung zufolge, die vier punktirten Runen im Norden wirklich hinzugesetzt und in allgemeine Aufnahme gebracht, so muss die Zeit, in welcher
das Runenalphabet den Teutschen ist mitgetheilt worden,
natürlicherweise noch in die vorodinische Periode zurück-
gesetzt werden. Auch dürfte, nach dem Gesagten, Odin
nicht der Erfinder der Runennamen sein, da diese ohne
Zweifel gleichzeitig mit den Schriftzügen selbst nach
Teutschland sind verpflanzt worden.

Jedenfalls aber hat, wie auch GRIMM andeutet, zu
jener Zeit eine viel innigere Verbindung zwischen Teutschland und dem Norden bestanden, als die ist, welche im
Allgemeinen aus der nahen Verwandtschaft beider Völker
folgt; sie leuchtet noch jetzt aus Sprache, Sitten und
mannigfachen Gebräuchen hervor, und aus ihr muss also die
Gemeinschaft der Buchstabenschrift herrühren. Eben diese
Verbindung zeigt sich ja nachher in dem gemeinschaftlichen
Besitz der Nibelungen Sage, wovon der Norden gleichfalls
die ältere und ursprüngliche Form bewahrte; am deutlichsten aber geht sie aus dem Umstande hervor, dass wir zu
anderer Zeit diese teutschen Runen auf nordischen Denk-

mälern mitten unter den gewöhnlichen Runen wieder angewendet finden.

Es lässt sich ferner darthun, dass die Teutschen Runen,
deren wahrscheinlich ganz ächte Gestalt wir noch bei Rhabanus finden, von den Sachsen aus ihren teutschen Stammsitzen nach England mitgenommen wurden, nicht aber die
Nordischen Runen unmittelbar dahin übergegangen und
Grundlage der Angelsächsischen geworden sind. Denn vorerst sind durchaus keine Runendenkmäler aus so früher
Zeit in England vorhanden; ebenso fehlt es gänzlich an
Zeugnissen, woraus sich nur einigermassen schliessen
liesse, dass die Angeln bereits vor der Landung der Sachsen mit den Runen bekannt gewesen sind; ja es ist sogar
zweifelhaft, ob zu jener Zeit die vielerfahrenen brittischen
Druiden selbst eine Schrift kannten, weil kein einziger
römischer Schriftsteller etwas davon erwähnt. Auch ist
hier nicht zu übersehen, dass dem rhabanischen Alphabete
einiges fehlt, was in dem Angelsächsischen, wie es scheint,
spätere Erweiterung ist. Dass hingegen in Teutschland
längst schon die Runenschrift üblich gewesen, ist ja keinem
Zweifel unterworfen. Denn unbeachtet dass Fortunatus
das Dasein der Runen in Teutschland ausdrücklich bezeugt,
so finden wir in dem Ulfilanischen Alphabete zwei Runen,
welche nur im Teutsch - Angelsächsischen und nicht im Nordischen Runenalphabete vorhanden sind, folglich aus einem
uralten, der vorchristlichen Zeit angehörigen, teutschen
Runenalphabete entlehnt sein müssen. Endlich — sagt
Grimm — ist auch zu merken, dass nach den ausdrücklichen
Worten des Rhabanus (S. oben) das Markomanische
Alphabet einem heidnischen Stamme zugehörte, es
aber nicht glaublich wäre, dass die Angelächsischen Priester einem solchen für seine Geheimlehre eine Buchstabenschrift würden überliefert, so wie umgekehrt die Heiden von jenen sie angenommen haben; es musste ein altes,

geheim gehaltenes Eigenthum sein. Hier ist nun auch
Gelegenheit, die nöthige Erläuterung zu einigen, in alten
Handschriften vorfindlichen und bereits oben angezeigten,
teutsch-angelsächsischen Runenalphabeten beizubringen.
Nach GRIMM stammen die Runen des St. Galler Alphabets
(Hs. N. 270 p. 52) von den Angelsächsischen ab. Es
herrscht nemlich hier die grösste Uibereinstimmung: alle
Eigenthümlichkeiten und Abweichungen, der grössere
Reichthum an Zeichen, welche feinere Unterscheidungen
verwandter Laute enthalten, manches Einzele in der Form
der Buchstaben selbst, finden sich wie im Angelsächsischen
Runenalphabete, so im St. Galler wieder; wobei besonders
hervorzuheben ist, dass die ganze Folge des St. Galler
Alphabets, wornach die alte Ordnung der sechzehn alten
Runen zum Grunde liegt, die neueren aber hineingetragen
sind, dieselbe ist, wie wir sie im Angelsächsischen Alphabete beobachtet finden. Die Runennamen der Wiener Hs. (N.
277. f. 39) ferner zeigen ebenfalls den angelsächsischen Ursprung ganz deutlich, wobei man zugleich erwägen muss,
dass sie sich in den Werken des Angelsächsischen Priesters
Bonifacius befinden. Der Schreiber hat die Runen in
die lateinische Buchstabenordnung eingepasst. Endlich
gehören noch die beiden bisher unbekannten Runenalphabete hieher, welche sich in zwei sehr alten Hss. einer Abhandlung des Isidorus finden, und von GRIMM (p. 146
ff. und Taf. II.) zuerst sind bekannt gemacht worden. Das
erstere (von dem St. Galler Geschichtschreiber ILDEFONS
VON ARX aus einer dortigen Hs. N. 878 mitgetheilt) welches in der genannten Hs. schon im ausgebildeten Gegensatze zu den nordischen Runen dargestellt ist, scheint so
wie das beistehende nordische Alphabet von einem Angelsachsen abzustammen und hierauf von einem unwissenden
alemanischen Schreiber aufgezeichnet oder überarbeitet zu
sein; das letztere, (vom Geh. Kab. Rath. KOPP in einer,

vormals der Pariser Bibliothek angehörigen Hs. entdeckt und mitgetheilt) möchte die bei dem ersteren Alphabete geäusserte Ansicht bestättigen; denn es erscheint zwar allein, aber in einer so fehlerhaften Auffassung, dass man abermals glauben muss, der Schreiber habe nichts davon verstanden. So weit von den bewussten Handschriften.

Mit der allmäligen Verbreitung der Odinischen Religion ward auch die Sitte, den Todten Monumente zu errichten, in den meisten Gegenden Skandinaviens herrschend. In diese Zeit muss man die allerältesten nordischen Runensteine setzen; auch ist es höchst wahrscheinlich, dass sich diese in dem, an Runensteinen überreichen, Upland vorfinden müssten, weil eben hier, wie bekannt, der Hauptsitz der Odinischen Religion gewesen ist. Ausserdem, dass sich die Runenschrift fortan als eigentliche Monumentalschrift im Norden behauptete, lös'te sich auch ihr Zusammenhang mit der Mysterienweisheit und Zauberkunst immer mehr auf; oder es sonderten sich vielmehr die magischen Runen von den sogenannten Schriftrunen förmlich ab, so dass die letzteren nur auf Grabmälern, Stäben, Holztafeln, Münzen und einigen anderen Gegenständen zur Anwendung kamen. Nie aber waren die Runen zur Bücherschrift bestimmt.

Die nachherige Einführung des Christenthums im Norden hat auf die Runen den wichtigsten oder vielmehr den verderblichsten Einfluss geäussert. Die ersten Christen strebten die Runen als alte heidnische Zaubercharaktere immer mehr zu verdrängen*), und dehnten ihren Hass

---

*) Im Norwegischen Gesetze lautet es desshalb: *Si quis ratiocinationibus, runis, incantamentis, maleficiis, praestigiis aliisque ejus generis erroneis judicatis actionibus deditus fuerit (Ef ma dr foermet Spaadom, Runum, Galdrum, Gierningom, Lifiom, edr adrom Þvilikom lutom) exul erit, ejusque bona regi et episcopo cedent.*

gegen die hinterbliebenen Werke ihrer Vorfahren und die
Heiligthümer ihrer noch heidnischen Stammgenossen so
weit aus, bis alle diese Monumente und mit ihnen die letzten
lesbaren Spuren des Heidenthumes und der damit verbundenen Zauberei gänzlich vertilgt waren. Diejenigen Runenmonumente aber, welche der Zerstörungswuth der christlichen Bekehrer entgangen sind, wurden nachher grösstentheils, jedoch wohlbearbeitet und vom abgöttischen Gräuel
gereinigt, zum Kirchenbaue verwendet. Hieraus lässt sich
denn erklären, wie eine nur so geringe Anzahl heidnischer
Runensteine auf uns gekommen ist — beinahe alles erlag
dem blinden Religionseifer der ersten Christen.

Unter allen diesen Zerstörungen erhielten sich die
Runen anfangs noch neben der lateinischen Schrift. Es
wurden auch noch auf christlichen Kirchengeräthen, Tauf-
becken, Kreuzen, Bildsäulen, ja auf den Kirchenmauern
selbst runische Inschriften angebracht. Auch von den Münzen kam die Runenschrift nicht sogleich ab. Die in England
geschlagenen Münzen Knud des Grossen haben bloss lateinische Legenden, die von Svend Estrithsön aber und Magnus dem Guten theils lateinische, theils runische. Eben
so wurden die Runen von dem Volke, das der fremden
Schriftzüge so schnell nicht mächtig werden konnte, häufig
mit den lateinischen Buchstaben zusammengemischt, wie
sich dies unter andern an jenem, zwei Meilen von Stockholm bei Botkyrkia stehenden, Runensteine bestättigt.
Merkwürdig aber ist es, dass sogar ein runischer Buchstab
den Isländern für immer blieb, weil das lateinische Alphabet
kein Zeichen dafür hatte, nemlich das Þ (þ ur s, jetzt þ or n);
ein ähnliches Verhältniss erscheint auch in dem lateinischen
Alphabete der Angelsachsen. Ferner beweist das Wessobruner Gebet aus dem VIII. Jahrhunderte, dass, als
der Gebrauch der lateinischen Schrift für die teutsche
Sprache längst schon durchgedrungen war, man sich der

alten Runen noch zuweilen als Abkürzungen bediente. Denn das in dem oben genannten Wessobruner Gebets vorkommende senkrecht durchschnittene *X*, welches die Vorsilbe *ga (cha, gi)* bezeichnet, ist nichts andern, als das runische *ch*, oder die teutsche Rune *chilch*. Dass die Runen als Abkürzungen auch im Norden einige Zeit üblich gewesen, beweis't eine Pergamenhs. der Jomsvikinga Saga aus dem 13. Jahrhundert, woselbst immer die Rune Ⴘ für das Wort Mann *(madr)* gebraucht ist. Auch zu Handzeichen wandte man in späterer Zeit die Runen an, wie mehre Diplome aus dem 15. und 16 Jahrhunderte ausweisen.

Am längsten erhielten sich die Runen auf den nordischen Kalenderstäben; denn noch im siebenzehnten Jahrhunderte kannte das Schwedische Landvolk keine vollkommneren Kalender, als diese Runenhölzer. In den Kirchen kam die Runenschrift schon im dreizehnten Jahrhunderts ab, zu welcher Zeit auch schon die Rundung der lateinischen Schrift entstellend auf sie eingewirkt hatte. Endlich ward auch die Bekanntschaft mit lateinischen Büchern, erst der kirchlichen, dann den Profanscribenten und den Chroniken des Mittelalters, häufiger; und der Sieg der römischen Schrift der Angelsachsen über die Monumentalschrift des Nordens ward zugleich ein mächtiges Verbreitungsmittel einer besseren und allgemeineren Cultur, deren Aufschwung selbst der vielfältigste Gebrauch der Runen in den früheren Jahrhunderten nur wenig zu fördern vermocht hatte.

Anhang.

Die Steinzeichen auf dem sogenannten Markomanischen Thurm zu Klingenberg in Böhmen.

Beinahe zehn Jahre sind es, seit man der, nunmehr gänzlich in Ruinen liegenden, Veste Klingenberg (Czechisch: Zwikow) eine nähere Aufmerksamkeit schenkt. Die nächste Veranlassung hiezu gaben mehre, daselbst in die Quadern des alten Thurmes eingehauene Zeichen, deren theilweise Aehnlichkeit mit den Schriftzügen einiger alten Völker allsogleich die regste Theilnahme einheimischer und auswärtiger Alterthumsforscher erweckte.

Man sah darin nun bald griechische Buchstaben, bald Keilschrift; endlich sogar, und zwar ganz deutlich — Runen. Die letztere Meinung gewann hauptsächlich desshalb zahlreiche Anhänger, weil derselbe Thurm, auf welchem die gedachten Schriftzüge sich finden, noch ein Uiberrest der Markomanischen Baukunst sein, d. i. mindest aus dem fünften Jahrhunderte, dem Zeitalter der Markomanen in Böhmen, herrühren soll. Es schien darum natürlich, auch die auf den Mauersteinen des Thurmes befindlichen Zeichen den Markomanen zuzuschreiben; und sie, da ein Markomanischer Stamm nach

H

167

dem Zeugnisse des Rhabanus Maurus sich der Runen
bediente, ebenfalls für Runen zu halten. Misslich aber
war es, den Schlüssel zu diesem markomanischen Alphabete zu finden. Das Runenalphabet des Rhabanus, so wie
die von Worm, Hickes und den Verfassern des *Nouveau*
traité de Diplomatique zusammengestellten, allgemeinen
Runenalphabete reichten, ungeachtet ihrer Vollständigkeit,
hier nicht aus, und weiter war für das gefühlte Bedürfniss
nichts mehr vorhanden; dennoch ging man von der einmal herrschenden Meinung nicht ab.

Die Ursache dieses, noch bis zur Stunde nicht gehörig
beseitigten, lächerlichen Irrthums, lag aber vornehmlich
in den fehlerhaften und höchst willkührlichen Abzeich-
nungen, welche der gelehrten Welt durch die Fürsorge
Grossings und Millauers *) davon sind gegeben worden.
Hätte man für eine getreue Abbildung gesorgt, so war
bei der Kundbarkeit der meisten alten Alphabete, Insondern der Runen, die völlige Entzifferung der vermeintlichen
Inschrift — wenn auch nicht den Worten, so doch den
Schriftzügen nach — unausbleiblich. Um denn endlich
vor dem völligen Einsturz des allmälig morschenden
Klingenberger Thurmes die Sache mit der Inschrift noch
mehr in's Reine zu bringen, entschloss ich mich im Frühlinge
des Jahres 1828 selbst dahin zu reisen, und habe sofort
an Ort und Stelle mit der grössten Treue und Genauigkeit
die Abzeichnung aller noch einigermassen sichtbaren Zeichen vorgenommen. Meine Ausbeute finden die Leser
auf der beigefügten lithographirten Tafel III.

Ich habe bei der gegenwärtigen Abzeichnung nicht
nöthig, den Lesern mit der Erinnerung zuvor zu kommen,
dass die Zeichen auf dem Klingenberger Thurme keine

---

*) Vgl. unter andern MILLINS *annales encyclopédiques* 1815.
II, 273 — 284. und die Antiquariske Annaler III, 392 ff.

Buchstaben seien, und dass hier durchaus von keiner
Inschrift, am wenigsten von Runen, sondern ein für allemal nur von bedeutungslosen Steinmetzzeichen die Rede
sein kann; woraus denn hervorgeht, dass der ganze Fund,
den die Thurmwände von Klingenberg verheissen haben,
für die Alterthumsforscher fortan sehr gering, ja höchst
gleichgiltig und nichtig zu nennen ist. Um es aber nicht
wieder so zu machen, wie Herr D. JUNGMANN, der sich
einbildete, bei einem so vielbesprochenen Gegenstande
werde es mit seinem kathegorischen „Es sind Steinmetzzeichen"*) abgethan sein: will ich hier die ge-
wichtigsten Gründe für meine eben ausgesprochene Behauptung beibringen.

Die Veste Klingenberg hat drei Thürme; der hier in
Rede stehende hängt auf der einen Seite vermittelst der
Capelle mit den Mauern der Burg zusammen und befindet
sich so ziemlich im Mittelpunkte des Ganzen. Er ist vier-
eckig und ganz aus Granitquadern erbaut. Die Zeichen
sind ziemlich roh mittelst des Meissels eingehauen und
grösstentheils auf der Aussenseite des Thurmes kennbar;
auch gehen sie (von der ersten Reihe über der Erdober-
fläche an) nicht über die sechzehnte Granitschichte hinaus.
Hier nemlich hören die Zeichen auf und ein jeder Stein
hat nur noch ein rundes Loch in der Mitte, das nicht
über zwei Zoll Durchmesser und ohngefähr eben so viel
Tiefe hat. Es ist leicht abzusehen, dass diese Löcher,
die man eben so innerhalb des Thurmes wieder bemerkt,
beim Hinaufziehen der Steine zur Einfestigung der Klam-
mern gedient haben, welcher Apparat jedoch bei den
unteren Reihen, wo man sich die Bausteine reichen konnte,
nicht erforderlich war. Ob auch die Grundmauern des
Thurmes ähnliche Chiffern haben, fand ich zu untersuchen

*) Vgl. Hesperus, April, 1819. Beilage: N. 17. S. 96.

H 2

nicht mehr nöthig. Wichtig aber schien es mir, dieselben Steine, auf denen ich keine Zeichen bemerken konnte, an der Innenseite des Thurmes auszuzählen, indem ich vermuthete, dass die Stärke der Wände nur aus einer einzigen Steinbreite bestehe. Als ich mich nun auf solche Weise orientirt hatte, fand ich etwelche, von aussen glatte, Steine auf der Kehrseite mit Chiffern versehen. Und da ich hierauf bei den, zu Ecken eingesetzten, Steinen eine ähnliche Erfahrung machte, so gewann ich die Uiberzeugung, dass von jedem Steine nur immer eine einzige Seite bezeichnet, die dann bald und am häufigsten aussen, seltener innerhalb des Thurmes sichtbar ist, zuweilen vielleicht auch gerade da angemauert sein mag. Da endlich ein und dasselbe Zeichen mehrmals in verschiedenen, durch die jedesmalige willkührliche Einlage des Steines herbeigeführten, Richtungen erscheint, so ergibt sich hieraus die für die obige Behauptung günstige Thatsache, dass die Zeichen bereits vor der Aufbauung des Thurmes eingehauen, und da oft eine lange Reihe von Steinen mit einem und demselben Zeichen versehen ist, die völlige Gewissheit, dass es keine Schriftzüge, sondern einzig nur Steinmetzbezeichnungen sind.

Ob aber diese Zeichen von den Markomanen, den angeblichen Erbauern dieses Thurmes, sind eingehauen worden, dürfte, wenn man will, zwar nie auszumitteln, aber demungeachtet mit mehr Gewissheit als Wahrscheinlichkeit zu beantworten sein.

Die Geschichte sagt uns, dass eingewanderte Markomanen durch etwa fünf Jahrhunderte die rauhen Gegenden Altböhmens bewohnt haben. Neben dieser Nachricht aber übrigt uns — und wie sollte dies auch? — schlechterdings kein Denkmal mehr, das dieser Markomanen ehemaliges Dasein verkündete; ohne Spur sind sie zu einer Zeit, nämlich gegen das Ende der Völkerwanderung, wie

aus ihrem neuen Wohnlande, Böhmen, so aus der Geschichte
gänzlich verschwunden. Unter solchen Umständen ist es
einigermassen abnehmbar, was sich der vorurtheilsfreie
Forscher bei Aufweisung von Markomanischen Alterthümern in Böhmen denken mag, und vollends erst bei
einem so bedeutenden, so grossartigen Bau, wie der alte
Thurm der Veste Klingenberg. Wie ungereimt ist es nicht
in mehr denn einer Hinsicht, den unsteten, kriegerischen
Markomanen, die Erbauung eines, so viel Kunst, so viel
Ausdauer und ungewöhnliche Anstrengung erfordernden,
Thurmes zuzumuthen! Welchen Zweck hätten auch die
Erbauer mit dem einzelen, auf einer zwar nicht sehr zugänglichen, aber äusserst mässigen Höhe befindlichen Thurme
erreichen wollen? Zu einer Verschanzung diente er gewiss
nicht, wenigstens ist zu einer solchen Annahme weiter kein
Grund vorhanden. Auch glaube ich nicht, dass selbst die
Tempel und Heiligthümer der Markomanischen Gottheiten
und die Königsburgen Marbods und Catualds aus etwas
anderem als blossem Holz erbaut waren; regelmässig zugemeisselte Bausteine von überdies schwer zu förderndem
Granit müsste etwa nur der in Rom erzogene Marbod unter
den Markomannen in Gebrauch gesetzt haben; schwerlich
haben diese einen Begriff von Baukunst aus ihren vor-
maligen Stammsitzen mitgebracht. Ob aber der kühne
Marbod sein kriegerisches Volk zu mühsamer Sklavenarbeit,
zu einem so zwecklosen Bau habe zwingen dürfen, ist eine
sich von selbst aufwerfende Frage, die mit einer zweiten,
ob nemlich Marbod im Strudel grosser Unternehmungen,
im Rausche noch grösserer Pläne, zu dem Entschlusse
gelangen konnte, in einem Lande, wo er überdies gar
nicht zu bleiben gedachte, einen so langwierigen, mit
unendlichen Schwierigkeiten verknüpften, Bau zu unternehmen, meines Erachtens, gemeinschaftlich verneint
werden muss. Hat wohl auch Marbod nöthig gehabt,

seinem Volke die Schreibkunst beizubringen ? Wahrscheinlich war unter seinen Markomanen, ob sich diese gleich
zur Baukunst mit Steinen noch nicht erhoben hatten, wie
unter den übrigen teutschen Stämmen, schon früher die
Runenschrift üblich, die denn nicht leicht von der Römischen
Schrift hätte verdrängt werden können. Darum dürfte ein
jedes Denkmal dieser Art, folglich auch der Thurm von
Klingenberg, sofern er Schrift und zwar Markomanische
Schrift enthalten hätte, ohne allen Zweifel R u n e n aufweisen.

Es ist endlich nicht wohl zu ergründen, wo die Quelle
der Benennung „M a r k o m a n e n t h u r m ", der unschick-
lichsten aller Benennungen, zu suchen sein möchte.*)
Dass hiebei eine unzeitige Vaterlandsliebe böhmischer
Alterthumsfreunde im Spiele sei, bezweifle ich mit Recht,
und wäre demnach geneigt, diese Benennung vielmehr
für fremder Forscher sinnigen Einfall zu halten, mit der
verwahrenden Uiberzeugung jedoch, dass ihn in aller Welt
nicht die Unwissenheit, sondern nur der Scherz allein hat
hervorbringen können.

Dass Klingenberg die älteste unter den achthundert
Ritterburgen Böhmens sei, ist nicht ganz unwahrscheinlich;**) und dass hinwieder der erwähnte Thurm der älteste

---

*) Doch scheint mir bis jetzt noch immer GROSAIKO dessen
Urheber zu sein. S. die W i e n e r Z e i t s c h r i f t für Kunst,
Literatur, Theater und Mode, 1817. Nr. 90 — 100.

**) Denn der Umstand, dass Cosmas und sein erster Fort-
setzer beinahe dreihundert Jahre vorher, als noch von Klingenberg in der Geschichte eine Erwähnung geschieht, schon mehrer
anderer Ritterburgen gedenkt, nemlich *Prow, Lůtomysl, Alad-
ka, Hradec* im z e h n t e n : *Drewic, Chlumec* im eilften; *Krzi-
woklat, Daczin, Gradec* u. s. f. im z w ö l f t e n Jahrhunderte —
vermag glaublich diese Meinung nicht zu widerlegen, wiewohl
immerhin einiges Gewicht darauf zu legen ist.

Theil der ganzen Veste sein muss, dies lehrt der Augenschein. Hieraus aber folgt noch keineswegs ein vierzehn-
hundertjähriges Alter desselben. Unsere einheimischen
Nachrichten darüber heben erst mit dem dreizehnten Jahrhunderte an. Die älteste Stelle nemlich, die ich demnächst aufzufinden vermochte, steht in der Chronik des
Pulkawa*) und lautet: *Item eodem anno* (1248) — —
*dissensionis materia suboritur inter Wenzeslaum Regem
nec non filium suum Przemislonem tam magna, quod pater
coactus est filio suo resignare coronam, sibi castro Zwih-
kow alias Klingenberg**), Loket alias Elbogen et
Ponte* (Brüx) *tantummodo reservatis. Sed quia de jure
per metum juramentum extortum non obligat, pater ipse
pactis hujusmodi postea aquiescere noluit.* Auf dasselbe
Jahr 1248 ferner berichtet der Domherr FRANZ***) König
Wenzel habe diesen seinen aufrührischen Sohn (den nach-
maligen Ottokar II.) auf das Schloss Klingenberg ver-
wiesen. Es heisst da nemlich: *Videns (Przemysl) se
patri resistere non posse, humiliter se gratiae paternae
subdidit et submisit, et sic per Barones sunt reducti ad
concordiae unitatem, quem pater ratione correctionis in
castro Zwikow posuit, ut poenitentiam ageret de exces-
sibus praetaxatis.* Beide Chronisten brauchen von Klingenberg den Ausdruck *castrum*, woraus sich denn vermuthen lässt, dass damals schon mehr als der blosse
Thurm musste erbaut gewesen sein. Vielleicht stammt
der Thurm doch noch aus dem z e h n t e n oder e i l f t e n

---

*) *Przibiconis dicti Pulkawae Chronicon Bohemiae in* DOB-
NERI *Monum. hist. Boh. Tom. III. p. 220,*

**) Im CZECHISCHEN nemlich bedeutet Z w u k Klang, Ton.
POLN. *dzwiek.* DALM. (bei Mikalia) Z v ë k m. (bei Wuk)
Z v ë k a f. idem, z v ë k a t i tönen, klingen.

***) *Francisci Chronicon Pragense. Lib. I. c. 1. in Script. rer
Bohem. ed.* PELZEL et DOBROWSKY *Tom. II. p. 19.*

Jahrhunderte; weil seine Bauart sich so auffallend von dem Style der übrigen Theile der Burg, welche ebenfalls König Wenzel oder sein Vater Ottokar I. könnte erbaut haben, unterscheidet. Denn mit dem Letzteren beginnt die ununterbrochene Reihe der böhmischen Könige, und eben in solcher Beziehung heisst es, dass Böhmens Königskrone, bevor noch das Schloss Karlstein (1348) erbaut war, in dem alten Thurme der Veste Klingenberg sei verwahrt worden. Stransky *) nemlich sagt: *Ante Carolosteinam conditam Zwicoviae, regni Coronam, caeterumque ornatum in turri quae tuberosa vocatur et lapide quadrato operis mirandi tota constat, servari solitum ferunt.*

Andere zumal spätere Thatsachen aus der Geschichte Klingenbergs herauszuheben, dazu ist hier der Ort nicht; auch mag dies einem böhmischen Geschichtsforscher überlassen bleiben. Nach der Volkssage und der Chronik des Hagek soll übrigens die Veste Klingenberg ein berühmter Sitz der Templer gewesen sein. Schon seit dem dreissigjährigen Kriege liegt sie in Ruinen.

---

*) *Stransky de republica Bojema. Cap. II. in Goldast de Regni Bosmiae Juribus ac privilegiis. Tom. II. p. 434.*

Zweite Abtheilung.

I.

Die Poetik der Skalden.

Die Sänger des Nordens, deren kühne Weisen durch mehr
denn tausend Jahre zu uns herüberklingen, haben sich
Skalden genannt. Krieger und Sänger zugleich, hauch-
ten sie auch in ihre Lieder nur starke Gefühle, Aben-
theuersinn, Kampflust und Heldenliebe; und ihrer Gesänge
Form und Inhalt musste gleich anregend, belebend und
begeisternd sein.

Wie sehr das Ohr sich an rhytmischen Eindrücken
ergötze und dass es bei einem lebendigen und freiwirken-
den Volke der alleinige Richter und Bildner der heimischen
Dichtkunst sei, ist eine, nicht bloss unter den gesang-
liebenden Völkern des Alterthums, sondern auch heut zu
Tage noch immer fortdauernde Erfahrung. Kein Befremden
daher, wenn uns in der altnordischen Poesie, in den trefflichen Liedern der Skalden, ein stetes Klangspiel, ein
lebendiger und vielförmiger Takt, mit einem Worte eine
musikalische Vollendung erscheint, von einer Eigenthümlichkeit, die der gebildetsten Poesie unserer Zeit — freilich
nicht wünschenswerth — aber auch durchaus nicht mehr
erreichbar ist.

Als der natürliche Grund der also ausgebildeten nordischen Sanges- und Verskunst muss neben dem Bau
der Sprache selbst, der Genius des Volkes angesehen

177

werden, das sie sprach, und die nächste Bestimmung und Anwendung der Skaldenlieder überhaupt, die meist aus Chören bestanden, oder doch für grössere Kreise verfertigt, bald beim fröhlichen Male und zum Saitenspiel in den Hallen der Könige, bald bei den Feierbräuchen der Götter und am Kampfplatze vor und nach der Schlacht sind abgesungen worden.

Die altnordische oder isländische Sprache, ein Zweig des niedern germanischen Sprachstammes, hat denn die tonartige Grundstimmung in dem Formellen ihrer ältern Dichtkunst ganz eigenthümlich cultivirt und als eine Sprache, die nicht sowohl vom Zeitmasse, als vielmehr von ihrem innern, vom geistigen und logischen Accente ausgeht, nach und nach vollständig aus sich selbst erzeugt. Zur Erklärung einer solchen selbständigen Entwickelung der musikalischen Dichtungsformen liefern mehre Sprachen, denen das Princip der Accentuation eigen ist, die nöthigen Belege.

Man vergleiche ferner die melodische und rhythmische Beschaffenheit der Dichtungen verschiedener Völker, so wird man den Vokal unter den mehr südlichen Sprachen, gleichsam als deren Prinzip, vorherrschend finden, wogegen die Sprachen des Nordens in ihren frühesten Dichtungen das musikalische Spiel der Consonanten künstlicher ausgebildet haben.

Auf dem consonantischen Tonspiele oder dem bedeutsamen Widerklingen einzeler Consonanten beruht nun das System nordischer Alliteration, das, nebst der Assonanz, welche in den späteren Skaldenliedern mehr oder weniger damit vereinigt erscheint, nur ein, nach seinen besonderen Lauten aufgelös'ter Gleichklang der Sylben oder Reim im eigentlichen Sinne ist. Uiber dieses Verhältnisse, und nur in Beziehung auf die Dichtkunst der

Skalden, haben wir uns vorgenommen, in den folgenden Blättern zu sprechen, welche demnächst in drei Abschnitte zerfallen.

1. Versbau.

Beinahe alle Skaldenlieder sind in Stanzen, Weisen oder Strophen *(erendi, visa, staka)* abgetheilt; und eine solche Strophe fasst gewöhnlich acht — seltener vier, sechs oder zehn — Verszeilen *(ord, visuord)* in sich. Die Strophe zerfällt ferner noch in zwei Halbweisen *(visuhelmingr)* und jede von diesen wieder in zwei Theile, so dass Weisenviertel *(visufiördüngr)* entstehen, welche jedesmal zwei zusammengehörige und durch Reimstaben verbundene Verszeilen enthalten, deren erstere die Vorzeile, die letztere aber die Nachzeile heisst. In der achtzeiligen Strophe findet nach dem zweiten Weisenviertel gewöhnlich eine Sinnpause Statt; dasselbe wird in den sechszeiligen Strophen nach der dritten und in den vierzeiligen nach der zweiten Verszeile beobachtet.

Wie schon gesagt, ist der Stabreim oder die Alliteration das Charakteristische in der altnordischen Poesie; ausserdem werden durch die Anzahl der Silben und Reimschälle die verschiedenen Versarten gebildet.

Der Stabreim ist also Uibereinstimmnng anlautender Mitlaute oder, wie v. n. HAGEN sagt, ein umgekehrter, an Anfang des Verses wie des Wortes gesetzter, Reim. In allen isländischen Dichtungen, welcher Versart und welchem Zeitalter dieselben auch immer angehören möchten, wird der Stabreim gefunden; die Natur der Sprache hat ihn gewissermassen sich selbst vorgeschrieben. *) Es hat hiemit folgende Bewandtniss. In zwei

---

*) Die nordischen Mundarten besonders lieben einsilbige Töne. Hart, sagt HERDER, wird der Schall angestossen, stark angeklungen, damit soviel möglich alles auf einmal gesagt werde.

aufeinander folgenden Verszeilen müssen d r e i Wörter vorkommen, welche dieselben Anfangsbuchstaben, Reimstaben *(liôdstafir)* genannt, haben, und zwar müssen zwei dieser Wörter in der ersten, das dritte, und wichtigste, nach welchem so zu sagen jene bestimmt werden, vorn in der andern Verszeile stehen. Der Reimstab in der Nachzeile heisst Hauptstab *(höfudstafr)* die beiden andern in der Vorzeile hingegen werden Beistaben *(studlar)* genannt. Natürlich dürfen es nur betonte Wörter und Wurzelsilben sein, auf welche der Stabreim fällt, vornehmlich wenn der Vers nicht gar lang ist. z. B.:

> *Farvel fagnadar*
> *fold ok heilla!*
>
> Fahre wohl Gefild
> Der Freud' und Wonne!

In *fold* ist der Hauptstab, in *farvel* und *fagnadar* sind die Beistaben.

Für die Anwendung des Stabreimes *(stafasetning)* gibt es nach Umständen gewisse Einschränkungen oder nähere Bestimmungen, wovon folgende die wichtigsten sind:

a) Wenn die Verszeilen sehr kurz sind, werden mitunter auch nur z w e i Reimstaben gefunden, in jeder Zeile Einer; auch fällt der Hauptstab nicht immer auf die allererste Silbe der Verszeile. Die Anakrusis der isländischen Verse wird *málfylling* (Ausfüllung der Rede) ge-

---

Eine Silbe soll alles fassen; die folgenden werden zusammen gezogen und gleichsam verschlungen, so dass sie selten aushallen und kaum zwischen den Lippen als erstickte Geister schweben. Aus dieser beliebten Einsilbigkeit war es natürlich, dass, wenn man Worte gegen einander künstlich stellen wollte, dies insonderheit im Anklange bemerkt werden musste, indem der Ausgang der Worte gern im Dunkeln blieb. Dies nun die Entstehungsweise des nordischen Alliterationssystems, das um kein Haar unnatürlicher als der Reim ist; indem man hier nur in der Mitte oder vorn reimt.

nannt; sie besteht in einem oder zwei kurzen und unbetonten Wörtchen, die vor der ersten Thesis hergehen und sonach nicht mit zum Versmasse gerechnet werden. z. B.

Reiðr var þá Vingþórr
er hann vaknaði
ok sins hamars
um saknaði.

Erzürnt war Vingthor,
Als er erwachte,
Und seinen Hammer
Vergebens suchte.

b) Wenn der Hauptstab einer von den zusammengesetzten Buchstaben *sk*, *st*, *sp* ist, so müssen die Buchstaben ebendieselben sein, und ein blosses *s* oder ein *s* mit einem andern darauf folgenden Mitlaute ist unrichtig. Dasselbe wird oft, aber nicht so nothwendig bei andern gedoppelten Hauptstaben beobachtet, nemlich bei *sl*, *bl*, *br*, *gl*, *gr*, *fl*, *fr*, wo es jedoch nur als supererogatorische Schönheit gilt, z. B.

Se spiáti þvi
er spentu vidar
greipar Helvardar
vid granitré jafuat. . . . .

c) Ist der Hauptstab ein Vokal, so brauchen die Belstaben eben nicht immer gleichlautend zu sein, wiewohl der Vers, ist dies letztere der Fall, an Schönheit und Regelmässigkeit gewinnt. Zuweilen werden die Buchstaben *j* und *v* als Vokale gebraucht; und *h*, wenn ein Vokal nachfolgt, macht ebenfalls kein Hinderniss, obzwar dies auch nur aushilfsweise gestattet wird, z. B.

Ei mun oss fridar
audit verda.

Nimmer will Friede
Beschert uns werden.

d) In zwei Verszeilen dürfen nie mehr als drei Reimstaben vorkommen; Beitöne mittlerer Sylben fördern nicht, sondern zerstören die Harmonie des Stabreimes. Eine Ausnahme ist bloss nur in der Anakrusis statthaft, oder etwa dann, wenn der Vers kurz und der Hauptstab ein Vokal ist; nie aber darf sodann beim Sprechen der mindeste Nachdruck auf diese Beisilben fallen. z. B.

Enn ef erum vér
ódaudligir.

In der altnordischen Poesie kömmt viel auf die lan-gen oder gedehnten Silben *(lángar* oder *hardar samstöfur)* an; jede Versart hat deren eine bestimmte Anzahl eigen. Welche Silben jedoch lang und welche kurz seien, ist sehr schwer festzusetzen, ja vielleicht ist es noch weder in der Sprache selbst ganz genau bestimmt. Von kurzen Silben *(skammar* oder *linar samstöfur)* nimmt man zwei oder höchstens drei zur Ausfüllung einer langen Silbe an; was denn auch die Einschränkungen, welche sonst für die Länge der Verszeilen obwalten würden, beträchtlich verringert. Eben so kömmt hier auch die Anakrusis zu Statten, welche, wie schon gesagt, nicht mit zur Verszeile gezählt wird.

Uibrigens muss vorläufig bemerkt werden, dass der längste isländische Vers nicht mehr als acht Silben fasst. Es scheint demnach, dass das gemeine Ohr den langen Versen, die eine Cäsur forderten, nicht zugethan war; was auch natürlich ist, indem die Cäsur den Vers im Grunde wirklich in zwei Hälften zertheilt.

Der Reim *(hending)* ist in der isländischen Poesie von zweifacher Art; nemlich Beiklang und Endreim.

Der Beiklang — man gestatte mir diese Benennung, da so viel ich weiss noch keine besteht, die das Wesen dieser Reimart schicklich und streng bezeichnete *) — ist

---

*) Der Beiklang ist, wie nun gezeigt werden wird, allerdings

ein, in jedweder Verszeile zweimal angebrachter, Reim
oder Gleichklang einzeler Silben. So bilden z. B. die
Wörter *sum-ir* und *gum-ar* einen vollkommenen Beiklang, da nur *sum* und *gum* in Betracht kömmt, eben so
merk-i und *sterk-a* u. s. f. Diese Heimsilben werden
durchgängig so gebraucht, dass die Eine (*frumhending*)
am Anfange, die andere (*vidrhending*) am Ende der Verszeile zu stehen kommt. Der Beiklang ist wieder von zweierlei Art, nemlich ein vollkommener Beiklang (*adal-
hending*) und ein unvollkommener Beiklang (*snid-
hending*). Jener hat in den Silben, die sich reimen,
sowohl den Selbstlaut als auch den darauf folgenden Conso-[?]
nant vollkommen gleich z. B. *sex* und *vexa* sammt den oben
angeführten; dieser hingegen hat bloss einen Consonant
gleich, aber den Vokal der Silbe verschieden z. B. *stirdum*
und *nord-an* hier ist *ird* und *ord* ein unvollkommener Beiklang, eben so *vard* und *ford-a*, *fylking-u* und *fàng-inn*
u. s. w.

Gewöhnlich werden diese beiden Gattungen des Beiklanges zugleich angewendet in abwechselnden Zeilen;
und zwar ist dann die erste Zeile des Verspaares unvollkommen oder halb, die andere aber vollkommen gereimt;
so dass durch den halben Beiklang im vorhergehenden
Verse das Ohr wirklich zu einem nun folgenden ganzen
vollkommenen Beiklange vorbereitet wird; z. B. in der
Halbweise:

> *Fastordr skyli firda*
> *fengsæll vera þengill.*
> *Haefir heit at riufa,*
> *hialldrmögnudr! þér alldri.*

---

mehr als Stimmreim und Consonantenreim, daher auch
diese Benennungen völlig unstatthaft erscheinen. Rask hat für
die isländischen Reime die Ausdrücke Linienreim, entsprechend dem obigen: und Schlussreim.

I

Hier machen *ordr* und *firda*, *haefir* und *riúfa* den unvollkommenen, hingegen *feng* und *þengill*, *hialldr* und
alldri den vollkommenen Beiklang mit einander.

Dass es nicht kurze und unbedeutende Endsilben sein
dürfen, die solchergestalt gereimt werden, versteht sich
von selbst. Auch wird es erklärbar, wie sich die Lieder
der Skalden, welche oft von grosser Länge und in denen
zuweilen eine zahllose Menge Namen und ganze Genea-
logieen enthalten sind, so unverändert, ohne alle Schrift —
ausgenommen etwa die sehr unbeholfenen Runen — bloss
im Gedächtnisse durch mehre Jahrhunderte haben erhalten
können. Kein Vers nemlich, keine Silbe, ja kein Buchstabe durfte versetzt werden, ohne dass nicht zugleich die
Harmonie der ganzen Strophe mit vernichtet ward. Ein
Wort bestimmte gewissermassen schon das andere, eines
haftete durch das andere inniger und unauslöschlicher in
dem Gedächtnisse des Volkes, das sein Wirken und Wissen, seinen ganzen geistigen Besitz in solchen Liedern
erhielt und forterbte.

Der Endreim ist im Isländischen gänzlich derselbe,
wie in andern Gothischen und Romanischen Sprachen.
Auch er theilt sich in den einsilbigen und zweisilbigen Reim;
dabei muss aber bemerkt werden, dass immer nur die beiden
durch den Stabreim verbundenen Verszeilen gereimt sind;
nie findet man, dass sich die erste Zeile der Strophe etwa
mit der dritten und die zweite mit der vierten reime, oder
sonst eine ähnliche Verschlingung, z. B.

> *Nú er hersis hefnd*
> *rid hilmi efnd.*
> *Gengr úlfr ok örn*
> *of ynglinga börn* . . . .
>
> Nun ist des Hersen Rache
> An dem König vollführt.
> Treten Wolf und Adler
> Ulber die Ynglings-Söhne. . . .

2. Versarten.

Die Versarten der Skalden, *haettir* genannt, sind von einer wahrhaft bewunderungswürdigen Mannigfaltigkeit; ihre Anzahl beläuft sich auf 136. Obgleich diese Versarten unter sich nicht besonders eingetheilt waren, so hat doch jede derselben ihren eigenthümlichen Namen geführt, der dann gewöhnlich auf den Erfinder oder Urheber der Versart hindeutete.

OLAFSEN und RASK haben vier Hauptversarten angenommen, auf welche sich die übrigen Versarten als untergeordnet zurückführen lassen. Diese vier Hauptversarten sind: *Fornyrdalag, Toglag, Dróttkvaedi* und *Ránhenda.*

a) *Fornyrdalag* wird für die älteste Versart des Nordens angesehen; in ihr sind die Lieder der Edda abgefasst. Sie ist noch ohne Beiklang und Endreim, und besteht der Regel nach aus vier langen Silben in jeder Verszeile; aber nie aus weniger als drei Silben und gesetzmässig auch nicht aus mehr denn sechs. Doch haben die Alten diese Anzahl zuweilen überschritten, vornehmlich in Versen, darin mehre kurze Silben vorkamen. Das allgemeinste Schema des Fornyrdalag ist dieses:

$$- \smile | - \smile$$

Mit Vorschlag $\smile | - \smile\smile | - \smile$

Folgende Strophe des Eddaliedes *Gudrúnar-grátr* (Gudruns Klaggesang) wird dies anschaulich machen.

Sakna ek i sessi
ok saeingu
mins málvinar
valda megir Giúka!
Valda megir Giúka
mínu bölri,
systur sinnar
sárum gráti.

I 2

Ich miss' am Sitze
Und miss' am Lager
Den trauten Freund
Durch der Giuki-Söhne Gewalt!
Der Giuki-Söhne Gewalt
Ist mein Unglück,
Ist ihrer Schwester
Untröstliche Pein.

Durch stellvertretende kurze Silben entstehen in dieser Versart häufig daktylische Accente. FINN MAGNUSSEN machte nun die höchst interessante Bemerkung, dass man nicht selten die Verszeilen des Fornyrdalag, besonders jene der sechszeiligen, *Liodahattr* genannten, Art desselben, zu einem **Hexameter** zusammen stellen kann, z. B.

> *Gód er gáta þín,*
> *géstr blindi!*
> *gétit er þeirrar.*

Gód er | gáta þín | géstur | blindi | gétit er | þeirrar

Derselbe bemerkte ferner noch, dass sich die Strophe des Fornyrdalag ebensowohl als ein **Slokas** (die allgemeine Dichtform der Indier) aufstellen lässt; indem auch im Indischen sehr häufig das Mass von zwei und dreissig Silben bedeutend überschritten wird. Die obige Strophe, dem Schema des Slokas angepasst, bekäme folgendes Aussehen:

$$\cup\cup\cup\cup \mid \cup - - \bar{\cup} \parallel \cup\cup\cup\cup \mid \cup - \cup\cup$$
$$\cup\cup\cup\cup \mid \cup - - \cup \parallel \cup\cup\cup\cup \mid \cup \div \cup\cup$$

Sakna ek í sessi | ok saeingu ‖ mínu málvinar |
> *valda megir Giúka!*
Valda megir Giúka | mínu bölvi ‖ systur sinnar
> *sárum gráti.*)

Noch deutlicher tritt die Uibereinstimmung des Slokas mit dem Fornyrdalag hervor, wenn man den ersteren nach

---

*) Vgl. SCHMITTHENNER Ursprachlehre p. 339.

seinen Einschnitten abtheilt. z. B. die Strophe aus Ra-
mayana (Vgl. F. SCHLEGEL d. Phil. der Indier)

> Als durch des Feuers
> Zeugniss nun kund
> Ward, dass Sida
> Schuldlos war,
> War erfreut ob der
> Grossen That
> Das Weltall, was da
> Geht und steht.

mit einer Stelle der Edda *(Kvída Gudrúnar Giuk. III.
8ᵇ 9ᵃ)*, verglichen — wobei auch die merkwürdige Aehn-
lichbkeit der erzählten Handlung nicht zu übersehen ist:

> *Sé núteggir*
> *syka em sk vorþin*
> *heilaglega*
> *hve sá hver velli.*
>
> *Hló þá Atle*
> *Augr í briosti*
> *er hann heilar leit*
> *hendur Gudrúnar.*

> Seht nun, ihr Männer!
> Bin schuldlos worden:
> Unverletzlich,
> Wie auch siede der Kessel.
> Da lachte Atli'n
> Das Herz in der Brust,
> Als er heil sah
> Gudrunens Hände.

Die Versart Fornyrdalag findet man zuweilen fort-
laufend ohne eine bestimmte Abtheilung in Strophen. Die
Strophen sind jedoch am gewöhnlichsten a c h t z e i l i g
mit der Sinnpause nach dem vierten Verse.

Eine besondere Art des Fornyrdalag enthält s e c h s
Verszeilen, von denen immer die erste mit der zweiten
und die vierte mit der fünften das stabgereimte Verspaar
ausmachen; ganz unverbunden stehen die dritte und die

sechste Zeile da. Doch müssen diese letzteren nothwendig zwei Reimstaben haben und sind gewöhnlich auch um einige Silben länger als die übrigen Verse. z. B. die Strophe aus *Havamál:*

> Veiztu ef þú vin átt,
> þanns þú vel trúir
> ok villtu af hönum gott géta:
> gédi skalltu vid þann blanda,
> giöfum skipta,
> ok fara at sina opt.

> Weisst du dass einen Freund du hast,
> Dem du wohl kannst trauen,
> Und willtu Gutes geniessen von ihm:
> So mische deinen Geist mit dem Seinen,
> Wechsle Geschenke mit ihm
> Und besuche ihn oft.

In manchen Gedichten wechselt dieses sechszeilige Fornyrdalag mit dem gewöhnlichen achtzeiligen ab, wie in dem trefflichen *Hakonarmál;* ja manchmal, wiewohl nur selten, ist die erste Halbweise vierzeilig und die andere dreizeilig. Das sechszeilige Fornyrdalag scheint übrigens die ursprüngliche Gestalt dieser Versart zu sein, welche nachher hauptsächlich zum Ausdrucke des Erhabenen und Feierlichen angewendet wurde. Als Beispiel einer Vermischung beider Arten des Fornyrdalag stehen hier einige Verse aus dem, in der berühmten Hervararsaga vorkommenden, Gedichte *Gátspeki Heidreks Konúngs* (König Heidrichs Räthselweisheit):

> Heiman ek fór
> heiman ek ferdadist
> sá ek á veg vega:
> vegr var undir,
> vegr var yfir,
> ok vegr á alla.
> Heidrekr kóngr
> hyggtu at gátu!

Gód er gáta þin,
getr blindi!
gétit er þeirrar.
fúgl þar yfir fló,
fiskr þar undir svam,
fórtu á brú.

Daheim ich zog,
Daheim ich fuhr,
Auf Wegen sah ich Wege;
Weg war unter mir,
Weg war über mir
Und Weg auf allen Saiten.
Du König Heidrich
Erkläre mein Räthsel!

   Leicht ist dein Räthsel,
Blinder Gast!
Gelöset ist's so:
Vögel über dir flogen,
Fische unter dir schwammen,
Selb du auf einer Brücke gingst.

Die letztere Strophe kann zugleich zum Beispiele einer Untergattung des sechszeiligen Fornyrdalag dienen, wo die dritte und sechste Verszeile zwar nicht die gewöhnlichen zwei Reimstaben hat, wo aber wieder die ersten drei Zeilen eben so wie die letzten drei verbunden sind durch einen gemeinsamen Stabreim.

Mit dem sechszeiligen Fornyrdalag, wenn man die beiden ersten Zeilen und eben so wieder die vierte und fünfte zusammenzieht, hat eine uralte Versart der Finnen viele Aehnlichkeit. Diese fordert nemlich in jeder Verszeile zwei für sich bestehende Reimstaben und ausserdem noch in jedem dritten Verse eine besondere Senkung und Pause. Die Versart Fornyrdalag, nach ihrem angeblichen Erfinder, dem Skalden S t a r k a d e r, auch *Starkadarlag* genannt, scheint denn wirklich auch finnischen Ursprunges zu sein; denn Starkader stammte von einem finnischen Geschlechte ab.

b) Toglag wurde bei weitem nicht so häufig angewendet als Fornyrdalag, und man könnte es als eine Ab-
art von diesem ansehen. Die Verszeilen sind ohngefähr
von derselben Länge wie dort, und die Strophe hat allzeit
acht Zeilen. Der Hauptunterschied dieser Versart liegt
im Beiklange. Als Beispiel setze ich eine Strophe aus
Knutsdrápa her:

> *Knútr var und himunm*
> *hygg ek allt at frets*
> *Haraldz i her*
> *hug vel duga.*
> *Let lýr göto*
> *lid sudr or Nid*
> *Olafr iöfurr*
> *dr-saell fara.*

> Knut war unter'm Himmel
> Je in Schlachten und Heergeleit
> Der Enkel Haralds,
> Tapfer und berühmt:
> Aber Olaf, der Herrscher,
> Liess die Flott' vom Nida *)
> Aus Süden in's Meer
> Siegreich segeln.

Hievon gibt es nun wiederum mehre Untergattungen;
davon sind einzele sehr wohlklingend und natürlich, z. B.
wo nur jede zweite Zeile reimt, oder wo die Zeilen der
Verspaare von ungleicher, aber doch regelmässig wiederkehrender Länge sind.

c) Dróttkvaedi ist die berühmteste Versart der Skalden, die eigentliche Helden- und Königsweise. Während
im Fornyrdalag insonders historische Gesänge abgefasst
wurden, so brauchte man hingegen Toglag, hauptsächlich
aber Drottkvaedi, zu Ehrengedichten und andern vielwich-
tigen Liedern. Diese Versart zerfällt in zwei Arten, nemlich in das eigentliche *Dróttkvaedi* und in *Hrýnhenda* oder

---

*) Ein Fluss bei Nidaros (Drontheim).

Liliulag. Jene ist gewöhnlich acht-bald auch sechs- oder zehnzeilig und hat sechs Silben, diese hingegen ist immer achtzeilig und hat acht Silben im Verse. Alle übrigen Eigenschaften sind dieselben; die Vorzeilen haben also durchgehends den unvollkommenen, die Nachzeilen den vollkommenen Beiklang, was übrigens nicht immer genau beobachtet wird. Die Verszeilen des Drottkvädi haben gewöhnlich zwei oder drei Hebungen mit einer wenig grösseren Anzahl der Senkungen in beliebiger Anordnung; es kömmt ohngefähr dieses Schema zum Vorschein:

$$- \smile \ | - \smile \ | - \smile$$
$$\smile \smile \ | \smile \smile$$

Mit Vorschlag $\smile \smile -$ | $\breve{} \ $ | $\breve{} \ -$

Ein Beispiel von dem eigentlichen Drottkvädi liefert folgende aus der *Sverris Saga* Kap. 105. entlehnte Strophe:

> *Týnum Birkibeinum!*
> *beri Sverrir hlut verra!*
> *látum randhaeng reyndan*
> *rida hart ok tidum!*
> *haelumsk minst i máli!*
> *metumst helldur at val felldum;*
> *látum skipta gud giptu,*
> *gérum hrid þá er þeim svidi!*

> Lasset uns verderben die Birkebeiner,
> Trage Sverrir den schlechtern Theil!
> Lasst die erprobte Schildschlange
> Fahren hart und oft:
> Prahlen (lasst uns) nicht mit dem Munde,
> Rühmen uns lieber der Schlachtgefüllten;
> Lasst Gott walten über den Sieg,
> Uns einen brennenden Anfall machen![*]

Man findet auch Drottkvädi mit durchweg ganz-gereimten Verszeilen (*detthent*) oder auch mit bloss halb

---

[*] Vgl. Rühs die Edda. 2. Kap. Die Schildschlange ist das Schwert.

gereimten (*snidkent*); die halb — gereimten überhaupt aber
so, dass beide Zeilen des Verspaares denselben unvollkommenen Beiklang voran haben (*lidhent*). Auch gibt es
Weisen mit bloss halb- oder ganz- gereimten Nachzeilen
oder endlich alle Verszeilen ohne Reim (*Hattleysa*). Von
dieser letzten Art ohngefähr ist der berühmte Schwanensang Ragnar Lodbroks (*Krákumál*). Die Anfangs-
strophe dieses Gedichtes mag als Beispiel dastehen:

„Hjuggu ter med hjörri!!
Hitt var ei fyrir laungu,
Er á Gautlandi gengum
At grafvitnis mordi;
Þá fengu ter Þóru,
Þadan hétu mik fyrdar,
Þa er ek tyngál umlagda 'k,
Lodbrák, at Þri vigi,
Stakk ek á stordar lykkju
Stáli hjartra mala[*].

Als Probe des oberwähnten *Hrynhenda*, dessen Verszeilen alle achtsilbig sind, will ich die erste Strophe aus
der [christlichen] Ode *Lilia* (wovon diese Versart auch den
Namen *Liliulag* erhielt) anführen:

Almáttugr gud allra stétta,
yfirbiódandi engla ok Þióda,
ei Þurfandi stadi né stundir
stad haldandi í kyrleiks valdi,
senn varandi úti ok inni,
uppi ok nidri ok Þar í midiu!
lof sé Þér um alldr ok æfi
eining sönn í Þrennum greinum!

Allmächt'ger Gott über alle Wesen,
Der Engel und der Volksgeschlechter Herr,
Nicht eingeschränkt in Raum oder Zeit
Der du in ewiger Ruh' alles beherrschest,

---

[*] S. unten die Übersetzung hierzu.

Der du zugleich aussen und innen,
In der Höh', in der Tiefe und in Mitten bist.
Preis sei dir in alle Ewigkeit,
Du wahre Einheit in drei Zweigen!

d) *Runhenda*, die Versart, die allgemein zu Volks-
liedern gebraucht ward. Hier haben die Verspaare den
vollkommenen Endreim und es findet zugleich der Stabreim, nie jedoch der Beiklang, Statt. Nach der Anzahl
der Silben entstehen abermals mehre Unterarten, deren
Verszeilen mindestens drei, sodann vier und sechs, und
höchstens acht Silben haben. Die Strophen sind jedesmal achtzeilig. Auch bildet ferner diese Versart durch
Anwendung des Endreimes zahlreiche Verschiedenheiten;
am beliebtesten sind jene Strophen, wo die vier ersten
Zeilen einen und den nemlichen Endreim haben, die andern vier aber gewöhnlich zwei und zwei zusammen reimen. Oft sind auch die beiden Halbweisen jede für sich
gereimt, so dass durch die ganze Strophe nur zwei verschiedene Reime gehen. Endlich haben zuweilen auch
alle acht Verszeilen nur einen gemeinschaftlichen Reim.

Der Endreim kam im Norden erst um das Jahr 1150,
und zwar durch Einar Skulason, den Skalden K. Sver-
ker Kolsons von Schweden, in Aufnahme. Einar brauchte
ihn zuerst in einem Liede, das er auf die Schlacht bei Lek-
bärg dichtete, die König Eystein in Norwegen über die Ein-
wohner von Hisingen gewann. Seither ward der Endreim,
ohne dass dadurch die Alliteration verdrängt wurde, vielfältig cultivirt. Aus Egil Skallagrims *Höfudlausn* (d. i.
Lösung des Hauptes) stehe hier folgende Probe:

Beit steinn sleginn,
Þa var fridr tiginn.
Var ölur dreginn,
Þn vard ulfr feginn.
Brustu broddar,

enn bita oddar.
Băru kôrvar
af bogum örvar.

Scharf war der fliegende Speer,
Fern zwar der Frieden,
Doch der Ulm gespanut;
Drob freute der Wolf sich.
Lanzen zerbrachen,
Die Spitzen stachen,
Und saus'ten Pfeile
Von Schnen fort.

Die Versart *Runhenda* ist (nach Rask's Charakteristik) sehr zierlich und gefällig, *Drottkvaedi* mehr feierlich und majestätisch, *Fornyrdalag* dagegen simpel, leicht und fliessend.

Refrainartige Wiederholungen oder Anaphern *(stef* Dän. Omkväd) finden sich in den Dichtungen der Skalden sehr häufig und von mancherlei Versart und Einrichtung. Sie bestehen oft aus zwei oder mehr Versen, welche dann jeden Abschnitt des Gesanges beschliessen und einen allgemeinen, des Liedes Inhalt berührenden, Gedanken zum Stoffe haben. Die Refrainabschnitte (*stefiabálkr, stefiamál*) sind von verschiedener Länge und Anzahl, jenachdem das Lied sich auf eine natürliche Weise abtheilen liess; mittlerweile wurden auch durchgängig Refrainabschnitte von gleicher Länge angebracht, um im Ganzen die Regelmässigkeit des Gedichtes zu fördern. Vornehmlich finden solche regelmässige Figuren in den grossen und feierlichen Dichtungen Statt, wie in den *Drápur.*

Eine Hauptart des Refrains, *Vidkvaedi*, enthält Eine oder auch mehre Verszeilen, welche sich am Anfange oder am Ende einer jeden Strophe wiederholen. Bestand nun das Gedicht so zu sagen aus mehren Stimmen, oder war es ein Wechselgesang, so hatte jede Person darin einen eigenen ihrer Rolle entsprechenden Refrain; sonst aber finden sich Stücke, wo der Refrain nur immer einer und derselben im Gedichte mithandelnden Person zufällt.

Macht der Refrain eine eigene für sich bestehende Verszeile aus, die übrigens von der Versart des Gedichtes unabhängig sein kann, so entspricht dies vorzugsweise dem Wesen der Anapher; zuweilen ist es jedoch nur ein Theil eines Verses, oft auch mehr als ein ganzer Vers, der durch solche Wiederholung besonders hervorgehoben wird.

Natürlicherweise gibt es in der isländischen Poesie, so wie anderwärts, eine Anzahl künstlicher Verse, die ein oder der andere Dichter, um etwa seine Fertigkeit zu zeigen oder auch in anderer Hinsicht, gelegentlich ersann. Hiebei waren ihm nun mehre Banden auferlegt, als oben bereits sind besagt worden, z. B. in Drottkvädi: vier Beiklänge in einer jeden Verszeile; diese vier Beiklänge in der Verszeile jedesmal vollkommen; ferner Beiklänge auch in sehr kurzen Versen; Wiederholung desselben Beiklanges, der eben der letzte in der vorhergehenden Zeile gewesen, zu Anfange des folgenden Verses — und viele dergleichen, mit mehr oder weniger Geschmack ersonnen und ausgeführt. Um den Lesern einen beiläufigen Begriff von der poetischen Fertigkeit der späteren Skalden zu geben, setze ich ein solches Gedicht aus dem dreizehnten Jahrhunderte her. Will man es verstehen, so muss man es zuvor so ordnen, dass das erste Wort mit dem letzten und das zweite mit dem dritten Worte einer jeden Zeile zusammenkömmt.

Haki Kraki hoddum broddum
Saerdi naerdi seggi leggi
Veiter neiter vella pella
Bali stali beittist heittist.

Haki Kraki hamde framde
Geirum eirum gotna flotna
Hreiter neiter hodda brodda
Brendist endist bale stale.

Hakon hat mit Spitzen die Glieder verwundet,
Krake hat mit Gold die Männer ergötzt.
Der Schenker der Seidenkleider ist vom Feuer erhitzt,
Der goldgeniessende König vom Stahle verwundet worden.

Hakon hat die Männer mit Lanzen gezähmt,
Krake die Schiffer mit Golde bereichert,
Der Spitzenträger kam durch den Stahl,
Der Goldverstreuer durch das Feuer um.*)

Von dieser und ähnlicher Art sind nun jene Kunstverse, die zuweilen einen Dichter, der mehr auf den Klang des Verses, als auf den Gedanken sah, zu allzu dreisten Wortverflechtungen, insonderheit aber zu unnatürlichen und sehr weitschweifigen Umschreibungen nöthigten; so dass hiedurch die isländische Dichtkunst (zunächst am Teutschland) manche unkundige und übereilte Urtheile erfuhr, nach welchen ihr insgesammt ein übertriebener Zwang und ein geschmackloser Vortrag zur Last gelegt ward. Es ist nicht zu läugnen, dass sich unter den zahlreichen Denkmälern der Skaldenpoesie einzele Stücke finden, worauf dergleichen Urtheile passen dürften; allein welche Dichtkunst hat nicht auch minder Werthvolles aufzuweisen! Die nordische Dichtkunst muss übrigens aus der Edda, aus Ragnar Lodbroks, Asbiörn Prude's, Hakons, Erichs Todtengesang, aus dem in der Niala Saga vorkommenden Walkyrengesange, aus den Gedichten *Grottasaungr*, *Höfudlausn*, *Sonartorrei* und ähnlichen, so wie aus anderen in der Hervarar-Saga, Egils- und Gunlaugs Saga, Jomsvikinga Saga, Gretla u. s. w. enthaltenen Dichtungen beurtheilt werden; weniger Gewicht ist hiebei auf die Mehrzahl der von Snorro in seine *Heimskringla* aufgenommenen Skaldenlieder zu legen.

---

*) Vgl. die Einleitung zu den Liedern Ossians und Sineds.

Endlich sind es zumeist nur kurze, hier und dort in den Sagen zerstreute Verse, die auf uns, während das Ohr ihre Musik wohlgefällig empfindet, hinsichtlich des Gehaltes einen widrigen Eindruck machen; und selbst von dieser Stücke poetischem Unwerthe dürfte noch manches hinweg und den schlechten Handschriften, dem nachlässigen Abschreiben und der häufigen unkritischen Behandlung dieser Denkmäler überhaupt anheim fallen.

3) Dichtungsarten.

Die Gedichte der Skalden waren natürlich von verschiedener Länge; vierzig Strophen scheinen übrigens die Mittelzahl zu sein. Einzele sind ohngefähr zwanzig, dreissig bis sechzig Strophen lang; das längste Gedicht aber, dem der Verfasser nemlich ein vorzügliches Ansehn verschaffen wollte, fasst auf's allerhöchste hundert Strophen; längere isländische Stücke gibt es kaum. Es ist bemerkenswerth, sagt Rask bei dieser Gelegenheit, dass jene Dichtungen, die beiläufig achthundert Verse enthalten, ohngefähr auch mit dem Masse der grössten Homerischen Rhapsodieen übereinkommen, und daher die natürliche Grenze anzudeuten scheinen, welche ein einzeler Gesang nicht wohl überschreiten darf, ohne sowohl Dichter als Hörer zu ermüden.

Ein Sang im Allgemeinen heisst bei den Skalden *Kvacdi* oder *Liód*, wenn ihn Takt oder Harfenschlag begleitet, *Slagr*; ein grosses Gedicht, ein ganzes Epos heisst *Bragr*; ein Gedicht voll übler Begegnisse heisst oft *Kvida*; ein Klaggesang *Grátr*. Ein Lied, worin jemand verhöhnt wird, ein Spottgedicht, heisst *Nid*; ein Lobgedicht *Lof, Maerd* oder *Hródr*; ein Liebeslied *Mansaungr*; ein Zauberlied *Galldr*; ein Todtenbeschwörungslied *Valgalldr* — die beiden letztern haben gewöhnlich auch etwas Eigenes im Versbau. Ein Gesang im Fornyrdalag endlich heisst öfters *Mál* —

doch werden diese Benennnungen beinahe sämmtlich nur in Zusammensetzungen mit grösstentheils eigenen Namen angetroffen, wie z. B. *Prymskvida*, *Heimdallsliöd*, *Gudrúnargrátr*, *Gunnarslagr*, *Grougalldr*, *Vafprudnismál*, *Biarkamál*.

Bestimmter jedoch sind folgende Arten unterschieden. Oft sang man nemlich über irgend eine Begebenheit des Lebens eine einzele Strophe, um vielleicht seine Gefühle kraftvoll und bündig auszusprechen oder etwa den Vorfall desto unauslöschlicher im Gedächtnisse behalten zu können. Solche einzele Strophen, welche nicht zu einem grösseren Gesange gehörten, sondern selbständig und für sich abgeschlossen waren, nannte man vorzugsweise *Vísur*. Man findet sie häufig in den Sagen, wo sie gleichsam zum Beweise dienen, dass der Historienschreiber die Saga im wahren Zusammenhange und im rechten Lichte erzählt hat.

Die Ehrengedichte waren vornehmlich zweierlei. *Flockr* war ein kürzeres Loblied oder ein Dankgedicht für irgend erfahrenes Wohlwollen, ungefähr wie ein poetischer Brief; gewöhnlich wurden dergleichen den Jarls und Fürsten, nicht so gern den Königen gebracht. Ihre Versart war zumeist *Toglag*, und wenn sie nach Maasgabe der Umstände auch aus mehren Strophen bestanden, so sind doch niemals Refrains darin angebracht worden.

Drápa, die andere Gattung, war das vornehmste, längste und feierlichste unter den Ehrengedichten, beinahe immer im Drottkvädi gesungen und in Refrainabschnitte getheilt. Nur Könige und berühmte Helden durften hoffen, durch Skaldenmund in einer solchen Drapa verewigt zu werden; erst späterhin hat man diesen Brauch auch auf die Märtyrer und Heiligen ausgedehnt.

Die Volksgesänge hiessen im Allgemeinen *Rímur*, entsprechend beiläufig unserm L i e d. Sie sind immer achtzeilig und in *Runhenda* abgefasst, doch von zuweilen

verschiedener Einrichtung, jenachdem sie nemlich traurige
oder heitere Scenen und Gefühle schildern. Diese Dicht-
ungsart war aber nicht sehr unter den Skalden einheimisch;
sie gehört vielmehr schon der neueren isländischen Dichtkunst an. —

Ich beschliesse diese Verskunst mit den Worten Her-
ders, welche eben so schön als wahr und unübertrefflich
die Lieder der Skalden charakterisiren. „Ohne Zweifel —
heisst es in einem der Briefe über deutsche Art
und Kunst — ohne Zweifel waren die Skandinavier, wie
sie auch in Ossian überall erscheinen, ein wilderes rauheres
Volk als die weich idealisirten Schotten: mir ist von jenen
kein Gedicht bekannt, wo sanfte Empfindung ströme:
ihr Tritt ist ganz auf Felsen und Eis und gefrorner Erde,
und in Absicht auf solche Bearbeitung und Cultur ist mir
von ihnen kein Stück bekannt, das sich mit den Ossian-
schen darin vergleichen lasse. Aber sehen Sie im Worm,
im Bartholin, im Peringskiöld und Verel. ihre Gedichte
an — wie viel Silbenmasse! wie genau jedes unmittelbar
durch den fühlbaren Takt des Ohrs bestimmt! ähnliche
Anfangssilben mitten in den Versen sinetrisch aufgezählt,
gleichsam Losungen zum Schlage des Taktes, Anschläge
zum Tritt, zum Gange des Kriegsheers. Aehnliche Anfangsbuchstaben zum Anstoss, zum Schallen des Barden-
gesanges in die Schilde. Disticha und Verse sich entsprechend; Vokale gleich; Silben conson; — wahrhaftig
eine Rhythmik des Verses, so künstlich, so schnell, so
genau, dass es uns Büchergelehrten schwer wird, sie nur
mit den Augen aufzufinden: aber denken Sie nicht, dass
sie jenen lebendigen Völkern, die sie hörten und nicht
lasen, von Jugend auf hörten und mitsangen, und ihr
ganzes Ohr darnach gebildet hatten, eben so schwer
gewesen sei. Nichts ist stärker, ewiger, schneller und
feiner, als Gewohnheit des Ohrs! Einmal tief gefasst,

K

wie lange behält es dasselbe! In der Jugend, mit dem
Stammeln der Sprache gefasst, wie lebhaft kommt es zurück, und mit allen Erscheinungen der lebendigen Welt
verbunden, — wie reich und mächtig kommt es wieder! —
Unter 136 Rhythmusarten der Skalden — in jenem Rhyth-
mus von acht Reihen nicht bloss zwei Disticha, sondern
in jedem Distichon drei anfangähnliche Buchstaben, drei
consone Wörter und Schälle, und diese in ihren Regionen
wieder so metrisch bestimmt, dass die ganze Strophe
gleichsam eine prosodische Runentextur geworden ist —
und alles waren Schälle, Laute eines lebendigen Gesanges,
Wecker des Takts und der Erinnerung, alles klopfte, und
alless und schallte zusammen!"

Von diesem Standpunkte allein vermag die Sanges-
kunst der Skalden würdig beurtheilt zu werden. Jedermann weiss, dass sie auf ihrer Stelle, zu ihrer Zeit, in
ihrer Sprache grosse Wirkungen erlebt, der Teutschen
Sitten, Thaten und Denkart geklärt und veredelt hat.
Und noch zur Stunde — wenn gleich die Dichtkunst der
Teutschen eines edleren Schmucks sich erfreut — noch
jetzt ist das teutsche Ohr für die Weisen seiner Väter
empfänglich und freut sich darob, und wird dies wohl,
so lange die Freiheit besteht, die einst, unter dem begeist-
ernden Klange solcher Lieder, Herrmanns thatkräftige
Heldenschaar errang. Denn die Kunst der Barden
und Skalden half sie erringen. —

*

II.

Krákumál,

er sumir kalla Lodbrókarkviðu.

Schwanensang Ragnar Lodbroks.

Mares. animos. in. martia. bella. versibus. exacuit.

R a g n a r, einer der berühmtesten Könige des heidnischen Nordens, herrschte in der letzten Hälfte des achten Jahrhunderts über Dänemark. Nach S i g u r d H r i n g s Tode im J. 748 auf den Thron gelangt, trug R a g n a r sein Waffenglück überall auf den Küsten der Nord- und Ostsee umher und machte sich sowohl auf den brittischen Inseln, als auch in Schottland, Flandern, Permien und andern Ländern binnen kurzer Zeit berühmt und furchtbar. Sein erstes Abenteuer bestand R a g n a r im Kampfe mit einer grossen Schlange (O r m), welche der Sage nach, vor der Burg einer reizenden Prinzessin, T h o r a, wachte und die Muthigsten selbst mit Schreck und Zittern erfüllend, seither allen Zugang zu derselben verwehrte. Längst schon hatte der mächtige H e r r ö d, Jarl von Gothland, dem Bändiger dieser Schlange die Hand seiner Tochter geboten, als auch der kühne Ragnar dahin zog und, umringt von einer muthlosen Schaar, nach langem Kampfe die Schlange glücklich erlegte. In zottigen Hosen stürzte er auf das Ungeheuer los und davon blieb ihm in der Folge der Beiname Lodbrok. Ohne Zweifel waltet hier eine allegorische Vorstellung von einem grossen Kämpfer, welcher den, jener Zeit nicht ungewöhnlichen, Namen Orm trug.

Hiemit hatte nun Ragnar den süssen Preis erkämpft und führte Thora als Gattin heim. Zwei Söhne, Erich und Agnar, erhielt er von ihr, als Thora eines frühen Todes starb. Ragnar, von Trauer und Schmerz gebeugt, strebte nun durch ununterbrochene Seezüge die herbe Erinnerung an seine Gattin einigermassen zu verweben und warf sich von neuem, aber kühner als je, in sein vorbegonnenes Kämpferleben zurück.

Auf einer Kriegsfahrt kam Ragnar einst nach Spangerhaide, einer Landzunge nächst dem Vorgebirge Liudisnes in Norwegen. Hier sah er eine Jungfrau von bewunderungswürdiger Schönheit und Geistesgaben, welche Ziegen weidete und Kraka (d. i. Krähe) hiess. Durch manche Eigenschaften unwiderstehlich zu ihr hingezogen, kehrte er mit Kraka nach Dänemark zurück und erklärte sie im ganzen Reiche für seine Gemahlin. Aber der Stolz einer schwedischen Königstochter, Ingeborg, die sich hiedurch verachtet glaubte, hatte den Ragnar in neue Kriege verwickelt; als er diese jedoch im Bunde mit seinen Söhnen ruhmvoll bestand, verherrlichte Kraka seine Siegesfeier dadurch, dass auch sie ihre hohe Abkunft nicht länger verbarg und ihren wahren Namen Aslög (d. i. der Asen Licht) nennend, bewies, dass sie eine Königin sei und von dem berühmten Geschlechte Brynhilds und Sigurd des Faffnirtödters abstamme. Aslög

gebar sofort dem **Ragnar** die fünf heldenstarken Söhne
Ivar Beinlos, **Biörn** mit der eisernen Seite, **Hvitserk**,
Rögnwald und **Sigurd Schlang'** im Auge.

Um seinen Söhnen das würdigste Beispiel von Kämpfermuth und beinahe unerhörter Kühnheit aufzustellen, beschloss nun **Ragnar**, zwei grosse Schiffe zu rüsten und mit so geringer Macht das ganze englische Königreich zu erobern. Der Gedanke, dass ihn seine Söhne, nach der Heimkehr von ihren Kriegszügen in Teutschland und in der Schweiz, auch als König von England begrüssen werden, stählte seinen Muth und machte ihn unerschütterlich in seinem Vorhaben. **Aslög** ahnte **Ragnars** Untergang und gab ihm, als sie die Aufhebung seines Entschlusses auf keine Weise zu erflehen vermochte, ein Zaubergewand mit, das ihn gegen jede Verletzung schützen sollte. So segelte **Ragnar** mit seinem Häuflein gegen England; allein er gerieth auf Klippen und seine beiden Fahrzeuge gingen zu Grunde. Dies hielt ihn von seiner Unternehmung nicht ab; er eilte vielmehr, entrüstet über dies erste ungünstige Begegniss, mit desto grösserer Streitlust dem feindlichen Heere entgegen.

Damals war **Ella** Jarl von Northumberland. Dieser stürzte sich mit einer ungeheuern Heeresmacht in der Nähe von Newcastle auf den kleinen Schwarm König **Ragnars**. Ob nun gleich der unverwundbare **Ragnar**, wohin er sich immer gewandt, fürchterlich unter den Feinden wüthete, so musste doch sein schutzloses Volk der Uibermacht seiner Feinde bald unterliegen. Endlich wurde auch **Ragnar** gefangen und das hartnäckige Verschweigen seines Standes die Ursache seines martervollen Todes. **Ella** liess ihn nemlich in einen öden Thurn werfen, worin er, seines Zaubergewandes beraubt, von Schlangen und giftigem Gewürme zernagt, sein Leben verschmachtete. In dieser schrecklichen Lage soll **Ragnar**

mit männlicher Stimme einen Gesang von seinen Kriegsthaten und dem Muthe seiner Söhne angestimmt haben,
wodurch er sich die Bewunderung seiner Feinde erwarb.
So lauten die Worte:

1.

> Wir heerten mit dem Schwert!
> Mag so lange nicht sein,
> Dass nach Guthland wir gingen
> Grafvitnir [1] zu tödten.
> Mein ward damals Thora,
> Und ich von den Fechtern allen,
> Als der Lindwurm niederlag,
> Lodbrok genannt. Ja, ich siegte,
> Stach dem Drachen mit hellem
> Stahl viel tödtliche Male.

2.

> Wir heerten mit dem Schwert!
> War noch jung, da wir schafften
> Ostwärts im Oresund
> Einst ein Blutmal den Wölfen;
> Auch den goldklauigen Vögeln [2]
> Gaben wir Speise genug.
> An hochragenden Helmen
> Hart das Eisen erklang;
> Schwollen wild auf die Wellen,
> Wateten Raben im Blute.

3.

> Wir heerten mit dem Schwert!
> Früh schon schwang ich den Speer.
> Zwanzig Winter kaum zählend,
> Zückt' ich mein Schwert gar weit;
> Schlug acht mächtige Jarle
> Ostwärts an Düna's Mündung.
> Frass fanden die Wölfe
> Viel in diesem Gefecht:
> Da rann Schweiss in die Brandung,
> Tod allen Kämpfern drohte.

---

1) Grafvitnir, der Grabenkundige d. i. Orm, die
Schlange. 2) Den Adlern.

4.

Wir heerten mit dem Schwert!
Lächelte Hilda [3]) mir zu,
Als wir die Helsinger
Sandten nach Odins Sälen.
Gegen den Ifa [4]) wir trieben.
Da trafen die Spitzen tief:
Niederrieselte heisses Blut,
Röthend des Stromes Wellen;
Kehrte zum Erz sich das Schwert,
Gespaltene Schilde hallten.

5.

Wir heerten mit dem Schwert!
Keiner, weiss ich, entwich,
Eh' als auf Heflers Rossen [5])
Herröd fiel im Gefecht. *)
Furchte nimmer mit Egils [6])
Rudern ein edlerer Jarl
Seither auf langen Schiffen
Seevögels Grund [7]) hin zum Hafen.
Tapfer hob sich im Kampfe
Des Helden grosse Seele.

6.

Wir heerten mit dem Schwert!
Fielen des Heeres Schilde, [8])
Als der Häufer der Leichen [9])
Hart letzte der Krieger Brust.
Eisern bei Skarpei's Scheeren [10])
Klaffte die Streitaxt an,
Roth waren der Monde [11]) Ränder,

---

3) Hilda, eine Walkyre, vorzugsweise die Göttin der Schlacht. 4) Ifa, ein Fluss, vermuthlich der Iby in Angermanland. 5) Schiffen.

*) Bekanntlich hörte immer die Schlacht auf, sobald der König fiel.

6) Aegira, des Meeres. Ein auch bei Ossian häufiger Pleonasmus. 7) Das Meer. 8) D. i. Man kämpfte ohne Panzer. 9) Das Schwert. 10) Skarpey in Norwegen, nahe bei Spangerhaide. 11) Schilde.

Bevor Rafn, der König, fiel.
Und des Heervolkes Harnisch
Heiss vom triefenden Schweisse. [12])

7.

Wir heerten mit dem Schwert!
Hoch erblitzten die Waffen,
Bevor auf dem Felsen von Ullar [13])
Eistein, der König, ersank.
Goldig zur rauchenden Matte
Gierige Falken flogen;
Auf die Schilde der Todesstrahl [14])
Drang durch's Helmgewirr,
Und auf blasse Nacken entfloss
Hirnmost den Klüften der Stirne.

8.

Wir heerten mit dem Schwert!
Schwelgen konnten die Raben
Dort bei Einderis Eiland [15])
Im reichlichsten Nachtfrass.
Futter auch Fala's Rosse [16])
Fanden in Menge da;
Hart aber war's sich zu wehren
Im Strahl der steigenden Sonne;
Der Sehne Völen [17]) sah ich verwehn,
Auf Helmgethürm Lanzen stürmen.

9.

Wir heerten mit dem Schwert!
Wuschen einst Schilde mit Blut,
Bogen den Wundenbohrer [18])

---

12) D. i. Vom Blute. 13) Ullarakur, eine Gegend in Norwegen. Saxo nennt *laneus campus* als die Stelle, wo Ragnar
gegen Harald eine Schlacht erkämpfte. Ohne Zweifel ist hier
dieses Ullarakur (d. i. Wollacker) gemeint. 14) Das Schwert.
15) Die Inderö im Meerbusen von Drontheim. 16) Wölfe. Die
Zauberin Fala ritt auf einem schlangengezäumten Wolfe einher.
17) Pfeile. Die Kühnheit dieses Ausdrucks ist kaum zu rechtfertigen. Sehr sinnig aber ist eine ältere Leseart, welche Grater
beibehielt, nemlich *streng-svölur* „der Sehne Schwalben." 18)
Bogen.

Dort vor Borgundarholm [19])
Regengewölk brach die Ringe, [20])
Rauschte vom Ulm [21]) das Erz.
Vulnir [22]) fiel auf dem Wahlplatz,
Der Könige Grösster einst;
Gewandt hieb er Leichen dem Strande,
Stillte die Gier des Gewildes.

10.

Wir heerten mit dem Schwert!
   Wachsend währte der Streit,
   Ehe noch Freir, der König, fiel
   Auf dem Flämminger Feld. [23])
   Brach auch der blaue und harte
   Blutaufgrabende Stahl sich
   Bahn durch Högni's [*]) goldenen
   Harnisch im Kampf vereint.
   Die Holde [24]) beweinte des Wolfes
   Beut' nach dem Morgenstreite.

11.

Wir heerten mit dem Schwert!
   Sah wohl Unzählige liegen
   Entseelt in Einefers Schiffen
   Bei Englanes dort. [25])
   Sechs Tag', eh das Heer gefallen,
   Segelten wir zur Schlucht,
   Haben die Schwertermesse [26]) gefeiert,
   Während die Sonn' aufging:
   Da musste vor unserm Waffen
   Valthiof im Gefechte fallen.

---

19) Borgundarholm d. i. Bornholm. 20) D. i. ein Gewölk von fliegenden Pfeilen zerriss die Ringe an den Harnischen. 21) Bogen, wahrscheinlich aus Ulmenholz geschnitzt. 22) Vulnir war vielleicht König auf Bornholm. 23) Flämingialand d. i. Flandern. *) Högni, ein altberühmter Seekönig, dessen Rüstung unverletzbar gewesen sein soll. Daher steht häufig Högni's Harnisch für Harnisch überhaupt. 24) Nemlich Hilda, denn hier ward Lodbrok geschlagen. 25) Englanes, wahrscheinlich ein Vorgebirg in Kent. 26) Anspielung auf die Frühmette der Christen, mit denen Lodbrok kriegte.

12.

Wir heerten mit dem Schwert!
Rieselte Thau [27] vom Stahle
Nieder in Barda's Busen, [28]
Leichen erblassten dem Habicht:
Saus'te der Ulm, und stach
Pfeilgeschoss die Hemder,
Die für den Zwist der Schwerter [29]
Svelners Hammer gewirkt. [30]
Der Wurm [31] eilte nach Wunden,
Giftig und Schweissbetriefet.

13.

Wir heerten mit dem Schwert!
Schwebten wohl Hlakka's Zelte [32]
Hoch in Hilda's Spiel [33]
Vor Hedningavig [34] einst.
Mochten die Männer sehn —
Als in der Leichenwürger [35] Getöse
Schilde wir spalteten —
Splittern die Helme der Krieger.
War's doch, als ob auf weichem Kissen
Die Braut sich hold mir vertraute.

14.

Wir heerten mit dem Schwert!
Stürmte Hagel [36] auf Schilde,
Taumelten Todte zur Erde
Dort in Northumberland;
War auch Noth nicht am Morgen
Die Männer zum Streit zu wecken,
Wo die blitzenden Schwerter

27) Blut. 28) Bardafjord, wie Einige lesen, ein von der Stadt Perth (vormals Bertha) so benannter Hafen. 29) D. i. für den Krieg. 30) S v e l n e r (Svener), ein Beiname Odins. Der Hammer heisst da, weil er die Rüstungen schmiedet, „Odins Hammer;" und zwar durch die hierauf sich beziehende Uibertragung einer ähnlichen Bestimmung der S t r e i t a x t, welche sonst dichterisch O d i n s H a m m e r genannt wird. 31) Das Schwert. 32) Die Schilde. 33) Hilda's Spiel, die Schlacht. 34) Vielleicht Haddingtonbay in Schottland. 35) Lanzen. 36) Nemlich Pfeilenhagel.

Verwüstet der Helme Plan.
Fliegen sah ich die Monde des Kriegs,
Streiter ihr Leben meiden.

15.

Wir heerten mit dem Schwert!
Verliehen ward Herthiof[37]
Auf den Süderinseln[38]
Sieg über unsre Schaaren;
Mitten im Waffensturm
Fiel Rögnwald[39] vor ihm,
Und höher Harm kam damals
Den Helden allen im Schwertgeklirr:
Scharf den harten Wurfpfeil
Schnellt' der Erschüttrer der Helme.

16.

Wir heerten mit dem Schwert!
Leiche lag auf Leiche gethürmt.
Hoffte die Brut des Habichts
Freudig Raub nach der Schlacht;
Stahl und Schild sich trafen,
Und Marstan, Irlands Beherrscher
Nicht den Adler, den Wolf nicht
Hungern der König liess.
Wir mochten in Vedrafiord[40]
Leichenfrass auch den Raben reichen.

17.

Wir heerten mit dem Schwert!
Manchen wohl sah ich fallen
In der Morgenstunde einst,
Als die Spitzen sich kreuzten.
Der Dorn der Scheide[41] schon zeitig
Fuhr meinem Sohn durchs Herz;
Egil dem unverzagten
Agnar[42] das Leben nahm.
Speere tief in Hamders Gewand[43]
Rannten, und glänzten Banner.

---

37) Vielleicht König von Halogeland. 38) Den Hebriden (Su-
derö). 39) Rögnwald, ein jüngerer Sohn Ragnars von Aslög.
40) Wohl das jetzige Waterford in Irland. 41) Das Schwert. 42)
Agnar, einer von Ragnars Söhnen mit Thora. 43) Hamder,

18.

Wir heerten mit dem Schwert!
　　Endils eldtreue Söhne
　　Sah ich viel Beute dem Wild
　　Vor mit den Brändern 44) hauen.
　　Wahrlich in Skadas Bucht
　　War's als ob Wein uns Jungfraun
　　Spendeten. Aegers Rosse 45)
　　Waren vom Blute roth.
　　Schartig Sköguls Gewand 46) ward,
　　Als die Sklöldunger 47) sich stellten.

19.

Wir heerten mit dem Schwert!
　　Morgens machten an's Waffenspiel
　　Wir uns vor Lindesür
　　Gegen der Könige drei.
　　Wenige konnten sich freun
　　Wundenfrei aus der Schlacht zu kehren;
　　Viel aber sanken in Wolfes Rachen,
　　Der mit dem Geier zerfleischte das Aas.
　　Der Iren Blut in des Meeres
　　Schoos war hinabgeflossen.

20.

Wir heerten mit dem Schwert!
　　Sah den lockigen Helden
　　Und die Lieblinge holder Frauen
　　Welchen an jenem Morgen.
　　War's, als ob den rauchenden Trank
　　Die Göttin 48) selbst uns gereicht,
　　Eh noch im Alasund *)
　　Gefallen war Oern, der König.
　　Ach! es schien mir, als wenn ich
　　Am Hochsitz die Jungfrau küsste.

---

ein grosser König der Vorzeit, wie Högni (Vgl. Str. 19.*));
Hamders Gewand, der Panzer. 44) Schwerter. 45) Die Schiffe.
46) S k ö g u l, eine Walkyre; ihr Gewand der Harnisch. 47)
Könige d. i. Abkömmlinge von Skiolds Königsstamm. 48)
Vielleicht Hilda. *) Der Alasund auf Hjaltland.

21.

Wir heerten mit dem Schwert!
Hocherhohene Schwerter malmten
Den Schild, und schimmernde Lanzen
Widertönten an Hildas Kleid; [49)
Mögen's in Aungulsey [50) Männer noch
Staunend Jahrhunderte schaun,
Wo wir Helden geschritten
Voreinst zum Schwertersplel,
Blutgeröthet am Eiland früh
Fachte der Wundendrache. [51)

22.

Wir heerten mit dem Schwert! [*)
Warum ist der Tod wohl näher
Dem Kämpfer, der im Pfeilensturm
Betritt die vordersten Reihen?
Den, der nimmer gefochten
Quälet sein Leben oft!
Bös, sag' ich, ist's zu wecken,
Den Trägen zu Hildas Spiel,
Und kaum jemals wohl hauchst du
Muth in des Feigen Busen.

23.

Wir heerten mit dem Schwert!
Gerecht dies nenn' ich fürwahr,
Wenn im Gewühl der Schwerter
Mann gegen Mann sich stellt,
Und Krieger nicht weicht dem Krieger;
So wars vorlängst der Helden Brauch!
Drum eile, wer Gunst der Mädchen verlangt,
Freudig immer zum Streite!
Und eile, wer Liebe der Mädchen verlaugt,
Freudig allzeit zum Streite!!

---

49) Harnisch. 50) Aungulsey, jetzt Anglesey in Nord-
Wales. 51) Das Schwert. *) Nun ist der Skalde fertig mit der
Besingung seiner Kämpfe; er geht denn mit dieser Strophe zu
allgemeinen Betrachtungen über die Tapferkeit und ein unausweich-
liches Schicksal über.

24.

Wir heerten mit dem Schwert!
    Aber bewährt mir scheint,
    Dass dem Schicksal wir folgen,
    Nie meiden der Nornen Gesetz.
    Ha! ich wähnte wohl nicht, dass Ella
    Einst das Leben mir nimmt,
    Als den Blutfalk ich fütterte,
    Und stiess in die See den Kiel.
    Damals in Schottlands Bay
    Labt' am Raub sich der Rabe.

25.

Wir heerten mit dem Schwert!
    Dies erfreuet mich immer,
    Dass die Bänke von Baldurs Vater
    Ich bereitet den Gästen weiss.
    Aus den krummen Aesten der Häupter[52]
    Bald schon trinken wir Bier.
    Nimmer beklagt seinen Tod
    Der Held in den Hallen Fiölnirs,
    Und nimmer ziehe mit zagendem
    Wort ich zu Vidrirs Pforte.[53]

26.

Wir heerten mit dem Schwert!
    Schnell würden Aslögs Söhne
    Mit scharfem Gewaffen wieder
    Erwecken Hilda's Spiel:
    Wenn sie erfahren könnten
    All' die harten Qualen,
    Wie eine Schaar von Schlangen
    Giftgeschwollen mich sticht!
    Gab eine Mutter meinen Söhnen,
    Um ein tapfer Geschlecht zu schaffen.

27.

Wir heerten mit dem Schwert!
    Bald schon geht es an's Erbe![54]

---

52) Aus Hörnern. 53) Baldurs Vater, Fiölnir und
Vidrir sind Beinamen Odins. 54) D. i. mein Tod naht, bald
werden meine Söhne ihr Erbe antreten.

Gräszlich wühlen die Schlangen;
Nagt eine Natter mein Herz:
Bald auch, hoff' ich, soll Vidrirs
Ruthe [55]) durch Ella jagen;
Werden vor Zorn ob des Vaters
Tod meine Söhn' entbrennen,
Nimmer die kecken Kämpfer
Ruhige Sitze suchen. *)

28.

Wir heerten mit dem Schwert!
Geschaart zu ein und funfzig
Schlachten hab' ich das Heer
Auf des Pfeiles Entbietung. [56])
Nimmer mochte ich glauben,
Nimmer, grösser als ich,
Der ich jung schon die Spitzen geröthet,
Je einen König zu finden.
Jetzt laden die Asen uns ein;
Beklagt muss der Tod nicht werden.

29.

Ha! es drängt mich zu enden!
Helm bitten die Disen mich:
Aus der Einherien Hallen
Sandte sie Odin mir zu —
Froh soll ich Bier mit den Asen
Am Götterhochsitz trinken — —
Verlöscht ist meines Lebens Licht,
Und Lächeln beut der Tod!
Verlöscht ist meines Lebens Licht,
Und Lächeln beut der Tod!!!

---

55) Vidrirs Ruthe, der Speer. *) Ragnar täuschte sich
nicht; seine Söhne haben nachher an Ella eine fürchterliche
Rache genommen. 56) Als neulich der erste Pfeil das Zeichen
zur Schlacht bot.

Ueber Aechtheit,
Alter und Verfasser des Schwanensanges
Ragnar Lodbroks.

(Ein kritisches Nachwort.)

Ragnars Schwanensang ist seiner gegenwärtigen
Gestalt nach aus der Saga von Ragnar Lodbrok
und seinen Söhnen *(Ragnars Saga Lodbrókar)* genommen. Da dieser Gesang auch abgesondert von der
Saga, deren Grundlage er gewissermassen ausmacht, seine
Selbstständigkeit, Wahrheit und vor allem seine eigene und
ursprüngliche Bedeutung hat: so geschah es leicht, dass
man gegen sein Alter und seinen Verfasser anfing mancherlei Zweifel zu erheben. Der Kritik der älteren Bearbeiter
dieser Saga und des Gesanges insbesondere, sind alle jene
Thatsachen, welche die Aechtheit des letztern einigermassen zweifelhaft machen konnten, rein entgangen. Während diese nemlich Ragnar, weil er ja selbst redend darin
erscheint, auch fest und sicher für den wirklichen Verfasser
des Gesanges hielten: brachten neuere Forscher des Nordens, ein Arne Magnussen, Erichsen, Suhm, Nyerup,
Skule Thorlacius, P E. Müller, eine nicht unbeträchtliche Anzahl von Umständen zusammen, welche den Ursprung und Werth dieses Gesanges gehörig bestimmen
sollten, grösstentheils aber dahin ausfielen, dass Ragnar
nicht selbst seines Schwanensanges Verfasser sei, ja, dass

derselbe nicht einmal aus Ragnars Zeiten, sondern erweislich aus viel späteren Jabrhunderten herrühre.

Da der Ragnarsang neben der Edda unstreitig das kostbarste Denkmal der Skaldenpoesie und daher im hohen Grade würdig ist, vollkommen gekannt zu sein; so bleibt wohl nichts wünschenswerther, als eine, mit antiquarischer und historischer Kritik darüber vorgenommene, Untersuchung, vermittelst welcher das Alter und die Aechtheit desselben einigermassen festgesetzt werde. Wir wollen nun in der folgenden Abhandlung versuchen, den Ragnarsang sowohl aus seiner Form und seinem Inhalte selbst, als auch hiernächst aus der Beschaffenhsit der davon bisher aufgefundenen Handschriften gemeinschaftlich zu beleuchten und mit Berücksichtigung der, von den obengenannten Gelehrten in diesem Punkte aufgestellten Meinungen, endlich auf bestimmte und der Wahrheit möglichst nahestehende Ergebnisse zu gelangen bemüht sein.*)

NYERUP (*Bildur danskur.* S. 497 — 99, 505) stützet seine Meinung über Ragnars Schwanensang hauptsächlich auf eine Bemerkung Arne Magnussens, welcher die Abfassung dieses Gesanges (ohne aber nähere Gründe anzugeben) beiläufig in den Schluss des 14ten Jahrhunderts versetzt. Hierauf erwähnt NYERUP des gänzlichen Mangels an Pergamenthandschriften von der Ragnars Saga und versichert endlich, sowohl den dichterischen Werth als auch das hohe Interesse des Schwanensanges vollkommen in

---

*) Wer treffliche ästhetische Bemerkungen über diese Dichtung lesen will, mag solche in GRAETERS Nordischen Blumen, S. 22 — 40 der ersten Ausgabe, nachsehen. Wir verweisen uns so dringender auf diese Bemerkungen, als dieselben in einer Hinsicht unsere gegenwärtige Untersuchung, welche ihrem Wesen nach einen ganz andern Zweck hat, gewissermassen zu ergänzen dienen.

L

Ehren zu halten, wenn er annimmt, dass irgend ein witziger Isländer denselben im 13. oder 14. Jahrhunderte gedichtet habe.

P. E. MÜLLER sagt in seiner berühmten Sagnbibliothek (II. Band, S. 479 — 80): „Viele Gelehrte meinten, Ragnar Lodbrok selbst hätte diesen Gesang im Schlangenthurm verfasst, ohne doch zu berücksichtigen, um wie viel wahrscheinlicher es sei, dass ein Skalde in diesem, so wie in vielen ähnlichen Fällen, einen Gesang in des Helden Namen dichtete, als dass der sterbende König sollte Lust gehabt haben, zwischen den Schlangen zu improvisiren und seine umstehenden Feinde das Vermögen und den Willen, seinen gesang zu verstehen und dem Gedächtnisse einzuprägen. Uiberdies ist das Alter des Gesanges ganz ungewiss. Zwar könnte für dasselbe der Umstand sprechen, dass SAXO einen solchen Gesang kannte (IX. B. S. 176) und der Inhalt des Gegenwärtigen von der Saga und von SAXOS Berichten so sehr abweicht, dass er unmöglich nach diesen beiden kann gedichtet sein." Nachdem der Verfasser nun noch einige erhebliche Ausdrücke in dem Gedichte nachgewiesen, fährt er fort: „Dem gemäss könnte man also diesen Gesang wohl zu dem 11. oder 12. Jahrhunderte hinaufführen, zu welcher Zeit der Dichter auch mehre nun verschwundene Sagen konnte benutzt haben."

Bevor aber noch etwas über des Ragnarsanges Alter entschieden werden soll, mögen hier einige kurze Bemerkungen über dessen Aechtheit einen Platz finden. Ragnars Schwanensang ist in der Versart gedichtet, welche *Dróttkvaedi* heisst und die ich, wie die Leser werden bemerkt haben, in meiner Uibersetzung, soweit es nemlich der Genius der teutschen Sprache zulicss, nachgeahmt habe. Bekanntlich besteht die Verszeile des Drottkvardi (quantitirend ausgedrückt) aus drei Trochäen oder Spondeen, von denen die beiden ersten Füsse auch mit Daktylen

wechseln können. Doch treffen wir in dem Ragnarsange
keineswegs ein reines Drottkvaedi an, dasselbe wird vielmehr durchweg von *Fornyrdalag* mit einer Aufsilbe unterbrochen. Auch die eigentlichen Zeilen des Drottkvädi
haben hier häufig Vorschläge und sind auch sonst in Ansehung der Füsse sehr unregelmässig.

In den Alliterationen ist der Dichter den Regeln
der Versart ziemlich treu geblieben; der Hauptstab fällt
gewöhnlich auf den zweiten Fuss. Die Anwendung des
Beiklanges aber ist sehr vernachlässigt; das Gedicht gehört
denn so ziemlich unter jene Klasse von freien Dichtungen,
die man, wie oben bereits erwähnt wurde, *Hâttleysa*
nannte. Mit einigen Ausnahmen fallen die Beiklänge
durchgängig in das letzte Distichon einer jeden Strophe, so
zwar, dass der vorletzte Vers den halben, der letzte aber
den ganzen Beiklang enthält. Von einem Zwange der
Assonanzen, welcher die meisten isländischen Dichtungen
des 11. und 12. Jahrhunderts so sehr entstellt, findet sich
also in Ragnars Schwanensange gar keine Spur. Doch ist
es, neben der Nichtbeachtung des Beiklanges, vorzüglich
das häufige Abwechseln der Hauptversart mit dem Fornyrdalag, wodurch sich dies Gedicht von den Dichtungen des
10. 11. und 12. Jahrhunderts so merklich unterscheidet.

Zu einer weiteren Vergleichung dienen uns auch noch
die uralten Bruchstücke von den Gedichten Bragi des
Alten und Biarke's, welche wir in der Heimskringla und Skalda zerstreut finden. Stellen wir nun
alle diese Dichtungen gegen einander, so finden wir wirklich, dass auch in Bragi's Versen Drottkvädi und Fornyrdalag mit Vorschlag, ganz so wie in Ragnars Gesang,
vereinigt erscheinen, auch die Assonanzen bei jenem Dichter dieselben Mängel und eine gleiche Regellosigkeit offenbaren. Ragnars Worte im Schlangenthurm, gegen deren

L 2

Aechtheit schlechterdings kein Zweifel obwalten kann, da auch SAXO dieselben bewahrt, lauten:

Gnidja mundu grisir
ef galtar hag vissi:*)

und sind jetzt auf Island zu einem allgemeinen Sprichworte geworden. Der erste Vers ist ein Drottkvädi, der letztere hingegen Fornyrdalag mit Vorschlag. Es würde fürwahr eine Alles überbietende Aengstlichkeit bei der kritischen Zeitbestimmung verrathen, wenn man annehmen wollte, dass die augenscheinliche Aehnlichkeit des Versbaues dieser, auf drei so ganz verschiedenen Wegen zu uns gekommenen Skaldenlieder, bloss zufällig sei. Fornyrdalag ist, wie bekannt, die älteste Dichtart des Nordens; aus ihr hat sich erst um Harald Harfagri's Zeit das Drottkvädi entwickelt. Schon der Skalde B ra g i, wie es auch seine Lieder beweisen, hatte versucht in neueren Versarten zu singen; wenn daher Lodbroks Schwanensang mit den Versformen Bragi des Alten so unverkennbar übereinstimmt, so unterliegt es fortan keinem Zweifel mehr, dass die Abfassung desselben in jene Uibergangsperiode gehört, wo sich nemlich das Fornyrdalag zu dem Drottkvaedi auszubilden begann, welches natürlicherweise anfänglich nur mit spärlicher Anwendung der Beiklänge geschehen mochte.

Von merkwürdigen Worten, die in Ragnars Schwanensange vorkommen und somit auf das Alter desselben einiges Licht werfen dürften, ist (St. 11. Z. 7) wo es heisst: *Attum odda messu* — das Wort *messa* am auffallendsten. Die Umschreibung des Kampfes, *odda messa*, heisst wörtlich Messe der Spitzen — ich habe es durch Schwertermesse übersetzt — und ist offenbar von dem Christenthume hergenommen. Wenn nun Einige behaup-

---

*) Grunzen würden die Frischling',
Wüssten des Ebers Weh sie. (*Ragn. S. cap.* 16):

ten, dieser Ausdruck zeuge ganz laut von dem christlichen
Verfasser des Gedichts, so haben sie vermuthlich übersehen,
dass die ganze Phrase vielmehr ein verächtlicher Seitenblick
auf die christliche Frühmesse ist, und dass dieselbe in der
That eine so kecke und zügellose Geringachtung gegen
den heiligen Ritus der Christen verräth, die sich ein Christ
nimmermehr und in keinem Falle würde erlaubt haben.
Da bereits im 8. Jahrhunderte in England und in den
meisten Ländern, welche Ragnar bekriegte, das Christenthum eingeführt war, so lässt sich ja nicht zweifeln, dass
er auch mit den heiligen Gebräuchen der Christen und
deren Benennungen bekannt war. Wie leicht auch konnte
ein Abschreiber, was in jenen Zeiten nicht selten geschah,
für ein veraltetes Wort ein neues hinzusetzen, also etwa
für *odda senna* (Streit der Schwerter) oder sonst eine
Benennung des Kampfes, den Ausdruck *odda messa*!
Uiberdies ist es beinahe gewiss, dass dieser Gesang den
Söhnen Ragnars und deren Kriegern zu einem Schlacht-
liede gedient, und eben diese hatten ja späterhin noch weit
mehr kriegerischen Verkehr mit christlichen Völkern.
Auch in der mit Ragnars Saga völlig gleichzeitigen, *Þord
Hredes Saga* entdecken wir den Ausdruck *vapna
messa*, Waffenmesse; er erscheint in einem Liede,
womit Thord seine Genossen und sich selbst zur Schlacht
anfeuert und beweist daher, dass im 10. Jahrhunderte,
in welche Zeit nemlich die Begebenheiten dieser beiden
Saga's fallen, das Wort *messa* bei den Skalden im allgemeinen Gebrauch gewesen.

Mehre Wörter, die dem Christenthume angehören,
finden sich in Ragnars Gesange nicht, wohl aber einige
Archaismen und Redensarten, die in keiner der spätern
isländischen Dichtungen vorkommen. Ferner verräth
dieser Gesang durchaus keine Armuth der Gedanken
oder eine hieraus entsprungene Weitläufigkeit der Dar-

stellnng, wie solche gewöhnlich den spätern Skaldenliedern eigen ist; Ragnars Gesang bietet uns vielmehr
überall schöne, kräftige und geschmackvolle Bilder und
Umschreibungen. Alles Thatsachen, die für das hohe
Alter desselben sprechen.

In Ansehung des poetischen Vortrags sticht
zuerst die, den ganzen Gesang hindurch beobachtete,
Anapher oder die Widerholung des Verses „Hjuggu vèr
med hjörvi!" wir heerten mit dem Schwerte!" hervor
Mit mancher, namentlich der 22. bis letzten Strophe, wo
der Inhalt vom Beschreibenden zum Belehrenden über-
geht, steht diese Anapher nur in schwacher Verbindung.
Doch ist sie sehr übereinstimmend mit dem Inhalte des
Gesanges und bestärkt die Meinung, dass derselbe als
Kriegssang gebraucht worden. JOHNSTONE hält diese
Anapher für den Chor und das Ganze für eine Art Zwei-
gesang (tvi-söngr). „Das Gemälde, sagt er, bekomme
mehr Interesse, wenn wir uns Lodbrok von einem Kreise
getreuer Anhänger umschlossen denken, die ihrem sterbenden König, um ihn zu trösten, durch die Scenen seines
Glücks hindurchführen, und begeistert von einer extatischen
Erinnerung an den Antheil, den sie an seinen Siegen
hatten, immer dazwischen hochaufschrein; „„„Wir, wir
kämpften mit dem Schwert!"" Aber abgesehen davon,
dass diesem Gedanken die historische Wahrheit gänzlich
mangelt — denn Ragnars Krieger sind dem Berichte nach
alle niedergehauen worden — so ist auch jedenfalls an
die Idee selbst schon etwas Unnatürliches geknüpft. Einen
Beweis endlich gegen die Aechtheit des Gesanges kann
diese Anapher eben so wenig abgeben, als dies bei den
ältern eddischen Gedichten Havamaal, Vafþrudnis-
maal u. v. a., wo diese Figur ebenfalls vorkömmt, geschehen kann. Die Wortstellung, deren Beschaffenheit bei der Bestimmung des Alters skaldischer Dicht-

angen allerdings ein grosses Gewicht hat, ist in Ragnars
Schwanensange äusserst einfach und natürlich und also
ganz in der Weise des Alterthums. Die leichte Vermeid-
ung aller ungewöhnlichen Versetzungen der Worte wurde
ja hier auch schon durch die Freiheit des Versmasses
bedingt.

Eben so kräftige Beweise für die Aechtheit und das
Alter des Ragnarssanges, als die Form desselben liefert,
lassen sich auch leicht aus der Natur seines Inhaltes
herstellen. Die zahlreichen und bestimmten Benenungen
der verschiedenen Kampfplätze und die bündigen Beschreibungen der dort geschlagenen Treffen zeigen, dass
der Verfasser eine vollständige Kenntniss von den Begebenheiten hatte, wiewohl die Zeitfolge derselben nicht
ganz genau beobachtet zu sein scheint. Vorzüglich ist
es die 21. Strophe, welche uns die Begebenheit so lebhaft vor Augen stellt, dass wir genöthigt werden, den
Verfasser wirklich für einen Theilnehmer an jenem herrlichen Siege zu halten. In der eben so wahr, als stark
und männlich geschilderten Kampflust (Str. 23), in der
schönen und trostreichen Würdigung der Tapferkeit (Str.
22) weht ganz der Geist der Odinischen Lehre; und eben-
derselbe Geist offenbart sich auch (Str. 34) in dem Glauben
an den unumgänglichen Anspruch der Norne, in der
kecken Todesverachtung (Str. 25) und ganz besonders
und am glänzendsten in den Bewunderung weckenden
letzten Worten des sterbenden Helden. Was Ragnar (Str. 1)
von der bezwungenen Schlange und der darauf erfolgten
Besitznahme Thora's singt, muss, wie schon gesagt,
allegorisch erklärt werden und thut als dem Geschmacke
und der Denkart der damaligen Zeiten vollkommen an-
passend, eben so wie alles Bisherige den Beweisen für
die Aechtheit des Gesanges nicht den mindesten Eintrag.

Die besonnene und geschmackvolle Anwendung der Mythologie, welche wir in dieser Dichtung antreffen, spricht sich zunächst in der sinnigen Wahl der Beinamen Odins und (Str. 29) in der begeisterten Erinnerung an die Freuden von Walhalla aus; aber auch sonst finden sich noch zahlreiche mythische Hindeutungen.

So viele, der Dichtart und den Sitten späterer Zeiten ganz fremde, Züge, welche wir aus der Form und der Materie des Ragnarsanges entwickelt haben', möchten denn doch wohl zureichen, nicht nur dessen Aechtheit und wirkliche Abfassung zur Zeit des Odinthumes zu beweisen, sondern zugleich auch verstatten, denselben bis in das Zeitalter der Begebenheiten selbst zurückzuführen.

Warum es kam, dass sich von diesem so berühmten Schwanensange in der Skalda gar kein Bruchstück vorfindet, ist darum einleuchtend, weil wir den Verfasser desselben wohl in Dänemark aber nicht in Island suchen müssen; gewiss hätte Olaf Thordson, der Ordner der Skalda, etwas aus dem Gesange aufgenommen, wenn derselbe zu jener Zeit d. i. im Anfange des 13. Jahrhunderts bereits schon auf Island bekannt gewesen wäre. Benützt aber hat den Ragnarsang augenscheinlich SAXO; zwar nicht eigentlich in historischer, sondern mehr in poetischer Hinsicht, wie uns dies die Vergleichung des Gesanges mit SAXO's Kampfbeschreibungen lehrt. SAXO mochte diesen Gesang, der als Kriegssang von Mund zu Munde ging und um jene Zeit (1195 n. Ch.) allmälig aus dem Brauche kam, schwerlich zu allererst aufgeschrieben haben; vermuthlich war derselbe damals schon, wie etwa Egils Klagelied, mit Runen auf eine Tafel gezeichnet. Nicht früher als in der Mitte des 13ten Jahrhunderts konnte Ragnars Schwanensang nach Island gebracht worden sein; woselbst er erst in eine

Saga aufgelös't und mit der, wahrscheinlich schon früher zusammengetragenen, Saga von Ragnars Söhnen in Verbindung gebracht ward. Hieraus wird es erst erklärlich, wie sich der Ragnarsang hie und da abgesondert von der Saga konnte erhalten haben; es sind sogar Hss. der Ragnars Saga vorhanden, worin der Schwanensang gänzlich fehlt. Entweder also ist der Ragnarsang nicht ursprünglich in der Saga enthalten gewesen, oder haben ihn bequeme und alles poetischen Sinnes beraubte Abschreiber in der Folge ausgelassen.

Die Hs. des Ragnarsanges, welche der von RAFN veranstalteten neuen Ausgabe und auch meiner Uibersetzung zum Grunde liegt, ist wenigstens aus dem Anfange des 15. Jahrhunderts und allen Kennzeichen nach, eine Abschrift von einem ältern Codex. Seitdem diese Pergamenthandschrift — bisher die älteste von der Ragnars Saga — wieder aufgefunden ist, hat auch die obige Einwendung NYERUPS keine Giltigkeit mehr. Aber auch diese Hs. gehört unter diejenigen, denen der Schwanensang an der gewöhnlichen Stelle fehlt; derselbe ist erst hinterher und ganz am Ende des Codex von derselben Hand nachgetragen. Sollte dies nicht auch darauf deuten, dass der Schwanensang dennoch einen integrirenden Theil der Ragnars Saga ausgemacht habe? Schlüsslich mag noch über den T i t e l unsers Gesanges das Nöthige beigebracht werden.

Ragnars Schwanensang führt im Ganzen drei verschiedene Uiberschriften. In den alten Recensionen bei WORM (*Lit. run. Hafn.* 1636) und BJÖRNER (*Nord. Kæmpa-Dåter. Stockh.* 1737.) wird dieser Gesang *Biarkamál* benannt; in der ältesten Hs. ist er *Krákumál*; in den übrigen Hss. aber *Krákumál er sumir kalla Lodbrókarkvidu* überschrieben.

Was den ersten Titel, Biarkamaal; betrifft, so ist es sehr leicht möglich, dass diese, seit dem Skalden B i a r k e sehr beliebte und allen Kriegsliedern insgemein beigelegte, Benennung entweder schon von den Söhnen Ragnars selbst, oder mitunter von Andern auf diesen jüngern Schlachtgesang übertragen worden sei.

Auch der Titel Lodbrokarkvida ist nicht unpassend; denn in der 1. Str. erzählt Ragnar, bei welcher Gelegenheit er den Beinamen Lodbrok erhalten, und in den folgenden Strr. werden eben so genau seine Thaten und sein Heldentod beschrieben; man findet diesen Titel aber nur in Papierhandschriften und er schreibt sich aus späteren Zeiten her.

Die Uiberschrift K r a k u m a a l, welche die älteste Hs. aufweis't, rührt ohne Zweifel von K r a k a her, jenem Namen, den, wie bekannt, Ragnars Gemalin geführt, als sie noch auf Spangerhaide lebte. Nun ist es auch an der Zeit, den wahrscheinlichsten Verfasser des Ragnarsanges zu erforschen.

S K U L E T H O R L A C I U S (*Antiqq. bor. Spec. VII. p.* 70) behauptet offen: „*Verum non ipse (Ragnarus) sed Bragius Boddii filius verus est carminis autor, quamvis illud a Ragnari uxore Kraka nomen subinde sortiatur vulgo Krákumál, Graculae melos dictum, eo quod in ejus jam viduae gratiam a Bragio fuerit compositum.*"

Finn Magnusen (*Om Ossian.* In den Ss. der Skand. Lit. Gess. 1813. S. 324) ist derselben Meinung; er sagt nemlich: „Dieser Gesang ward, nach S U H M S Berichte, welcher bei weitem die grösste Wahrscheinlichkeit für sich hat, obschon ich dessen Quelle nicht kenne, von Bragi dem Alten auf Verlangen der Wittwe Ragnars, Aslög oder Kraka, verfasst, damit seine Söhne hiedurch aufgereizt würden, Ragnars grausamen Mord zu rächen."

Ohne Zweifel baut auch T H O R L A C I U S seine so bestimmte Aussage bloss auf S U H M S Bericht, welcher sich in der Hist.

af Danm. I. p. 574 befindet; aber dass Suhm hier als eine
ausgemachte historische Thatsache aufstellte, was nichts
weiter als eine frühere Vermuthung von ihm war, beweist
folgende Stelle in seiner Krit. Hist. III. p. 654: „Dieser
Vers Bragi's (welcher nemlich in der Skalda aus der Ragnar
Lodbroks Drapa angeführt wird) möchte Einen auf den
Gedanken bringen, dass Bragi selbst, Ragnar zu Ehren,
Krakumal verfasste und zwar auf Aslögs Befehl.

GRÄTER (Nord. Blumen. 1te Ausg. p. 28) hält es hingegen für wahrscheinlich, dass Aslög, als sie die Worte ihres
sterbenden Gemahls vernahm, seine Gedanken ausgeführt und
diesen Sterbegesang daraus gedichtet habe. Aslög war wirklich eine grosse Dichterin, sie ist auch in der Skaldatsal
nicht vergessen; es heisst dort: „Ragnar und Aslög und ihre
Söhne waren Skalden“ und hierauf folgt „Bragi der Alte.“

RAFN endlich erkennt, nachdem er mehre sehr gründ-
liche Untersuchungen vorausgehn liess, die Uiberschrift
Krákumál für den sichersten Wink, nach welchem man
die Abfassung dieses Gedichts in Krakas Zeitalter versetzen
müsse. Denn wodurch, fragt er, wollte man sonst diesen
Titel erklären? Daraus zu schliessen, dass Aslög selbst
die Verfasserin des Gesanges sei, ist kühn; indem es,
wenn gleich bei Diarkamaal, doch nicht immer der Fall
ist, dass der, mit *mál* zusammengesetzte Eigennamen
des Liedes Verfasser bezeichne, welches z. B. gleich bei
Hakonarmaal eintrifft. Es dürfte aber doch noch bestehen,
dass der Königinn Name darum auf den Gesang überging,
weil entweder, wie jene Gelehrten wollten, er auf ihren
Befehl gedichtet war, oder weil sie ihn vorzüglich liebte,
oft vielleicht auch selber sang oder sich vorsingen liess.
Warum der Gesang nicht eben so gut *Aslögarmál* heisst,
dies hat seinen Grund wahrscheinlich darin, weil der
Name Aslög nicht so allgemein, als es der vorige geworden, verbreitet war.

Wichtig ist für uns nun eine Stelle des Saxo (Lib. IX), welche berichtet, dass Ragnar nach einem grossen Siege in Permien sich ein Denkmal setzen liess. Es heisst dort: (*Ragnarus*) *Biarmorum rege interfecto, Finnorum vero fugato, saxis rerum gestarum apices prae se ferentibus, hisdem superne localis, aeternum victoriae suae monimentum affixit.* Und diese Inschrift musste der damaligen Sitte gemäss in Versen sein. Wie glaublich ist es nicht, dass der König, welcher ein so lebhaftes Verlangen bewies, seiner Thaten Erinnerung zu verewigen und der selbst ein grosser Dichter war, auch lange vor seinem Tode dieselben in einem Gedichte aufbewahrt habe! In der Geschichte von Ragnars Tode sagt endlich Saxo ausdrücklich, dass sich Ragnar im Schlangenhofe mit der Herzählung aller seiner Thaten beschäftigt habe. Es heisst nemlich da (S. 176 der Ausgabe von Stephanius): *Comprehensus enim atque in carcerem conjectus noxios artus colubris consumendos advertit, atque ex viscerum suorum fibris triste viperis alimonium praebuit. Cujus adeso jecinore, cum cor ipsum funesti carnificis loco coluber obsederet, omnem operum suorum cursum animosa voce recensuit, superiori rerum contextui hanc adjiciens clausulam: Si succulae verris supplicium scirent, haud dubio, irruptis haris, afflictum absolvere properarent.* Saxo sagt hier absichtlich *recensuit*, und gibt uns (indem wir dieses Hersagen, als in gebundener Rede geschehen, vorhinein annehmen) zunächst durch die Wahl dieses Wortes zu erkennen, dass jenes Gedicht schon früher verfasst und vorhanden gewesen sei, und Ragnar dasselbe nur desshalb wiederholte, um unter all den schrecklichen Qualen seinen Muth bis an's Ende aufrecht zu erhalten. Von Beispielen einer beinahe unglaublichen Stärke und Unverzagtheit bei Erduldung der grausamsten Martern, welche die alten Norden gewöhnlich von ihren Feinden erfahren mussten, ist die Geschichte voll; so dass wir an der Wahrheit der Berichte Saxos über Ragnar durchaus nicht zweifeln dürfen. Da uns nun die Zeit einen Gesang erhielt, für dessen Aechtheit so viele Beweise sprechen, warum sollten wir annehmen, dass jener von Saxo erwähnte ein anderer und nicht eben dieser Gesang gewesen sei! Doch ist hier die Rede nur von den 21 ersten Strophen, welche uns am sichersten für Ragnars eigene Arbeit gelten dürften; so wie es sehr wahrscheinlich ist, dass die beiden unmittelbar darauf folgenden Strophen, 22 und 23, welche eben so passend als würdig sind, einen Kriegsgesang zu endigen, zu Ragnars Zeit, entweder so oder vermehrt, in den Schlachten sind gesungen worden. Diese Vermuthung unterstützt auch der Umstand, dass in der 23. Str. ein Distichon abgeht; was hier nur desshalb stattgefunden zu haben scheint, weil das letzte Distichon, wie sich dies an vielen andern Skaldenliedern bestätigt, als vorzüglich schön und wichtig im Gesange wiederholt wurde. Auch der Mangel an einem Distichon in der letzten oder 29. Strophe fällt der Achtlosigkeit des Abschreibers nicht zur Last — wohl eben so wenig, als er nach Sandvigs Meinung „von der allzugrossen Todesnähe des singenden Helden" herrührte — dieser Mangel ist vielmehr aus einer gleichen Ursache hier eingetreten, wie oben in der 23. Str.; denn solche Endworte des begeisterten Sanges waren wohl viel zu merkwürdig und erhaben, als dass sie nicht verdient hätten, mit einem verdoppelten Nachdrucke wiederhohlt zu werden.

Wenn wir nun endlich die 6 letztern Strr. des Schwanenliedes mit den, die letzten Worte Ragnars betreffenden, Berichten Saxos und der Saga zusammenhalten; so verbreitet sich auch über diese Strr. ein volles Licht. In der Saga heisst es nemlich, als die Schlangen Ragnern von allen Seiten benagt, da wären ihm die Worte entfallen:

„Fürwahr, grunzen würden die Jungen, wenn
sie des Ebers Pein sähen und wüssten, wie
sehr der Alte leidet."*) Und nun soll Ragnar den
Todesgesang begonnen haben.

Augenscheinlich dienten diese Worte und noch einzele
im Vorhergehenden enthaltene Verse Ragnars zur Grundlage, und Aslög oder Bragi der Alte oder sonst ein
vortrefflicher Dichter jener Zeit mochte den vorausgeschick-
ten Kriegssang von Ragnars Thaten mit den schönen Strophen von seinem Heldentode verbunden haben, damit derselbe sonach als eine zusammenhängende Drapa in der
Königin Hallen und den Kämpfen der Ragnariden gesungen
werde.

---

*) *Gnidu mundu grysar ef galltarhag vissa, ef Þeir viss,*
hrad kinn gamle lide. Ragn. S. cap. 16 bei BJÖRNER.

III.

Skaldenlieder aus der Egils-Saga.

„Als einstmal der Vater von des Skalden E g i l Frau in
Norwegen starb und sein Schwager B e r g a u m u n d sich
des ganzen Erbes bemächtigte, wurde E g i l dadurch zu
einer Reise veranlasst. Er verklagte Bergaumund, der von
dem Könige auf dem Gulething beschützt wurde. A r i n b i ö r n
begleitete ihn mit einer grossen Schaar dahin. Mitten auf
einem weiten Felde waren Haselruthen im Kreise eingesteckt,
an denen die heiligen Schnüre *(vebönd)* befestigt waren Innerhalb des Kreises sassen die Richter, zwölf aus dem Bucht-
fylk, zwölf aus dem Sogunfylk und eben so viel aus dem
Hördafylk; denn drei Fylker (Bezirke) sollten in jeder
Sache urtheilen. Bergaumund behauptete, Egils Frau
würde als das Kind einer Sklavin nicht erben; aber Arinbiörn bewies mit zwölf Zeugen, dass ihre Geburt als ehelich
anzusehen sei; und wie die Richter das Urtheil fällen sollten,
wurde Königin G u n h i l d angst um den Ausgang, und
liess ihren Verwandten über die heiligen Schnüre hauen,
wodurch das Thing aufgehoben wurde. Da fodert Egil den
Bergaumund zum Holmgang, um so auszumachen, wer
das Erbe bekommen sollte, und verkündigte Unfrieden
jedem, der wagen würde es anzurühren. König E r i c h
wurde sehr erbittert, aber auf dem Thing hatte niemand
Waffen; und als er hernach Egil nachsetzte, entkam dieser

auf einem kleinern Fahrzeuge und erschlug noch einen Mann auf des Königs eigenem Schiffe. Arinbiörn schaffte dem Egil, der für friedlos in ganz Norwegen erklärt war, ein Schiff mit dreissig Mann; damit schiffte er ab, kehrte aber sogleich wieder um und überfiel Bergaunnand unversehens; er erschlug diesen und zugleich König Erichs elfjährigen Sohn Ragnvold, der in der Gegend auf einem Trinkgelage war. Ehe Egil absegelte, nahm er eine Stange, steckte einen Pferdekopf darauf, und sagte, indem er sie in die Höhe hielt: „Ich richte hier eine Neidstange auf und wende diesen Neid (Fluch) gegen König Erich und Königin Gunhilde." Er kehrte den Pferdekopf gegen das Land und sagte: „Ich wende diesen Fluch gegen die Landvätter (Schutzgötter) welche dieses Land bauen, so dass sie alle müssen irr umlaufen und keiner seine Heimath findet, ehe sie König Erich mit Gunhilden fortgejagt haben." Darauf steckte er die Stange in eine Bergritze und liess sie stehen.*) Egil kam glücklich nach Island im Jahr 934; sein Vater Skalagrim starb, nachdem er erfahren, dass Egil das Englische Geld behalten, wofür er selbst ihm zur Vergeltung einen Schatz, den er selbst besäss, verhehlte. Diesen Sommer hörte man in Island nichts aus Norwegen, weil der bürgerlichen Unruhen wegen Beschlag auf alle Schiffe gelegt war. Egil kann sich in das ruhige Leben nicht finden und will desshalb zu König Adelstein fahren, leidet aber Schiffbruch an der Nordküste von England. Hier hört er, dass Erich Blutaxt aus Norwegen verjagt, von dem Englischen

---

*) In Landnamabók S. 299 wird unter Ulfliots Gesetzen, die 928 gegeben wurden, dieses angeführt: niemand solle ein Meerschiff haben mit einem Haupte darauf, und habe er dergleichen, so solle man das Haupt nehmen, ehe es ins Gesicht des Landes komme, und nicht heranfahren mit gähnenden Häuptern oder offenen Rachen, um die Landvätter nicht zu erschrecken.

König, um es gegen die Schotten zu vertheidigen, mit Northumberland belehnt worden, und in der Nachbarschaft seinen Sitz habe. Egil sah wohl ein, dass es schwer sein würde zu entkommen und wollte nicht gern auf der Flucht ergriffen werden. Er reitet also ganz allein zu des Königs Hof und sucht Arinbiörn, der seine Besitz-thümer in Norwegen verlassen hatte, um dem landflüch-tigen Erich zu folgen. Auf Arinbiörns Rath geht er zum Könige, als dieser auf den Abend am Tische sitzt, um-fasst seine Füsse und sagt in einem Verse, er habe die Gefahr nicht gescheut, um zu ihm zu kommen und sich mit ihm auszusöhnen. Erich antwortet, er möge sich zum Tode bereiten, Königin Gunhild forderte dieses sogleich. Aber Arinbiörn stellt dem Könige vor, dass es Meuchelmord sei, einen Mann bei Nacht zu erschlagen und verlangt, dass Egils Strafe auf den nächsten Tag aufge-schoben wird; so lange sollte dieser in seinem Gewahrsam bleiben. Arinbiörn rieth Egil unterdessen eine *Drápa* dem König zu Ehren zu dichten, liess ihm Speise und Bier hineinbringen, und setzte sich dann mit seinen Leuten zu trinken, bis Mitternacht. Ehe er sich entkleidete, ging er zu Egil und fragte nach dem Liede; dieser ant-wortete, er habe nichts gedichtet, weil eine Schwalbe draussen vor dem Fenster gesessen und so geschrien, dass er keine Ruhe gehabt. Arinbiörn ging vor das Fenster und sah eine Gestalt fortfliegen; er blieb dort sitzen bis es Tag wurde, und Egil beendigte nun seine *Drápa*. Beide gingen mit einer grossen Menge Bewaffneter zu des Königs Hof, wo Arinbiörn Erichen wieder bat, Egil um seinet-willen in Frieden ziehen zu lassen; und als Gunhilde den König noch immer reizte, erklärte Arinbiörn, er wolle Egil mit seinen Leuten bis aufs äusserste vertheidigen. Dies machte den König sanfter; Egil sagte sein Lied her. Dieses Lied ist auf uns gekommen unter dem Namen:

M

Höfud-lausn

oder

die Lösung des Hauptes.

Westher fahr' ich vom Meere.
Trag' in der Brust
Edlen Vidrirs-Trank, [1]
So auf der Fahrt mir ward.
Ich zog in die Fluth den Baum [2]
Nächst den einigen Bahnen, [3]
Und füllte mit Liedern dann
Den Saal der Gedanken. [4]

Beim König fand ich Gewähr
Gabe des Sangs zu bringen:
Darum weih' Odins Meth ich
Dem Angelnherrscher.
Lob wird die Weise bieten
Dem, der des Lobes werth —
Eu'r aller Ohr denn mir,
Dass die Weise gelinge!

Nun horch, o König!
Dies ziemet wohl,
Dass ich anstimme,
So ich mir Schweigen erwarb:
„Gar Manche haben gehört
Von des Königs Gefällten:
Aber Odin die Leichen
Hingestreut sah.

Es hallte Schwertklang
Allgemach durch Schilde:
Gudur [5] drängte den König,
Der König durchfocht die Schlacht.
War wohl zu hören
Wie der Schwertstrom rauschte,
Wie der Eisenregen
Sich mächtig erguss.

---

1) Meth Vidrirs (Odins) d. i. dichterische Begeisterung. 2)
Den hölzernen Kahn. 3) In Islands Gegend. 4) Den Kopf. 5)
Eine der Schlachtgöttinnen — Schlacht überhaupt.

Nimmer wankten die Scharen,
Wohlgeordnet und dicht,
Auf den behenden
Königsschiffen:
Als, zum Zorne der Robben,[6]
Im feuchten Blute
Herschwamm das Schiff
Und Gebrüll erpressten die Wunden.

Schwand die Kraft den Männern
Zum Lanzenspiel:
Und Ruhm hatte wieder
Erich erworben. "

Will fürder anheben,
So die Männer schweigen;
Mir ward mehr noch erzählt
Von euren Fahrten:
„Es brannten die Wunden
Wo der König sich fand,
Schwerter splitterten
An der Schilde Ringen.

Die Panzer tönten
Vom Stahle getroffen;
Drang des Wundenwühlers[7]
Scharfe Spitze ein:
Und sind gesunken
Von der Speere Gewalt
Odins Elchen[8]
Im eisernen Spiel.

Es gab Schwerterschlag
Und Andrang der Heere;
Ruhm hat sich Erich
Errungen dort.

Der König röthet' den Stahl
Und weckte die Gier der Raben;
Spiesse trafen das Leben,
War blutig der Lanzen Flug.
Das Ross der Riesin[9] nährte

---

6) Das heftig bewegte Meer störte nemlich die Ruhe der See-
thiere. 7) Des Schwertes. 8) Krieger. 9) Fala's Ross; ein
Wolf.

M 2

Der fährliche Schottenbezwinger!
Und Nars Tochter [10] streute
Dem Adler sein Mal. [11]

Flogen des Kriegers Sperber
Uiber Leichengefilde,
Und die blutschlürfenden Vögel
Netzten die Lippen sich: [12]
Da braus'ten die Stacheln
Bei des Wolfs Malzeit
Hart am Schnabel
Des Adlers dahin.

     Troff des Streithammers Schweiss [13]
     In die Rosse der Brandung — [14]
     Erich schlug dem Gewilde
     Leichen am Meeresplan.

Scharf war der fliegende Speer,
Fern zwar der Frieden,
Aber der Ulm [15] gespannt —
Dess freute der Wolf sich.
Lanzen zerbrachen,
Die Spitzen stachen,
Und saus'ten Pfeile
Von Sehnen fort.

Versandte den Stachel
Vom Sitz des Ringes [16]
Der Erreger des Schwertspiels;
Er schwelgte im Blut.
Siegreich war er auch hier —
Ha! meine Seele jubelt;
Denn der Ruf von den Fahrten Erichs
Scholl über'm östlichen Meer!

     Der König krümmte den Bogen,
     Hinschoss der Wundenstachel. [17]
     Erich schlug dem Gewilde
     Leichen am Meeresplan. "

---

10) Hela, der Tod. 11) Leichen. 12) D. i. die Adler hatten
nicht Mangel an Blut. 13) Blut. 14) Schiffe. 15) Bogen. 16)
Von der Hand. 17) Der Pfeil.

Nun möge ferner ich
Vor allen Männern erheben
Des Königes Geist,
Und mein Lied beflügeln:
„Wohl hält die krieglust'ge Jungfrau [18])
Er am Schiffe stets wach,
Lässt den Bestürmer der Klippen [19])
Rasen um Geirs Pflug. [20])

Die Ringe [21]) zerbricht
Der Spender des Goldes:
Und lobt, der Ringvergeuder,
Nimmer müssigen Schmuck.
Aber die Stütze der Segler [22])
Freut Frodi's Mehl; [23])
Gar feil ist dem König
Der Kies der Hände. [24])

Nicht ruhte das Volk
Gegen den Räuber des Lebens. [25])
Es erklang der Bogen
Beim Angriff der Schaar.
Von den Schwertern flog es,
Der König behielt den Platz,
Zerspaltete Hörner, [26])
Und sichert' sich hohes Lob!"

Der König nimmt wahr
Meines Lobgesanges:
Dies hat gut mir geschienen,
Dass ich Schweigen erzielt.
Es hat mein Mund wohl
Aus den Tiefen der Seele
Odins Meer [27]) erregt
Zu seinem [28]) Preise.

Ich sang des Königes Lob,
Das Schweigen zu brechen,

---

18) Hilda, die Schlachtgöttin. 19) Das Meer. 20) Geir,
ein alter Seekönig; sein Pflug: das Schiff, weil es die Wellen
furcht. 21) Die Panzerringe auf den Schultern. 22) D. i. den
König selbst. 23) D. i. Gold. S. Edda. Dänis. 66. 24) Benennung
des Goldes n. d. Kenningar. 25) Das Schwert. 26) Die Zierde
der Helme bestand bei den Skandinaviern häufig in zwei empor-
stehenden Büffelhörnern. 27) Odins Meth, die Dichtkunst. 28)
D. i. Erichs.

Durfte laut werden
Inmitten des Männerkreises.
Dem König aus voller Brust.
Bring' ich würdiges Lob;
So hat es sich begeben,
Für Viel' ein Vorbild.

Möge das Gold ihm frommen,
Wie Odin sein Auge,
Wie der Waare das Schiff,
Und dem Raben die Leiche frommt!!

Nun sagte der König zu Egil, er könne reisen, weil er
sich freiwillig in seine Gewalt begeben; aber nie solle er
ihm oder seinen Kindern vor Augen kommen.

Einige Zeit nach seiner Rückkehr in die Heimath verlor
Egil einen Sohn, Gunnar, und kurz nachher litt sein
ältester Sohn Baudvar Schiffbruch in der Burgbucht.
Als der Vater den Leichnam am Strande gefunden, ritt er
mit ihm zu Skalagrims Grabhügel, liess diesen öffnen
und legte die Leiche hinein. Egil trug enge Beinkleider
und einen rothen Rock, oben enge, an den Seiten weit.
Das Blut drängte ihn so, dass sowohl Rock als Beinkleider
platzten. Als er nach Hause kam, begab er sich in das
Zimmer, wo er zu schlafen pflegte, legte sich nieder und
schob den Riegel vor; niemand wagte ihn anzureden.
Drei Tage lag er so ohne zu essen und zu trinken. Am
dritten Morgen liess seine Frau Asgerde einen der Haus-
knechte nach Hiardarholt reiten, wo Egils geliebtestes
Kind Thorgerde wohnte, die an Oluf Pau vermählt war.
Sie kam auf den Abend an. Als Asgerde fragte, ob sie
zu Abend gegessen, antwortete sie mit lauter Stimme: „Ich
habe kein Abendbrod gegessen und will keins geniessen
eher als bei Freia." Darauf ging sie zu dem Zimmer, rief
dem Vater zu, er möge aufschliessen; ich will, sagte sie,

dass wir beide denselben Weg machen. Egil schloss auf, und Thorgerde legte sich in das andere Bette. „Du thust wohl, meine Tochter, sagte Egil, dass Du deinem Vater folgen willst. Grosse Liebe hast Du mir bewiesen." Wie könnte ich diesen Schmerz überleben wollen? fragte sie. Dann schwiegen beide eine Weile. Darauf sprach Egil: „Käuest Du etwas, meine Tochter?" „Ich kaue Söl *), denn ich denke, so wird es schlimmer mit mir; sonst fürchte ich zu lange zu leben." — „Ist das den Menschen schädlich?" — „Sehr schädlich, sagte sie; willst Du davon essen?" Warum nicht? erwiederte er. Kurz darauf rief sie, man sollte ihr zu trinken geben; sie bekam Wasser. Egil sagte: „das kommt vom Tangessen; desto mehr durstet man." „Willst Du trinken, Vater?" sprach sie; er nahm ein Horn und verschlang das Getränk. „Nun sind wir betrogen, sagte Thorgerde, das war Milch." Da biss Egil ein grosses Stück von dem Horn ab und warf es auf den Boden. „Was sollen wir nun machen, fragte Thorgerde; denn unser Vorhaben ist doch nun gehindert. Ich dächte, Vater, wir behielten unser Leben, bis Du ein Lied auf Bödvar gedichtet und ich es auf einen Stab gezeichnet." Egil sagte, er glaube nicht, dass er zu dieser Zeit fähig wäre, ein Gedicht zu machen, wolle es aber doch versuchen. Und so lautete der Gesang, der geheissen ward:

Sonar Torrek
oder
des Sohns Verlust.

Wohl fällt es schwer mir
Die Zunge zu regen,
Oder das Luftgespann
Der Lieder zu lenken.
Nun ist nicht zu erhoffen

---

*) Eine von Islands essbaren Tangarten, deren Beschaffenheit aber damals wohl noch nicht allgemein bekannt war.

Die Beute Odins,
Sie zu fördern nicht
Aus des Geistes Höhlen. [1]

Nicht leicht ist die Heilung!
Weder kund geben
— Ob traurig auch —
Kann aus dem Herzen
Sich der stille Gewinn
Von Odins Tranke
Der einst bereitet ward
In Jotunheim. [2]

Tadellos forthin
Hat er gelebt [3]
Ihm drohte nimmer
Schiffes Untergang:
Doch da braust des Riesen
Wundenstrom [4]
Gar weit gedehnt
Von der sicheren Rhede.

Und ihn, von meinem Geblüt',
Ereilt das Ende,
Bei des Waldstammes
Verderblichem Splittern. [5]
Nicht fröhlich kann sein,
Der vom Leichenbette
Des einzigen Freundes
Seine Schritte wendet.

Dennoch darf
Meiner Mutter Heimgang,
Des Vaters Fall
Ich zuerst erwähnen.
Ihnen allen pflanz' ich,
Als einzig Denkmal,
Einen Wald voll Lieder,
Gar wohl belaubt,

---

1) Anspielung auf den Dichtermeth, den Odin aus der Felsenhöhle der G u n l ö d a geraubt. 2) Bekanntlich ist der Dichtermeth (d. i. die Dichtkunst) durch B a u g e und S u t t u n g im Riesenlande entstanden. 3) Nemlich Egils Sohn B ö d v a r. 4) Y m e r s Blut das Meer, 5) Bei der Zertrümmerung des Schiffes.

Gross ist die Lücke,
So die Woge brach
In meines Vaters
Stammgeschlecht:
Und ich weiss unausgefüllt,
Weiss offen sie,
Des Sohn's leere Stelle,
Die durch das Meer mir ward.

Wohl hat Rana [6])
Mich hart verletzt:
Bin gar sehr beraubt
Von lieben Freunden;
Es riss das Meer die Bande
Zwischen den Meinen,
Den festgeschlung'nen Faden
Zwischen uns ab.

Wisse! Könnt' ich das Leid
Mit dem Schwerte verfolgen:
Würde des Bierbrenners [7])
Zukunft unheimlich sein:
Wenn den Sturm, des Meers Bruder,
Ich zu tödten vermöchte,
Trät' ich alsbald
Kampfbereit vor ihn.

Aber es schien mir auch,
Dass ich nimmer besässe
Taugliche Streitgewalt
Gegen den Schiffsverschlinger; [8])
Und all' Volk es weiss
Und sieht mit Augen
Des greisen Mannes
Hilflosigkeit.

O! das Meer
Hat viel mir genommen!
Aber bitter ist's, zu schildern

---

6) Die Meeresgöttin. 7) D. i. Aegirs, des Meergottes. Denn
dieser kochte einst Bier für die Götter, als sie ihn besuchten.
S. *Hymis-kvida* und *Aegis-drecka*; ferner E d d a , Dümls. 42.
8) D. i. Aegir — das Meer.

Der Freunde Geschick:
Und wohin,
Auf welchen Lustweg
Meines Alters Schild
Einstieg aus dem Leben.

Doch ist mir wohl bewusst,
Dass meinem Sohne
Gar wenig vom Geist des Bauern
Hat ingewohnt;
Wär' der Waffenfertige
Nur zur Reife gediehen,
Bevor Odins Hand
Ihn noch berührt!

Immer hat er geehrt
Des Vaters Ausspruch,
Wenn alles Volk auch
Anders dachte;
Und hat in den Mauern
Mich immer gestüzt,
Gar oft meine Kräfte
Verdoppelt mir.

Oft kömmt über mich
Herbe Erinnerung
Beim Fahrwinde —
Zweier Brüder Verlust. [9]
Ich spähe umher
Nach der entglimmenden Schlacht,
Und wie ich schaue,
So denkt mein Sinn:

Welcher Muthige
Steht an der Seite mir,
Ein anderer Mann
Im Reihengefüge?
Sein bedarf ich immer,
Sobald anhebt die Schlacht —
Denk' an's schwache Vöglein,
Wenn der Beistand fehlt.

---

9) Egil hatte bekanntlich kurz zuvor auch seinen ersten Sohn
verloren.

Misslich ist zu suchen
Der, dem wir trauen können,
Unter allem Volke
Der Elenn-Insel.[10]
Es hat der verderbliche
König der Schattenheere[11]
Mit Ringen erkauft
Die Leiche des Bruders:
Oft muss ich fühlen
Des Geldes Macht!

So wird auch gesagt:
Keiner wisse den Werth
Eines Sohnes zu schätzen,
Wenn ihm dieser nicht ward:
Noch auch wie nahe
Dem Vater stehe
Der, so geboren ward
An Bruders Statt.

Nimmer ist mir genehm
Des Volkes Umtrieb,
Ob ein jeder auch
Frieden bewahrt.
In jener Himmelshöhen
Wohnungen ging
Der Sohn meiner Gattin,
Seine Nächsten zu sehen.

Mich aber hat,
Und meine standhafte Seele
Der König der Lieder[12]
Gar tief gebeugt:
Nicht ferner kann
Durch die ruhlose Nacht
Das müde Haupt
Empor ich halten.

Nun meinen Sohn
Ohne Krankheit
Der Zürnende[13]
Von der Erde nahm:

---

10) D. i. Island. 11) Der Tod. 12) Odin. 13) D. i. Odin.

Ihn, den ich weiss,
Dass er wohl sich wahrte,
Und floh vor Verbrechen,
Die erheischten den Tod.

So weiss ich auch,
Dass geführt wurde
In die Götterburg
Hin zu Odin
Das Heldenreis,
So mir erwuchs,
Der gebroch'ne Zweig
Von meiner Gattin.

Hat lange mir wohlgewollt
Der Herr der Speere; [14]
Und ich nährte
Ein fest Vertrauen:
Ehe seinen Schirm
Der Wagenflüchtige,
Der Siegverleiher,
Mir noch entzog.

Wie soll fortan ich
Dem Bruder Vile's,
Dem Fürsten der Götter,
Meine Verehrung bringen?
Doch hat Mimers Freund
Mir auch verliehen
Des Schmerzes Heilmittel,
Wie ich besagen muss.

Es gab die Kunst mir
Der Schlachtgeübte
Gegner des Wolfes:
Klug zu sein und edel;
Gab auch die Macht mir
Und guten Erfolg
Jener Feinde [15] Gemüth
Friedlich zu stimmen.

---

14) Die hier folgenden Reden (bis Str. 23) sind an Odin
gerichtet, folglich die Beinamen alle auf ihn zu beziehen. 15)
Etwa Thorfins und Alfs.

Nun thut zwar bange mir
Der doppelte Verlust;
Ob aber Niörvi's Tochter 16)
Gleich am Strande lauert:
Ich bin getrost
Und anderes Willens
— Doch nimmermehr zaghaft —
Des Tod's gewärtig!

Egil fing an durch das vorstehende Gedicht allmälig
seinen Gleichmuth wieder zu erlangen. Er richtete sich,
als dieses beendigt war, von seinem Lager auf, brachte
es seiner Familie, setzte sich auf den Hochsitz und liess
nach altem Gebrauch den Todten das Gedächnissbier
nachtrinken. Als Thorgerda nach Hause reis'te, erhielt sie
schöne Geschenke von ihm.

_____

16) Hela, die Todesgöttin.

_____

IV.

Skaldenliteratur.

Von seiner ersten Bebauung unter Haralds Gewaltherrschaft bis zum Untergange der nordischen Dichtkunst unter Hakon dem Vierten blieb Island das Vaterland der berühmtesten Skalden. Der ganze übrige Norden, die Höfe Norwegens, Dänemarks und Schwedens waren gewohnt, nur diesem Sängergeschlechte zu horchen; darum ist, was andere Skalden gesungen, auch frühe verhallt, während die Goldharfe der Skalden Islands ferne Jahrhunderte durchklang und noch jetzt jedes teutsche Herz mit heiliger Begeisterung füllt. Gross und beinahe unübersehbar ist die Reihe der uns bekannt gewordenen Skalden; unermesslich aber müsste sie sein, wenn auch die Namen der minder berühmten Sänger, die das Jahrtausend erzeugte, in welchem die Skaldendichtkunst bestand, neben den Gefeierten würden fortgelebt und unsere Tage erreicht haben.

Die Geschichte und Sage erzählt viel von den Lebensumständen und Werken einzeler isländischer Skalden; manche hiernach verzeichneten Angaben wird folgende kurzgefasste Darstellung bieten.

1.

Die Reihe der berühmtesten isländischen Skalden.

Arnald (Arild), Thorwalds Sohn, wurde vom Dänenkönige Waldemar dem Grossen und dem Erzbischof Absalon — nach dem Zeugnisse des Saxo Grammaticus — sowohl wegen seiner Gewandtheit in der Dichtkunst, als auch in der Geschichte und Traumdeutung vorzüglich geschätzt.

Arnor Jarlaskáld, Thords S. sang von Magnus dem Guten, König von Norwegen, wie die *Knytlinga Saga* Cap. 22. berichtet; ferner von den Jarls Rögnwald und Thorfinn, wie auch endlich von König Harald, Sigurds Sohn. Auch verfertigte er nach dem Zeugnisse der *Laxdäla* S. c. 51. ein Trauergedicht über den Tod Geller Thorkillsons.

Bard Svarti.

Bjarne Gullbrá sang von Kalfur Arnason. S. Olafs d. Heil. S. C. 210.

Bersi Porfeson lebte zur Zeit K. Knud d. Gr. und Olafs d. H.

Biörn Hytdaelakappi, Arngeirs S. war ein trefflicher Kämpfer und Skalde, wie aus seiner Geschichte (d. i. *Biörns Saga Hytdaelakappa*) hervorgeht.

Egill, Skallagrims S. war ein ausgezeichneter Skalde, trefflicher Held und gefürchteter Seeräuber, der Stammvater eines ausgebreiteten Geschlechtes auf Island. Er hat viel Lieder gesungen; hievon sind uns übrig: *Höfudlausn* (Lösung des Hauptes) *Sonar-torrek* (vom Verluste des Sohnes) ein Lied an Arinbiörn Hersir und andere. S. die Noten zu *Gunnlaugs Ormstunga S. p. 3. 5.*

Einar der Priester, Skule's S. zur Zeit des Norwegischen
Königs Sigurd Jorsalafar; sang vom Dänenkönige Svend
Svidanda und andern. S. *Knytlinga S. C.* 198 und die
Noten zu *Gunnlaugs Ormst.* S. p. 15. 17.

Einar Skálaglam, Helge's Sohn, am Hofe Hakons
des Reichen, Jarls von Hladnen; besang mehre Schlachten und dichtete auf Hakon das Lied *Vellekla.* S. Olaf
Tryggvesons S. P. I. C. 61. 63. 158. 163. 174.

Eyolf, Bruno's S. Snorri Sturlesons Zeitgenosse.

Eystein, der Mönch, Asgrims S. Verfasser der berühmten
religiösen Ode *Lilia.* Starb 1361.

Eldjarn fuhr zur Zeit des Königs Magnus Barfuss seines
Erbes wegen nach Constantinopel, woselbst er dann
auf Gifald einen Gesang dichtete.

Gisli, Illugi's S. zur Zeit K. Magnus Barfuss.

Gizer Gullbrá unter Olaf d. H. von Norwegen.

Gizer Svarti, Skalde des Königs Olaf Svend.

Gunnlaug Ormstúnga lebte um das Jahr 1000 in
England, Norwegen und Schweden; seine zahlreichen
Dichtungen sind grösstentheils in seiner Geschichte ent-
halten.

Glumr, Geirs S. Verfasser des Gedichtes *Grafelldar-
Drápa.* S. Olafs d. H. Sage.

Hallbiörn Hali lebte unter König Sverer und besang
dessen Siege. S. Olaf Tryggv. S. P. f. p. 210. it. p. 155.
d. Skalholt. Ausg.

Halli (Sneglu-Halli) dichtete Gesänge von König
Harald, Sigurds S. und dem Angeln-Könige Edward.

Hallfred Vandraeda-Skálld, Ottars S. Rath beim
König Olaf Tryggveson; verfasste auf denselben ein
Lobgedicht, ferner auch eines auf Hakon Jarl und dessen
Sohn Erich. Die Dichtungen dieses Skalden sind zum

Theil in der Olaf Tryggv. Saga enthalten. Vgl. ausserdem die Noten zu *Gunnl. Ormst. S. p.* 123 — 125. Hallfred starb 1004.

Hrolf ór Skalmarnes, ein erfahrener Skalde und Geschichtskenner, nach dem Zeugnisse der *Sturlunga* S. I. 8. 15. Er lebte um d. J. 1119.

Kormak, Augmunds S. lebte unter Harald Graafeld vor 1000; seine Lieder finden sich beinahe sämmtlich in seiner Geschichte.

Markus, Skegge's S. bekleidete, nachdem er seine Jünglingsjahre an den Höfen Dänemarks, Norwegens und Schwedens zugebracht hatte, das Amt eines Statthalters von 1084 bis 1108, wie Are Frode's Schedä berichten. Er pries Knud den Heiligen und Erich den Guten in seinen Liedern. Auch verfasste er ein Gedicht auf K. Olaf Tryggveson, davon sich Bruchstücke in dessen Sage befinden; wie auch ein heiliges Lied von dem Leben und Leiden des Erlösers.

Olaf Hvitaskálld, Thords S. hielt sich am Hofe K. Waldemars von Dänemark auf, der 1240 starb, ward 1248 und 1252 zum Statthalter ernannt und starb 1299. Er schrieb mehre grössere Ehrengedichte auf Hakon von Norwegen und Waldemar von Dänemark, auf den Herzog Skule und den heiligen Thorlak. Auch ist er Gründer der Skalda.

Ottar Svarti unter Svend Tveskiäg, verfasste ein Gedicht auf Knud d. Grossen von Dänemark, und ein anderes auf K. Olaf d. II. von Norwegen.

Rafn (Skálld-hrafn), Annunds S. ein gefeierter Skalde nach dem Berichte der *Gunnl. Ormst. S.* worin seine sämmtlichen Gedichte uns aufbehalten sind.

Sighvator, Thords S. Hofkämmerer und Dichter K. Olafs d. H; sang von den Königen Knud d. Gr. und Magnus dem Guten, ferner von Erling Skialgi und

N

vielen andern. S. *Knytl. S. C.* 16. 17. 19. *Olaf Tryggv.*
S. *Append. p.* 33. 43. *it.* Magnus d. G. Sage C. 17. und
Olaf Harald S. Sage C. 137. 214.

Sigurd Fostre, Thords S. Skalde Biörn Jorsalafars,
eines isländischen Adelichen; verfertigte ein scherzhaftes
Lied von Schido dem Bettler.

Skule, Thorsteins S. besang die Schlacht von Svoldres.

Snorri, Sturle's S. Lagmann auf Island; verfasste zwei
Gedichte an den Herzog Skule, nach dem Zeugnisse
der *Sturl. S. IV.* 22. und drei andere an denselben und
den König Hakon. Diese Gedichte, welche sämmtlich
der Edda beigefügt sind, heissen dort *Háttalikill (clavis
metrica)* wegen der grossen Anzahl der darin abwechselnden Versmaase. Ausserdem dichtete Snorri noch
vieles andere, auf Hakon Galin Jarl, Kristina u. s. w.
S. *Sturl. S. IV.* 21.

Stein, Herdisa's S. unter Olaf dem Friedsamen.

Sturle, Thords S. Olafs Bruder; starb in einem Alter
von siebenzig Jahren, nachdem er lange dem Amte
eines Statthalters vorgestanden hatte, im J. 1284 als
Geschichtschreiber und Dichter des Jarls Birger von
Schweden. Er sang Lobgedichte auf die Könige Hakon
und Magnus, wie auch auf Birger Jarl. S. *Sturl. S.
II.* 38. Die Geschichte nennt Sturle Thordson
als den letzten der Skalden.

Ulfr, Ugge's S. sang von dem Gott Thor und von K.
Olaf Tryggveson. Lebte um 997.

Veturlide Skálld machte ein Spottgedicht auf die
Thaten Gott Thors, und ein anderes auf den Priester
Thangbrand, welches letztere er mit dem Leben büsste.
S. *Landn. p.* 330.

Piodolf, Arnors S. Skalde des K. Harald Sigurds Sohn.

Þorrarin Lof-tunga dichtete die Gesänge *Höfud-lausn* und *Tug-drápa* und lebte unter Knud dem Grossen und Svend Knudson. S. Olafs d. IL S. C. 151. 198.

Þorarin Stuttfeldr unter Sigurd Jorsalafar.

Þord, Kolbeins S. unter Olaf d. II. Vergl. die Noten zu *Gunnl. Ormst. S. p.* 178 — 179.

Þord Veile, nach dem Zeugnisse der Skalda, der Erfinder einer gewissen Versart, *Veilahåttur*, auch *Skialfhenda forna* genannt.

Þorfinn Munnur, unter Olaf d. II.

Þorleif Jarlaskálld, Asgeirs S. sang auf Hakon, Jarl von Hladnes ein beissendes Strafgedicht; ein langes Ehrengedicht hingegen auf K. Svend Tveskiäg von Dänemark. S. Olaf Tryggv. S. P. I. C. 168. *Landnámabók* p. 109.

Þorleik Fagri, Bolla's S. sang ein Gedicht auf den König Svend, Ulfs Sohn.

Þormod Kolbrunar-skálld unter Olaf d. H.

II.

Uibersicht der sämmtlichen grösseren Skaldendichtungen.

Arinbiarnar Drápa, (Fragment) — des Egil Skallagrimson.

Banda-drápa — des Eyolf Dadaskald.

Bersöglis Vísur, eine Art Strafgedicht an Magnus den Guten — des Sighvatur Thordson.

Belgskaga-drápa, auf Erich Hakon Jarls Sohn — des Thormod Kolbrunarskald.

Biarkamál hin fornu, Kriegsgedicht — des Skalden Biarke.

Blagagla-Drápa — des Arnor Jarlaskald.

Bragarbot Lobgedicht auf den Herzog Skule — des
Snorri Sturleson.

Drápa Eyriks Kongs Goda — des Markus Skeggeson.

Erlings-drápa — des Sighvatur Thordson.

Eyriks Drápa Hakonarsonar — des Thord Kol-
beinson.

Elfar Vísur — des Einar Skulason.

Erfis Drápa Haralldа Hardráda — des Arnor
Jarlaskald.

Geisli, auch Vattar-drápa und Olafs Helga
Drápa genannt, ein Lobgedicht auf K. Olaf d. H. —
des Einar Skulason.

Glaelogns Kvida, an K. Svein Alsifas Sohn — des
Thorarin Loftunga.

Glym-drápa, auf Haralds Sieg über die Orkadaler —
des Thorbiörn Hornklofi.

Grafeldar-drápa, über den Tod K. Haralds Graafeld —
des Glum Geireson.

Hákonar Drápa, an Hakon, Adelsteins Pflegesohn —
des Guttorm Sindri.

Hákonarmál, K. Hakon Adelsteins Todtenfeierlied —
des Eyvind Skaldaspiller.

Háleygia-tal, Hakon Adelsteins genealogisches Gedicht — von Eyvind Skaldaspiller.

Haralldа Drápa, auf Harald Sigurds Sohn — des Thiodolf.

Höfud-lausn, an Erich Blodöxe — des Egill Skallagrimson.

Höfud-lausn, an Knud d. G. — des Thorarin Loftunga.

Höstlaung, das lange Herbstlied, d. i. Gott Thors Kampf
mit dem Riesen Hrugner, Idunnas Raub und der Fall
des Riesen Thiasse — gedichtet von Thiodolf Hvinversker.

Hrafns-mál, auf den Feldherrn Snorri — des Thormod
Traffilson.

Hund, Lobgedicht auf König Sauri. Durch dieses Gedicht
rettete der Skalde Erpur Lutande sein Leben.

Jarls-níd, auf Hakon Sigurds Sohn, wohin auch die
Konar-og Þoku-vísur gehören — des Thorleif Jarlaskald.

Kalfs-flockr, an Kalfur Arnason — des Biarne Goll-
brarskald.

Knuts Ríka Drápa — des Ottar Svarti.

Knuts Ríka Drápa — des Sighvatur.

Kráku-mál — Ragnar Lodbroks und seiner Skalden.

Lilia Lobgedicht an die h. Maria — des Eystein Asgrims-
son.

Magnuss-Drápa, an Magnus d. G. — des Arnor Jarlaskald.

Magnuss-Drápa, an Magnus Barfuss — des Biörn
Krepphendi.

Magnuss-Drápa, an denselben — des Thorkell Ha-
marskald.

Magnuss-Flockr, an Magnus d. G. — des Thiodolf

Nizar-vísur, auf Harald Sigurds Sohn — des Stein
Herdisarson.

Nikorar Vísor or Háttalykli, eine Anzahl Ehrengedichte auf K. Hakon III. und seinen Neffen, den Herzog Skule — des Snorri Sturleson.

Olafs-Drápa, an Olaf Kyrre — des Stein Herdisarson.

Olafs-Drápa, an Olaf Tryggveson — des Hallfred.

Olafs Helga Drápa s. Geisli.

Rekatefia, an Olaf Tryggveson — des Markus Skeggeson.

Sendibit, auf Halfdans und Gudrods Aussöhnung mit
Harald Harfagri — gedichtet von der Skaldmär Jorunna.

Sigurdar Drápa, an Sigurd Jarl von Illadnes — des
Kormak.

Sigurdar Balkur, auf Sigurd Slembe — des Ivar
Ingemund.

Sonar Torrek, Klagelied des Egili Skallagrimson über
seinen im Schiffbruch umgekommenen Sohn.

Stutlfeldar Drápa, auf Sigurd Jorsalafar — des Thorarin.

Sveins-flockur, an Svend Ulfs Sohn — des Thorleik
Fagri.

Tugdrápa, auf Knud d. G. — des Thorarin Loftunga.

Uppreistar-drápu, ein Reuelied wegen Abtrünnig-
keit — des Hallfred.

Vattar-drápa s. Geisli.

Vellekla, auf Hakon den Reichen — des Einar Ska-
laglam.

Vestur-farar-vísor, Westfahrtlieder vom Skalden
Sighvatur.

Vikarsbalkur — des Stärkodder.

Ynglinga-tal, Stammgesänge von Norwegischen Königen — des Thiodolf Hvin.

Pors-drápa, Gott Thors Reise an den Hof des Riesen
Geirrödur — von Eilif Gudrunarson.

Beilage.

Erklärung der angehängten alterthümlichen Schrifttafeln.

T. I.

Zu dem vorliegenden nordischen Runenalphabete habe ich bloss anzumerken, dass ich hier die üblichsten und also wahrscheinlich auch die ältesten Formen dieses Alphabets, welches übrigens von jedem einzelen Buchstaben bei achtzehn und mehr Varietäten aufzuweisen hat, zu richtiger und leichter Kenntniss desselben herauslas. Dieses Alphabet allein reicht hin, beinahe alle runischen Denkmäler zu lesen. Die alte Ordnung der Buchstaben ist hier beibehalten, die späteren oder punktirten Runen sind nebenher beigesetzt. In Betreff der Rune *reid* bin ich der Meinung, das sogenannte End-*r* ($\bigwedge$) sei die ältere Form, wogegen das zweite unfehlbar jünger und vom römischen Alphabete hergenommen scheint: gleichwohl kann nicht geläugnet werden, dass beide Formen schon auch auf älteren Runensteinen vorkommen. Die O s - Rune ($\not\land$) scheint ebenfalls jünger und zwar ein verdoppeltes oder voller genommenes $\bigwedge$ *a* zu sein, darum hat sie auch im Phönicischen kein Vorbild. Die Rune *biörk* endlich dürfte einst wohl die Gestalt des hier zuerst stehenden *b* gehabt haben; so wenigstens würde sich die phönicische Abstammung noch deutlicher zeigen.

Alle Varietäten, wie auch die Zusammensetzungen und Abkürzungen der Runen, finden sich gesammelt in

der Diplomatik der Benediktiner (T. II.) in *Stephanii
Notis ad Saxonem (Sorøe* 1644. *fol.*) und in *Wormii
Literatura runica (Hafn.* 1636. 4. N.Ausg. 1651. *fol.*)

T. II.

a) Die Helsingischen Runen. Olai Celsii
Beschreibungen der sämmtlichen Helsinger und Medelpader
Runensteine befinden sich in den *Actis. liter. Sveciae
ad an.* 1724. *p.* 577. und 1725. *p.* 14; wie auch in dessen
Schrift: *Runae Medelpadicae ab importuna crisi breviter
vindictae. Upsal.* 1726. 4. (Vgl. die Anz. hievon in *Act.
lit. Suec.* 1726. *p.* 145.) Ein Auszug aus O. Celsii
Aufsätzen erschien in den *Philosophical Transactions.*
(*IX. p.* 438. *ff. An explanation of the Runic Characters
of Helsingland.*) Berichtigt und vervollständigt hat dies
alles Prof. Magnus Celsius in seiner Abhandlung:
*De runis Helsingicis observationes quaedam (Nova acta
Regiae societatis scientiarum Upsaliensis A.* 1773. *Vol. I.
p.* 1—21 und *Tab. I. II. III.*) Nach dem letzteren ist
die vorliegende Zeichnung entworfen.

b) Die Runenschrift auf dem goldnen Horn.
Diese erscheint hier um ein geringes verkleinert, als man
sie auf der Original-Abbildung bei MÜLLER findet. Vgl.
dessen Antiquarische Untersuchung der unweit Tondern
gefundenen goldnen Hörner. Eine gekrönte Preisschrift.
A. d. Dänischen von W. H. G. ABRAHAMSON. Kopenhagen 1806. 4. Taf. II.

c) Idee einer mimischen Runenschrift. Der
Verfasser der Atlantik, O. RUDBEK, hat den Merkurstab
für den Schlüssel zu den Runen ausgegeben; andere
wollten die jedesmalige Form des Mundes, wie sie sich
aus der Aussprache der Buchstaben ergiebt, für das Vorbild gelten lassen, welches die Erfinder bei der Wahl
der runischen Schriftzüge leitete: beide Meinungen aber

sind gleich widersinnig. Denn vorerst ist das Runenalphabet kein ursprüngliches, sondern ein erborgtes und
in dieser Hinsicht bereits in etwas verbildetes Alphabet; und anderseits streiten diese Meinungen gegen die
ausgemachte hieroglyphische Entstehung der Buchstabenschrift. Dem phönicischen Üralphabete liegt offenbar
Bilderschrift zum Grunde. Hug (Erfind. d. Buchstabenschrift, p. 23—26) hat dieses Verhältniss mit eben soviel
Gelehrsamkeit als Scharfsinn enthüllt, und seine Ergebnisse haben sich den verdienten Glauben erworben. Nach
ihm müssen die Namen der phönicischen Buchstaben gleichzeitig mit der Idee und Entstehung der Schrift selbst
gedacht werden, indem der Name jedesmal mit dem Buchstaben anfängt, welchem er angehört und zugleich auch
denjenigen Gegenstand ausdrückt, mit welchem die Form
des Buchstabs eine nicht zu verkennende Aehnlichkeit
hat. Zwar gab auch im Runenalphabete der jedesmalige
Buchstab seiner Benennung zugleich den Anfangsbuchstaben: aber die Gestalt der Runen steht der ursprünglichen Erfindung der Buchstabenschrift viel zu fern, als
dass sich das Bildliche darin noch sollte erkennen lassen.
Alles, was ich, ohne es eben gesucht zu haben, in den
Zügen der Runenschrift von entsprechendem bildlichen
Charakter wahrnehmen musste, besteht in der durchgängigen Aehnlichkeit der Runen mit den Umrissen der
Menschengestalt. Wiewohl ich nun dem Ganzen
keine weitere Bedeutung zu unterlegen gesonnen bin, so
hat es mir doch, gewisser Rücksichten wegen, der Be-
kanntmachung nicht ganz unwerth geschienen.

T. III.

Um die Folge und gegenseitige Stellung der Klingenberger Steinchiffern möglichst ersichtlich zu machen, habe
ich auf der vorliegenden Tafel zuerst die Abbildung eines

Theils der äussern, gegen Mittag gekehrten, Thurmwand
geliefert. Es ist dies zugleich jener Theil, auf dem die
eingehauenen Zeichen am deutlichsten erscheinen. Sämtliche Mauersteine haben sowohl auswendig, wie auch an
der entgegengesetzten, innerhalb des Thurmes erscheinen-
den Oberfläche, jedesmal eine etwa zollstarke bauchige
Erhöhung (daher der Thurm auch bei dem Volke der
Höckerige, bei STRANSKY *Tuberosa* heisst); auf solchen
Erhöhungen nun, welche bereits an vielen Orten theils
von Blitzschlägen abgestreift, theils von Hagel und Regen
sehr beschädigt sind, finden sich die besprochenen Zeichen,
die nur noch äusserst schwer und mit vieler Anstrengung
unterschieden werden können. Es hat hiemit eine gleiche
Bewandtniss, wie mit den Runensteinen. Von einigen
Zeichen nemlich sind nur noch Theile kennbar, andere
hingegen verlieren sich in verschiedene Striche, dass es
oft schwer wird, die ursprüngliche Gestalt des Steinmetz-
zeichens herauszufinden. Ich hatte nicht nothwendig,
alle Zeichen des Thurmes ohne Ausnahme zu copiiren,
da sich ein jedes derselben sehr oft und stellenweise bis
zwölfmal widerholt. Darum bestrebte ich mich nur, alle
diejenigen Zeichen zu sammeln, die unter sich eine merk-
liche Verschiedenheit zeigten, und ich bin gewiss, dass
mir von diesen wohl keines entgangen sei. Was die Ordnung betrifft, in welcher ich auf der gegenwärtigen Tafel
die vereinzelten Zeichen hinstellte, so bin ich dabei keinem
bestimmten Gesetze gefolgt, sondern habe die verschiedenen
Chiffern, wie ich sie da und dort zerstreut gefunden, ganz
ordnungslos auf mein Blatt gebracht, was ich auch zur
Vorbeugung alles Missverständnisses hiemit bemerke.

T. IV.

Zur leichteren Vergleichung habe ich hier neben dem
Phönicischen oder dem Uralphabete, noch das etrus-

cische, celtiberische und wendisch-runische
Alphabet aufgestellt. Die grosse Aehnlichkeit des etruscischen Alphabets mit den nordischen Runen, die noch
weit grössere der letztern mit dem celtiberischen Alphabete,
endlich die völlige und beinahe durchgängige Uibereinstimmung der Runen mit dem phönicischen Alphabete, fällt
sogleich in die Augen. Bei dem Phönicischen und Etruscischen nur hat man die Schreibweise, die hier von der
rechten zur linken geht, zu berücksichtigen; das Celtiberische nimmt wieder den Gang der Runen. Hieraus wird
zugleich die Möglichkeit denkbar, wie man alte Inschriften
von solchen und ähnlichen Schriftzügen zuweilen für runisch
hat ansehen können.

Das phönicische Alphabet, das ich hier gebe,
habe ich theils aus dem allgemeinen Alphabete der Benediktiner (*Traité de Diplom. II.*), theils aus Astle (*The
origin and progress of writing. N. E. London.* 1803. 4)
theils aus Hug (Die Erfindung der Buchstabenschrift. Ulm
1801. 4), theils endlich aus den *Philosophical Transactions*
(a. m. O.) zusammengestellt. Es war mir nicht schwer, die
den nordischen Runen entsprechenden phönicischen Buchstaben sogleich herauszufinden, und ich glaube demnach,
die bei meinem phönicischen Alphabete vorangesetzte Buchstabenreihe mit einigem Grunde für die ursprüngliche halten
zu dürfen, es wären sodann die beigesetzten Varietäten von
späterer Entstehung. Wenn es nun aus der obwaltenden
augenscheinlichen Uibereinstimmung des runischen Alphabets mit dem Phönicischen unwiderleglich dargethan ist,
dass das erstere aus dem letztern sich entwickelt habe; so
wollte man, etwa zu noch grösserer Bestättigung dessen
billigerweise auch mit den Namen der Buchstaben eine
gegenseitige Vergleichung vornehmen. Hier aber zeigt
sich, dass die nordischen Runennamen völlig unabhängig
von den phönicischen sind und folglich eines späteren Ur-

sprungs sein müssen. Dass sich unter den Runennamen
drei finden, die auch im phönicischen Alphabete vorkommen,
nemlich *tyr = alpha*, *is = daleth*, *laugr = mem*, ist einzig
nur für blinden Zufall zu erklären, indem ja hier wie dort
die allernächsten Umgebungen und Gegenstände durch die
Namen der Buchstaben bezeichnet sind. Die nordischen
Völker haben also von den Phöniciern mit der Buchstabenschrift bloss das hierauf sich beziehende fremde Wort R u n e,
kaum aber die Namen der einzelen Buchstaben überkommen.
Wie mochten nun diese Völker auf die Idee gerathen, den
erhaltenen Buchstaben eigenthümliche Namen beizulegen,
da dies glaublich zu jener Zeit eben so wenig als heut zu
Tage konnte Bedürfniss gewesen sein? Wahrscheinlich ist
die Erfindung der Runennamen dem poetischen Geiste irgend
eines skandinavischen Priesters zuzuschreiben, welcher die
Formen der Buchstaben mit den Aussenlinien ähnlicher
Gegenstände combiniren und so die Namen dafür ersinnen
konnte. Rühren diese Namen aber, wie leicht anzunehmen,
von O d i n her, so beurkundet sich hierin die Anwendung
einer asiatischen Sitte.

Das etruscische Alphabet habe ich zum Theil
aus ASTLE und aus der Diplomatik der Benediktiner gesammelt, gebe es jedoch hier nach einigen in den *Philosophical
Transactions* bekannt gemachten etruscischen Inschriften
hie und da berichtigt.

Das Alphabet der celtiberischen Münzen
findet sich eben so, d. i. nach der Tychsen'schen Entzifferung, in P. E. MÜLLERS Untersuchung der goldnen Hörner
Taf. 5. BÜTTNER lieferte dieses Alphabet aus VELASQUEZ
in seinen Vergleichungstafeln der Schriftarten verschiedener
Völker. Götting 1771. 4 Taf. 2. — Was nun die Abhängigkeit dieser drei Alphabete betrifft, so dürfte selbe folgendermassen zu erklären sein. Noch vor der Zeit als die Phönicier den nordischen Völkern ihr Alphabet mittheilten, haben

sie selbst den Etruskern überliefert, was auch bei dem
weitläufigen Handel und der starken Schiffahrt, welche die
Phönicier überall im mittelländischen Meere trieben, nothwendig geschehen musste. Dasselbe fand auch bei den
Völkern Spaniens, den Bätiern, Turdetanern und Celtibe-
riern Statt. Die Schrift der Karthager zwar ist, wie einige
Münzen von Karthago und Cossura beweisen, der celtiberischen Schrift sehr nahe verwandt, und man kann, wenn
man die ausgebreitete Macht der Karthaginenser in Spanien
berücksichtigt, leicht zugeben, dass die letzteren ihre Buchstaben mit sich aus Afrika nach Spanien gebracht haben.
Allein es ist viel wahrscheinlicher, dass die Spanier ihre
Schrift in früherer Zeit schon von den Phöniciern selbst
erhalten haben. Denn der lebhafte Handel, den diese so
lange mit Spanien unterhielten, und der grosse Einfluss,
welchen sie auf dieses Land hatten, und den unter andern
auch die Stiftung ber berühmten Stadt Cadiz bezeugt, scheint
es völlig ausser Zweifel zu setzen, dass die altspanischen
Schriftzüge, wie bereits erwähnt, unmittelbar von den
Phöniciern und nicht erst nachher von deren Kolonisten,
den Karthagern, sind mitgetheilt worden. —

Das hier aufgenommene Runenalphabet der
rhetraischen Alterthümer ist aus den bekannten
Abbildungen von WOGE und POTOCKI zusammengestellt.
Es ist ganz vollständig und beruht auf möglichst richtiger
Lesung der rhetraischen Runeninschriften.

———————

Die, in den vorhergegangenen Untersuchungen des
Runenthumes theils anerkannten, theils mehrfach begrün-
deten schreibgeschichtlichen Hauptsätze verdeutlicht fol-
gends

Stammtafel der sämtlichen Schriftzüge des
Alterthums, insonders der Runen.

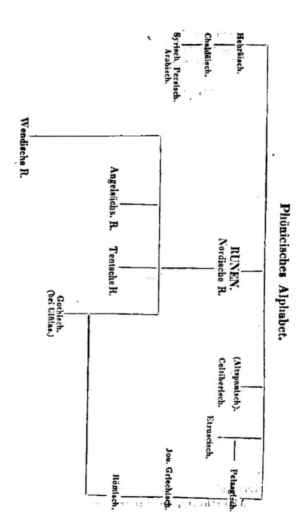

Phönicisches Alphabet.

Hebräisch.

Chaldäisch.

Syrisch, Persisch, Arabisch.

RUNEN.
Nordische R.

Wendische R.

Angelsächs. R. Teutsche R.

Gothisch.
(bei Ulfilas.)

(Altspanisch).
Celtiberisch.

Etruscisch.

Jon. Griechisch.

Pelasgisch.

Römisch.

Zusätze und Berichtigungen.

Erste Abtheilung.

S. 6. Z. 3. für الروني lies: الروني.

— 7. — 8. Zus. (*Nib. L. v.* 3541) *der chunich mit sinen vriunden
rûne n de gie;* (*v.* 7914) *waz ns hinne runen die Hiunen-
degene.*

S. 13. Z. 5. Zus. Das Finnische *runo* hat im Plur. *runot.*
Anm. Ein Sänger heisst im Finnischen auch noch *Runoleixen,
Runoja, Runottaja,* (in Sawolax und Karelen *Runoniekka*)
P a r t h a n. *Diss. de poesi Fennica. V. Part.* p. 6.

S. 13. Z. 7. v. u. für *tgea* lies *geta.*

— 14 — 5 v. u. Die höhere Kenntniss von dem Ursprunge der
Götter und der Welt wird selbst „d i e a l t e n S t ä b e (*forna
stafrar*), d i e R u n e n der G ö t t e r genannt (Vgl. *Vafthrud-
nismál* Str. 1); und wenn der erste dieser Ausdrücke die
Vermuthung bestättigt, dass die Götterlehre nicht ganz ohne
Beihilfe der Schrift sich erhielt und fortpflanzte; so erinnert
uns der letztere daran, dass R u n e n vom Anfang an eine
g e h e i m e Wissenschaft bezeichneten. Dies ging schon aus
dem überwiegend magischen Charakter der Lehre selbst hervor. In der *Ynglinga Saga* (*Heimskr. c.* 7.) heisst es:
„Durch R u n e n und G e s ä n g e lernte Odin seine Künste
(*Allar þessar iþrottir kendi hann med r u n o m oc liddum*);
in den meisten derselben unterrichtete er die Opferpriester,
die ihm an Weisheit zunächst standen; von ihnen lernten sie
viele andere und so verbreitete sich die Zauberkunst weit
und erhielt sich lange.‟ S. GEIJERS Gesch. v. Schwed. I. 249.

S. 20. Z. 10. Zus. Saxo's Amlethus ist H a m l e t, derselbe,
welchen SHAKESPEARE unsterblich gemacht hat. Von seinen
Leiden und Listen weiss Saxo viel zu erzählen, und spricht
in dieser Sage auch von einem mehrmaligen Geschäftsgebrauche
der Schreibekunst. Ausser der oben besprochenen Schild-
schrift nemlich gedenkt Saxo auch eines verrätherischen

208

Schreibens an den König von Britanien (welches bei Shakespeare für Rosenkranz und Güldenstern so übel ausschlägt)
Dasselbe besteht hier aus einem Stück Holz mit eingeschnit-
tenen Buchstaben, die Amleths Tod enthalten. Amleth be-
mächtigt sich des Holzes, während seine beiden Geführten
schlafen, schabt die Schrift ab, setzt eine veränderte an die
Stelle und wendet so den beiden den Tod zu, sich aber der
brittischen Königs Tochter. — Sollte der König Britaniens
die runische Schrift verstehen, so mussten die Runen damals
auch schon in England bekannt gewesen sein.

S. 20. Z. 1. v. u. für *c.* 19. lies *c.* 60. Die Stelle lautet: *Nú vildi
ek fadir at vid leingdim lif ockart sra at tu maettir yrkia
erfi-kvaedi eptir Bödvar, enn ek muu rista á Kefli (Egils-
Saga, Hafn.* 1809. p. 605).

S. 25 Z. 6 f. *Glenstrupst* l. *Glenstruper.*

S. 34. Eben lese ich in einer Abhandlung W. GRIMM'S (Zur Literatur der Runen. Nebst Mittheilung runischer Alphabete
und gothischer Fragmente aus Has. S. Wiener Jahrbücher
d. Lit. B. XLIII.) dass auch er die Schriftzeichen auf dem
Tundernschen Horne für angelsächsische Runen
hält. — Die ebengenannte Abhandlung, reich an schätz-
baren Mittheilungen, kann als Nachtrag zu des Verfs. Deutschen Runen (Götting. 1821) angesehen werden; ich will
daraus Einiges hieher gehörige in den nun folgenden Zu-
sätzen gleichfalls nachtragen.

S. 36. In der angeführten Abhdlg. bemerkt GRIMM, dass die
Runen auf den rhetraischen Denkmälern weder nordisch,
noch auch angelsächsisch, mit beiden aber verwandt
und keinesswegs bloss abgeborgt sind, möglicherweise jedoch
absichtlich entstellt sein können. Er hat diese Runen auch
näher untersucht und ihre auffallendsten und wichtigsten
Eigenthümlichkeiten angegeben, welche in Folgendem bestehen:
das *B*, in allen Alphabeten, deren Verwandtschaft hier ins
Spiel kommt, von ziemlich stätiger Form, hat ein fremdartiges Zeichen, in wenigstens fünffacher Varietät, $(\times \Psi \Psi$
$\Psi \Psi)$ unter sich ähnlich, doch immer gleichweit von dem gewöhnlichen *B* entfernt. Dies ist die einzige Abweichung in den
sechzehn alten Runen, die übrigen treffen sämtlich die neuern
(ein für die Aechtheit dieses Alphabets allerdings günstiger
Umstand); denn Zufall kann dies kaum sein, und schwerlich
ist bei absichtlicher Entstellung eine Kenntniss dieses Unter-
schiedes vorauszusetzen. Das *E* gleicht nicht dem angelsächsischen, manchmal ist es blos das lateinische, nur rück-

wärts gestellt $(\exists)$, am häufigsten aber hat es eine Gestalt, $(\mathcal{f})$, welche [das ist merkenswerth und der Grund davon muss in der Sprache liegen] zugleich auch für *A* gebraucht wird, wiewohl dieses daneben die gewöhnliche, hier dem gothischen *A* am nächsten kommende Form hat. Abweichend ist ferner die Gestalt von *K*, von *P*, das dem Griechischen ähnlich, oft dem *U*, der bekannten, oben geschlossenen Rune völlig gleicht*), endlich von *W*. Das *Z* scheint mir besondere Aufmerksamkeit zu verdienen, und zwar aus folgendem Grunde: in dem sogenannten markomanischen und angelsächsischen Alphabet finden wir gleichfalls ein römisches *Z*, während zu der Zeit, wo diese Alphabete aufgezeichnet wurden, in der Sprache der Sachsen und Angeln dieser Laut nicht eigentlich vorhanden, mithin ein Buchstab dafür überflüssig war. Ich habe diesen befremdenden Umstand auf verschiedene Art zu erklären gesucht, da aber nun die slavische Rune für *Z* (*cz =* *tsch*, ein in der slavischen Sprache alter und unentbehrlicher Laut) mit der markomanischen *Zis* übereinstimmt, nur dass sie, was bei den Runensteinen häufig sich ereignet, umgekehrt gestellt ist; so wäre die Vermuthung an sich gerade nicht zu verachten, wornach die Markomanen, d. i. die überelbischen Sachsen von den benachbarten Ostseeslaven diesen Buchstaben möchten empfangen haben."

Aus einer kleinen Schrift von F. v. HAGENOW (Beschreibung der auf der Grossherzogl. Bibl. zu Neustrelitz befindlichen Runensteine und Versuch zur Erklärung der auf denselben befindlichen Inschriften u. s. w. Loitz u. Greifswalde 1826. 4. M. 14 Holzschnitten) erfahren wir, dass ausser den Götzenbildern von Erz in dem Museum zu Strelitz auch eine Anzahl slavischer Runensteine bewahrt wird. Es sind 14 Steine, sämmtlich von geringem Umfange. Der grösste wiegt nur 20 Pfund, der kleinste ⅓ Pfund. Schon dadurch unterscheiden sie sich gar sehr von den nordischen, schwer zu bewegenden Runensteinen, und konnten desshalb bis auf ein Paar, in natürlicher Grösse abgebildet werden. Sie haben keine regelmässige Gestalt, noch sind sie vorher gleichförmig zugerichtet; doch ist Fig. 4 länglichrund, Fig. 9 ganz eyförmig. Dass man in teutschen Gräbern mehrmals eyförmige Steine gefunden, ist bekannt. Ausser den Runen enthält fast jeder Stein noch eine Figur, sei es eine menschliche

*) S. T. IV. Col. 4.

O

210

Gestalt oder ein Kopf, ein Thier, allezeit aber von äusserst
roher Arbeit. — Die Inschriften enthalten wenige, manchmal
ganz einzele Runen; es ist dasselbe Alphabet, wie auf den
Erzbildern, nur, wie sich von selbst versteht, sind die Zeichen
roher und plumper eingehauen. Indessen lies't man Nr. 1.
RAD...., ohne Zweifel Radegast, und Fig. 10. *SIEBA*,
und erkennt bei aller Ungeschlachtheit die Figuren beider
Gottheiten, den Fig. 1 und 15 bei Masch entsprechend.
Von dem Fundorte und dem Finder dieser Runensteine hat
man gar keine Spur. Man weiss zu Strelitz durchaus nicht
mehr, als was ein beiliegender (von einem Unbekannten geschriebener) Zettel aussagt, wornach man die Steine aus
geöffneten Grabhügeln genommen, wo sie meist ganz oben
als Schlusssteine gelegen. Die Richtigkeit der Angaben dieses
Zettels müsste sich aber erst durch weitere, in jenen Gegenden, vorzüglich auf dem Prilwitzer, Neuenkircher und
Stargardter Felde vorgenommene, Ausgrabungen bewähren.

Neuerlich hat Hr. Prof. v. Schröter ein Prachtwerk ange-
kündigt, welches, in Farben ausgemalte, höchst genaue Nach-
bildungen der sämmtlichen rhetraischen Alterthümer enthalten
soll, dessen Erscheinung wir denn noch entgegensehen.

S 38 Z. 4 v. u. f. huen l. ihnen.

S. 42. Z. 3. v. u. f. 1823 l. 1828.

— 45 — 1. Saxo (*ed. Stephan. p.* 173) berichtet: *Biarmorum rege
interfecto, Finnorum vero fugato, Regnerus saxis rerum
apices prae se ferentibus, hisdemque superne locatis, aeternum
victoriae suae monumentum affixit.*

S. 47. Der Münchner, aus Tegernsee dahin gekommene, Codex
270 in 4to ist, wie sich bei näherer Untersuchung fand,
nicht aus dem VIII. Jahrhunderte. Er enthält nemlich p. 44
ein Formular, wo die Worte (*haec concessio*): „*data anx.
regni domini hlud: regis in orientali frantia*" vorkommen.
Da nun Ludwig der Deutsche erst nach dem Jahre 843
Ostfranken bei der Theilung des Reiches erhielt, so würde
diese Hs. vielmehr in die Mitte des neunten Jahrhunderts
zu setzen sein. — Die Runen sind angelsächsische, in
der lateinischen Ordnung aufgestellt.

Zwei Wiener Hss. enthalten das Runenalphabet, welches
sich in den Werken des Rhabanus Maurus befindet,
N. 64 zweimal und Nr. 828 einmal (S. Grimm Taf. 1, 2).
Prof. Graff hat neuerlich auch in dem Pariser Codex 5239
ein solches markomanisches Runenalphabet entdeckt; ob gleichfalls in einer Hs. des Rhaban, ist unbekannt. Dieses Alpha-

bet befolgt die Ordnung des lateinischen und entspricht am meisten dem *Cod. Vindob.* 64 und der bei GULDAST vorkommenden Abbildung.

S. 52. Bei meinem Aufenthalte in Leipzig (1828) hatte ich von einem, daselbst im Museum der Deutschen Gesellschaft befindlichen, Runenstabe Kenntniss erhalten. Dem Ansehen nach glaube ich denselben in das 15. Jahrhundert setzen zu dürfen, vielleicht ist er auch noch älter. Eine, vom Dr. STIEGLITZ herrührende, lehrreiche Beschreibung dieses Runenstabes findet man in dem Ersten Bericht an die Mitglieder der Deutschen Gesellschaft 1827, S. 64— 71; wie auch Taf. 3 eine Abbildung davon in der Hälfte des Originals. Ein Runenkalender, jedoch nur der Januar, steht auch in dem geöffneten Antiquitäten-Zimmer (für Inscriptionen), Hamburg 1702, S. 149; ein anderer in KÜSTNERS Sammlung u. s. w. B. III. S. 390 ff.

S. 54. In der St. Galler Hs. Nr. 878 ist nunmehr durch Anwendung eines Reagens einiges noch deutlicher hervorgetreten; und zwar über dem sogenannten *Anguliscum* eine runische Zeile: *Eareak kate.* Auch hat Dr. PERTZ in einem andern St. Galler Codex (Nr. 127 in *fol.*) aus dem IX. Jahrhundert, welcher *S. Hieronymi comment. in Matthaeum* enthält, an dem Ende des vierten Buchs sechs, gross und schön geschriebene Runen gefunden, und wird sie bekannt machen. Vermuthlich steckt der angels. Eigenname *Hrodgar* darin.

S. 55. Von den, mit Runen bezeichneten, Goldbrakteaten besitzt das Museum zu Kopenhagen einige funfzig Stück; nur ein einziges davon ist bisher nach Teutschland gelangt; es befindet sich in einer Münzsammlung zu Berlin. Die Brakteaten — ohne Zweifel sämmtlich Amulete — sind von verschiedener Grösse; die meisten bedeckt ein Thaler, einige sind kleiner, andere durch die Randverzierungen von bedeutendem Umfang. Das wichtigste, was diese Brakteaten enthalten, sind die Runen; wenn gleich nicht überall vollkommen deutlich, kann man doch mit Sicherheit behaupten, es sind nicht nordische, sondern angelsächsische, und ohne Zweifel wird man mit Erklärung derselben einen grossen Schritt im Verständniss der angelsächsischen Runen überhaupt vorwärts thun. Nächstens sollen ganz getreue Zeichnungen hievon in den antiquarischen Annalen erscheinen. GRIMM a. a. O.

S. 67 Z. 10—11 f. *Har-draade* l. *Hard-raade.*
— 68 — 10—11 f. *harda gudan* l. *harþa guþan.*
— 68 — 12 f. *dausi* l. *þausi.*
— 68 — 13 f. *brudur sin h. g.* l. *bruþur sin harþa guþan.*

O 2

S. 48 Z. 19. Die Namen der angelsächsischen Runen sind: *fş*
(*feok*), *xr*, *ḻorn*, *os*. *rdt*. *ceón*. *hagal*. *naut*. *is*. *ar*. *sol*. *tir*.
beork. *lagu*. *man*. *yr*. (*uyr*) — *daeg*. *eh*. *gyfa* (*geofu*.) *eolx* (*jor*).
perd. *calc*.

S. 90. Z. 1. v. u. f. er l. der. — SCHMITTHENNER (Teutonia I.
S. XVIII. d. Einleitung) legt überhaupt keinen grossen Werth
in die angeführte Stelle des Tacitus. Statt *literarum* — meint
er — möchte wohl dem ganzen Zusammenhange nach besser
liturarum (das Geheimniss des Schminkens) gelesen werden.

S. 91 Z. 4 v. u. f. welches l. welche.

S. 95 Z. 3. f. Teutches l. Teutsches.

— 97 — 11 sind die Worte „*literae* durch pnah und" zu streichen.

— 97 — 17 f. geheimen l. gemeinen.

— 98 — 6 f. inventoine l. *inventione*.

— 100 Z. 3 v. u. f. VI. l. VII.

— 103 — 1 f. der l. dieser.

— 106 — 4 f. une l. und.

— 109. Es sind seitdem noch einige Runenalphabete entdeckt
worden. 1) *Codex membr. Salisb. Nr. 140 olim. Salisb. LXXI*,
aus dem Anfange des X. Jahrhunderts; enthält *fol. 20ᵃ* ein
angelsächsisches Runenalphabet. Dieses Alphabet unterscheidet sich von jenen, aus zwei St. Galler und einer Pariser
Hs. entnommenen, Runenalphabeten nur in sofern, als in den
beigeschriebenen Runennamen angels. Sprachformen und die
gewöhnl. angels. Schrift sich zeigt, wodurch es noch mehr
äussere Aehnlichkeit mit den bei HICKES aus Cottonischen
Hss. mitgetheilten Alphabeten erhält. Da es in einer Schrift
Alcuins steht und der Codex aus Salzburg stammt, wo
Alcuins Bruder Arno Erzbischof war; so ist nicht unmöglich, dass dieser selbst es mit aus England gebracht
hat. Das müsste in der zweiten Hälfte des VIII. Jahrhunderts geschehen sein. Das Original haben wir indessen, wenn
auch eine genauere Untersuchung der Hs. ihr Alter höher
hinaufrücken sollte, nicht vor uns, sondern eine weitere
Abschrift, eben weil angelsächsische und teutsche Formen
und Schriftzüge unter einander gemischt sind. — Derselbe
Wiener Codex enthält auch noch neben den Runen eine
Anzahl gothischer Buchstaben und Alphabete; ferner *fol. 20ᵇ*
mehre gothische Zeilen nebst daher gehörigen grammatischen
Bemerkungen; endlich auch noch zwei Reihen gothischer
Ziffern. (Hierüber GRIMM a. a. O.) Wir vernehmen da zum
erstenmale die Namen der gothischen Buchstaben, freilich in
seltsamen und dunklen Formen, aber Werth verleiht ihnen
das gothische Element, das sie verrathen, so wie eine sicht-

bare Verwandschaft mit den angelsächsischen Runennamen: diesen stehen sie näher als den nordischen, wo nur die 15 alten Runen benannt wurden. 2) In einer Vatikanischen Hs. (338. *Fol.* 90) fand Dr. PERTZ ein, in der Ordnung des latein. Alphabets abgefasstes und unmittelbar aus dem Angelsächsischen stammendes Runenalphabet. Den Codex setzt er in's XI. Jahrhundert

S. 111. Z. 15. Anm. Daher gehören die im Norden häufig vorkommenden thierförmigen Bronze-Gefässe, deren einzele in KLÖWENS *antiquarisk Reise gjenem Norige* (*Christ.* 1824. 4) p. 46—48 und Taf. H., ferner in SJÖBORG *Indledning til Kaunedom af faderland. Antiqq.* (*Lund*, 1797. 8) p. 152, endlich in *Nordiska Fornlemningar, af I. G. LILIEGREN og C. G. BRUNIUS* (*Stockh.* 1819 *ff.* 8) beschrieben und abgebildet sind. Ein Brief des Prof. THORLACIUS in Kopenhagen (abgedruckt in KRUSE's teutschen Alterthümern I. 5. H. S. 1 ff.) ertheilt auch nähere Nachricht über einen Löwen aus Kupfer, der eine Lampe gewesen zu sein scheint, bei welcher der Docht aus dem Rachen brannte. Auf der Brust dieses Löwen befindet sich ein schräg gesetztes Schild, ebenfalls aus Bronze, mit eingegrabenen Runen. Die Runenschrift ist von KRUSE *l. c.* p.8—10 (u. Taf. 1.) mitgetheilt und erklärt. Sie lautet: *Leon. þetta. er gefet. guþi. til. dirþar. ok. hinom (hilom) helg. aulaf. at. vatsfirþe. af. þorvaldi. ik (ok) þordiso.* D. i. Dieser Löwe ist geweiht Gott zur Verehrung und Huldigung. Der heilige Olaf [erhielt ihn] zu Vatsfiord von Thorwald und Thordisa.

S. 118 Z. 3 v. u. ist *Gradec* wegzustreichen.

— 120 — 2 f. ebenfalls l. allenfalls.

Nachtrag zur Geschichte der Runen. GEIJER (*l. c.* p. 143—144) fasst das Historische über die Runen folgendermassen zusammen: 1) die Menge von Runendenkmälern sowohl, als deren Zweck, beweiset, dass die Runen vorzugsweise zu solchen Inschriften benützt wurden, welche der grösseren Menge verständlich sein sollten. Sie waren die Volksschrift, im Gegensatz zu der von den Geistlichen eingeführten lateinischen. Die eigentliche Zeit der Runensteine, so weit sie durch Denkmale mit Sicherheit bestimmt werden kann, erstreckt sich von dem zehnten, dies eingeschlossen, bis etwas über das dreizehnte Jahrhundert hinaus. 2) Dieser Zeitraum geht also auf der einen Seite bis zu dem ersten Erscheinen des Christenthumes im Norden hinauf; anderseits aber setzt er sich durch verschiedene Arten von Runendenkmälern in den späteren Jahrhunderten des Mittelalters fort, und wir sehen einen gemischten Gebrauch beider Alphabete; bis die lateinischen Buchstaben die alten runischen ganz verdrängten, von deren Gebrauch indess noch bis zu den spätesten Zeiten sich Spuren bei dem Volke erhalten haben. 2) Aber die älteste, obwohl schon christliche nordische Geschichte, spricht von Runenschriften auf Stein und Holz aus heidnischer Zeit, welches von Zeugnissen aus Teutschland im neunten Jahrhunderte bestärkt wird, während das Heidenthum noch den Norden beherrschte, von England, ehe es hier noch verschwunden war. Von Runen wird, als von Buchstaben, im sechsten Jahrhunderte gesprochen; das Wort runo in der Bedeutung von Geheimniss kommt bei den Gothen im vierten Jahrhunderte vor; in der alten nordischen Sprache aber bedeutet das Wort sowohl Buchstabe, als Geheimniss, und im Norden selbst ging das Alter der Runen über alle Erinnerung hinaus, wesshalb ihr Ursprung den Göttern zugeschrieben wurde.

Zweite Abtheilung.

S. 135. Z. 1. v. u. Wie sehr sich die Dichtungsformen der Finnen überhaupt jenen der alten Skandinavier nähern, ersieht man am deutlichsten aus H. R. v. Schröters Finnischen Runen (Upsala, 1819. 8). Ich will aus diesem in Teutschland noch nicht sehr bekannten Werke Einiges über die technische Gestaltung der finnischen Poesie hier mittheilen.

Die original-finnischen Gesänge, Runen genannt, bestehen immer aus acht Silben, ohne mit einem anderen Maase abzuwechseln. Eine Silbe um die andere bekömmt in der Regel den Accent und so entsteht ein vierfüssiges Versmaass, das man füglich ein trochäisches nennen darf, da es selbst durch scheinbare oder wirkliche Daktylen nie ganz aufgehoben wird; die allgemeinste Runenmelodie ist darnach abgefasst. Der Accent ist die einzige Richtschnur für die sogenannte Quantität. Es trägt jedoch viel zum Wohllaute der Verse bei, wenn die accentuirten Silben zugleich einen langen Vokal oder Diphthong enthalten, oder dass auf einen Vocal zwei Consonanten folgen (Positio). Die Stelle des Reimes ersetzt eine höchst vollkommene Alliteration, der zufolge in jedem Verse wenigstens zwei Worte denselben

Anfangsbuchstaben haben müssen. Eine Verbindung zweier
Verse durch die Reimbuchstaben, wie im Isländischen, findet
jedoch nicht Statt. Eine andere Art von Alliteration, die
nicht wenig zum Wohllaut des Verses beiträgt und desshalb
selten ausser Acht gelassen wird, ist der Sylbenreim
(die Isländische *hending*). Er besteht darin, dass man zu
den gleichlautenden Anfangsbuchstaben auch soviel gleich-
oder ähnlichlautende Sylben als möglich hinzufügt. z. B.:

> *Kanto käärmehen kähyjä*
> *kuriaisen kutkelmoita,*
> *sammakon salauihoja,*
> *maon mustia mujuja....*

Zu dem Buchstaben- und Silbenreime kömmt noch der
Sinnreim oder der Parallelismus, dass nemlich oft zwei,
oft auch drei oder vier Verse hintereinander denselben Ge-
danken enthalten, auf eine verschiedene Weise ausgedrückt. |—
Ueber finnische Poesie sind zu vergleichen: *PORTHAN Dis-
sertatio de poesi fennica. Aboae* 1766—1778. *V. P.* ferner
RENVALL Försök till Finsk Prosodie in der zu Åbo erschei-
nenden Zeitschrift *Mnemosyne*, 1819. 4. Nr. 42. Aeltere
Schriften sind: *PETRAEUS Brev. instit. ling. Fennicae; Pars prosodica. WEXIONIUS Descript. Sveciae, Goth. et
Fenn. l. III. c.* 14. und *MARTINIUS Hodeg. Ling. Fenn.*
p. 105 sqq.

S. 162 Z. 13 f. gesang l. Gesang.

— 167 — 10 v. u. f. Str. 34 l. Str. 24.

— 171 — 8. Auch v. d. HAGEN (S. Vorrede z. Vols. Saga p. XVI)
folgt einer ähnlichen Ansicht. Es ist nicht unwahrscheinlich —
sagt er — dass Kraka das offenbar nach ihr *Krakumál* benannte Todeslied Ragnars, wenn auch nicht selber dichtete,
doch dichten liess. Und dies letzte konnte leicht geschehen
durch Bragi, Bedda's Sohn, einen der ältesten nahmhaften
Skalden, der bei Ragnar und dann bei dessen und Aslögs
Sohn Biörn lebte. Derselbe dichtete auch ein grosses Ehren-
lied von Aslögs Ahnen, von welchem noch ein Bruchstück
von Sörll's und Hamdirs Tod (Vols. S. Kap. 51) übrig ist
und wozu vielleicht noch ein anderes, in den Kenningar
aufbehaltenes, Bruchstück von Brynhild gehört. Dem Bragi
möchte man daher auch die Grundlage und Lieder der Ragnar Lodbroks-Sage zuschreiben. Vergl. hiezu noch GEIJERS
Gesch. v. Schwed. p. 457—59 und Anm. 7.

S. 175 Z. 5 v. u. Holmgang, eine alte Sitte der nordischen Seeräuber (Wikinge). Diese pflegten sich untereinander auf einem öden Eiland (Holme) zu entbieten, um dort in unausweichbarer Nähe die blutige Entscheidung des Zwistes zu bewerkstelligen.

S. 186 Z. 5 f. enstieg l. entstieg.

Die übrigen, grösstentheils sehr unbedeutenden, Druckfehler bittet der Verfasser, zugleich mit den vielfachen Ungleichheiten der Orthographie, ohne weitere Andeutung zu berichtigen.
